北京古籍叢書

[清]于敏中　主編
瞿宣穎　左笑鴻　于杰　點校

日下舊聞考

第五册

圖書在版編目（CIP）數據

日下舊聞考．第五册／（清）于敏中主編；瞿宣穎，左笑鴻，于杰點校．— 北京：北京出版社，2018.2

（北京古籍叢書）

ISBN 978-7-200-13588-6

Ⅰ．①日… Ⅱ．①于… ②瞿… ③左… ④于… Ⅲ．①北京—地方史—史料 Ⅳ．① K291

中國版本圖書館 CIP 數據核字（2017）第 282828 號

項目策劃：安　東　　項目統籌：許　可
責任編輯：喬天一　張　帥　　責任印製：宋　超
裝幀設計：郭　宇

北京古籍叢書

日下舊聞考

第五册

［清］于敏中　主編

瞿宣穎　左笑鴻　于杰　點校

出　版　北京出版集團公司
　　　　北京出版社
地　址　北京北三環中路六號
郵　編　一〇〇一二〇
網　址　www.bph.com.cn
總發行　北京出版集團公司
經　銷　新華書店
印　刷　北京虎彩文化傳播有限公司
開　本　八八〇毫米×一二三〇毫米　三十二
印　張　十點三七五
字　數　一八九千字
版　次　二〇一八年二月第一版
印　次　二〇二三年五月第二次印刷

書號　ISBN 978-7-200-13588-6

定價　78.00 圓

如有印裝質量問題，由本社負責調換

質量監督電話　010-58572393

欽定日下舊聞考卷八十一

國朝苑囿 圓明園二

上下天光之西折而南，度橋爲杏花春館，西北爲春雨軒。軒西爲杏花村。村南爲碉壑餘清。春雨軒後東爲鏡水齋，西北室爲抑齋，又西爲翠微堂。圓明園册

〔臣等謹按〕杏花春館，四十景之一也。額爲世宗御書。館旁峯石上刊御製杏花春館詩。春雨軒内額曰蕙氣清陰。後廈聯曰生機對物觀其妙；義府因心獲所寧。與鏡水齋、抑齋、翠微堂諸額皆御書。

乾隆九年御製杏花春館詩 由山亭邐迤而入，矮屋疏籬，東西參錯，環植文杏，春深花發，爛然如霞。前闢小圃，雜蒔蔬蓏，識野田村落景象。霏香紅雪韻空庭，肯讓寒梅占膽瓶。最愛花光傳藝苑，每乘月令驗農經。爲梁謾説仙人館，載酒偏宜小隱亭。夜半一犁春雨足，朝來吟屐樹邊停。

〔臣等謹按〕杏花春館御製詩，恭載首見之篇，餘不備録。

杏花春館之西，度碧瀾橋爲坦坦蕩蕩，三楹。前宇爲素心堂，後宇爲光風霽月。堂東北爲知魚亭，又東北爲萃景齋，西北爲雙佳齋。圓明園册

〔臣等謹按〕坦坦蕩蕩，四十景之一也，額爲皇上御書。聯曰：源頭句詠朱夫子；池上居同白樂天。素心堂内額曰清虚静泰，與光風霽月、萃景齋諸額皆御書。知魚亭及雙佳齋額世宗御書。萃景齋石上刊御製坦坦蕩蕩詩。

乾隆九年御製坦坦蕩蕩詩　鑿池爲魚樂國，池周舍下，錦鱗數千頭，喁唼撥刺於荇風藻雨間。回環泳游，悠然自得，詩云：衆維魚矣，我知魚樂，我蒿目乎斯民！鑿池觀魚樂，坦坦復蕩蕩。泳游同一適，奚必江湖想？却笑蒙莊癡，爾我辨是非。有問如何答，魚樂魚自知。

〔臣等謹按〕坦坦蕩蕩御製詩，恭載首見之篇，餘不備録。

坦坦蕩蕩之南爲茹古涵今，五楹南向。其後方殿爲韶景軒，四面各五楹。韶景軒前東爲茂育齋，西爲竹香齋，又北爲静通齋。圓明園册

〔臣等謹按〕茹古涵今，四十景之一也。皇上御書韶景軒額恭懸軒内。其外南簷額曰喜接南薰，東簷額曰景麗東皇，西簷額曰翠生西嶺，北簷額曰清風北户，與竹香齋額皆御書。茂育齋、静通齋額皆世宗御書。

乾隆九年御製茹古涵今詩　長春仙館之北，嘉樹叢卉，生香蓊葧，繚以曲垣，綴以周廊，邃館明窗，牙籤萬軸，漱芳潤，擷菁華。不薄今人愛古人，少陵斯言，實獲我心。廣廈全無薄暑憑，灑然心境玉壺冰。時温舊學寧無説，欲去陳言尚未能。鳥語花香生静悟，松風水月得佳朋。今人不薄古人愛，我愛古人杜少陵。

〔臣等謹按〕茹古涵今御製詩，恭載首見之篇，餘不備録。

茹古涵今之南爲長春仙館，門三楹，正殿五楹。後殿爲緑蔭軒，正殿西廊後爲麗景軒。（圓明園册）

〔臣等謹按〕長春仙館爲皇上舊時賜居，四十景之一也。其後恭值佳辰令節，迎奉安輿，駐居斯館，殿額與緑蔭軒、麗景軒諸額，皆御書。殿内聯曰：安輿歡洽宜春永；慶節誠依愛日長。亦御書。

乾隆九年御製長春仙館詩　循壽山口西入，屋宇深邃，重廊曲檻，逶迤相接。庭徑有梧有石，堪供小憩。予舊時賜居也。今略加修飾，遇佳辰令節，迎奉皇太后爲膳寝之所，蓋以長春志祝云。常時問寝地，曩歲讀書堂。祕閣冬宜燠，虚亭夜亦涼。歡心依日永，樂志願春長。階下松齡祝，千秋奉壽康。

〔臣等謹按〕長春仙館御製詩，恭載首見之篇，餘不備録。

長春仙館之西爲含碧堂，五楹。堂後爲林虛桂靜，左爲古香齋，其東楹有閣爲抑齋。林虛桂靜東稍南爲墨池雲，後有殿爲隨安室。圓明園册

〔臣等謹按〕含碧堂諸額皆皇上御書。

乾隆六年御製古香齋題壁　書屋誠清絶，翛然水石邊。時來聽泉響，獨坐愛巖懸。日永人偏静，齋深爽更延。忘言翻舊卷，髣髴話當年。

乾隆七年御製題抑齋　窗紗浸緑鳥聲頻，拂拂花香户外新。座有蘭烟文作篆，壁留箏字額題銀。偶然得句緣新意，長自躭書是宿因。慚愧當年齋内客，擘箋煮茗一閒身。

乾隆三十九年御製抑齋詩　長春仙館中，齋額泐青宮。長春仙館，予爲皇子時所居也，顔書室曰抑齋，與重華宮西廂同。即位後，凡園亭行館有可静憩觀書者，率以抑齋爲額。到處兹數典，坐來惟恧躬。業修德進未，昔日此人同。衹有抑然志，庶幾如武公。

乾隆三十二年御製隨安室四詠有序　隨安室，青宫時書屋名也。蓋所遇而安，昔時藉以淑己而已。今則四海之廣，兆民之衆，無不欲其隨時隨地而安，抑亦難矣。故凡宫禁園庭仍以是名之，觸目警心，亦識其安之艱致云爾。安土詩　處處隨安室，都因安土成。築基期永固，肯構乃恢宏。愛物易辭繫，樂天禮義精。重去聲。居堪絜矩，藉亦驗民情。又安窗詩　安窗向朱鳥，作牖亦青龍。春意階前草，夏陰簷際松。月光淡秋宇，

雪色積冬峯。攬景固無盡，闢明訓獨宗。又安琴詩 攖醳雖弗解，琴牀綴景安。短長量（去聲）桐展，妥帖倚蘭看。騶忌言堪繹，泉明趣可觀。禮經著操縵，古道復應難。（古之人於六藝皆所學，今則執一且不能，相去何甚遠哉！）又安仁詩 固是隨所遇，心安實在仁。昔惟胞與切，（張子曰：民吾同胞，物吾與也。夫誰不當存此量乎！）今更恫瘝親。履泰還防否，綏豐亦有貧。於斯恒惕息，順豫覺難臻。

〔臣等謹按〕古香齋、抑齋、隨安室御製諸詩，謹繹有關紀述事實者恭載卷内，餘不備録。

長春仙館由西南門迤西爲藻園，内爲曠然堂，五楹。堂後爲貯清書屋。曠然堂東池上爲夕佳書屋，稍北爲鏡瀾榭，東南樓爲凝眺，爲懷新館，西北爲湛碧軒，西南爲湛清華。（圓明園册）

〔臣等謹按〕藻園、曠然堂諸額皆皇上御書。

萬方安和在杏花春館西北，建宇池中，形如卍字。（圓明園册）

〔臣等謹按〕萬方安和，四十景之一，南面正室額也。東西内宇曰對溪山，曰佳氣迎人，卍字中宇曰四方寧静，西面曰觀妙音，曰枕流漱石，曰洞天深處，東面曰安然，曰一鑪香，曰碧溪一帶，曰山水清音，北面曰滌塵心，曰神洲三島，曰高山流水，皆世宗御書。又南面西廈額曰凝神，曰静寄，東面曰澄觀。正中聯曰：四海昇平承帝眷，萬幾兢業亮天工。皆皇上御書。

乾隆九年御製萬方安和詩　水心架構，形作卍字，略彴相通，遥望彼岸，奇花緹若綺繡。每高秋月夜，沆瀣澄空，圓靈在鏡，此百尺地寧非佛胸涌出寶光耶！作室軒而豁，當年志若何？是地冬燠夏爽，四序皆宜，亦皇考所喜居也。萬方歸覆冒，一意願安和。觸景懷承器，瞻題仰偃波。九年遺澤在，四海尚謳歌。

乾隆二十九年御製萬方安和九詠有序　圓明園西首，於湖上築室作卍字形，萬方安和其總名也。爲四十景之一。迴廊面面各標勝概，曲折向背輒復不同，就四言標榜者得景凡九。皆我皇考御筆也。其二三言者尚不在此數。夫室一區耳，而爲景不可勝計，豈誠點綴之擅天巧哉！於以見聖人之會心無窮，又以見聖人之制度有節，是予小子所當敬法也。各成近體以誌遐思。肯構見於牆，安和願萬方。十三年宵旰，千百載金湯。卓爾吾由末，瞠乎敢不蘉？明堂設稽古，左個在青陽。是額懸於卍字東南方，爲向陽正室，即以此統名之。右萬方安和　向西旋轉北，步近室之中。東接函關氣，南來虞舜風。迎人仰霽色，愛物體淵衷。夫子得於五，温良象獨崇。右佳氣迎人　四面盡通廊，中間正且方。周旋皆中去聲矩，鎮静似持綱。憶昔求安志，於今豈敢忘？要惟祈歲稔，民庶共平康。右四方寧静　東向俯長溪，溪烟入牖低。氣蒸銀沆瀣，界是碧玻瓈。秋月蘆花渚，春風柳線堤。於何識常住，翹首睇璇題。右碧溪一

帶

山峙水常流，清音樂志投。籟從風處峭，響自石邊遒。搏戛寧須藉？宮商得概不？崇情契仁知，然豈忘先憂。右山水清音

室中亦有樓，仙榜揭神洲。雲自棟梁寫，風從窗户流。簫曾聞子晉，袖可挹浮邱。那似劉家帝，空勞海上舟。右神洲三島

疏泉還疊石，位置儼天然。境與塵凡隔，景供軒榭全。崇高標嶺岫，流動帶淪漣。那數期牙奏，心存解愠絃。右高山流水

枕漱高人操，因差轉得奇。洗流耳雅合，礪石齒偏宜。易象占肥遯，詩風詠樂飢。渴賢別有託，駒谷繾殷思。右枕流漱石

武夷窮九曲，方識洞天佳。仿佛虹橋架，依稀毛竹排。益深斯致遠，惟静與爲諧。欲會凝神抱，緣澄出治懷。右洞天深處

〔臣等謹按〕萬方安和御製詩，謹繹有關紀述事實者恭載卷内，餘不備録。

萬方安和後度橋折而東，稍北，石洞之南爲武陵春色。池北軒爲壺中日月長，東爲天然佳妙，其南厦爲洞天日月多佳景。武陵春色之西爲全壁堂，東南亭爲小隱棲遲，堂後由山口入，東爲清秀亭，西爲清會亭，北爲桃花塢。塢之西室爲清水濯纓，又西稍北爲桃源深處。塢東爲綰春軒，軒東北爲品詩堂。圓明園册

〔臣等謹按〕武陵春色額爲皇上御書，四十景之一也。舊總名桃花塢，雍正四年皇上讀書於此，顔曰樂善堂，旋移居長春仙館。武陵春色石洞内額曰壺中天，與壺中日月長、天然佳妙、洞天日月多佳景、小隱棲遲、清秀清會亭、桃花塢、清水濯纓、

桃源深處諸額，皆世宗御書。全璧堂、綰春軒、品詩堂諸額皇上御書。

御製樂善堂記 凡人之性未嘗不善，仁義禮智全備於我，所謂得天地之正氣而爲人也。然有智愚賢不肖之分者，氣拘之私誘之，遂日以蔽錮而昏昧，有能復其性者鮮矣。人能自强不息，以復性爲功，己有善念，擴而充之，人有善事，喜而從之，則本性呈露而有馨香之德矣。是故明德之馨勝於黍稷芝蘭，鮑魚與之俱化，未有樂善而不能修德者也。予有書屋數間，清爽幽静，山水之趣，琴鶴之玩，時呈於前。菜圃數畦，桃花滿林，堪以寓目。顔之曰樂善堂者，蓋取大舜樂取於人以爲善之意也。夫孝弟仁義乃所謂善也，人能孝以養親，弟以敬長，仁以恤下，義以事上，樂而行之，時時無怠，則能因物付物，以事處事，而完所性之本體矣。是故大舜聖人也，猶存虚受之心，聞一善言若決江河。漢明帝嘗問東平王：在國何事最樂？王曰：爲善最樂。予雖不敏，然賴皇父之明訓，師友之切磋，於大舜之善與人同，雖有志而未逮，而東平王之爲善最樂，則不敢不勉焉。是爲記。

乾隆九年御製武陵春色詩 循溪流而北，複谷環抱。山桃萬株，參錯林麓間。落英繽紛，浮出水面。或朝曦夕陽，光炫綺樹，酣雪烘霞，莫可名狀。複岫迴環一水通，春深片片貼波紅。鈔鑼溪不離繁囿，只在輕煙淡靄中。

〔臣等謹按〕武陵春色御製詩，恭載首見之篇，餘不備録。

萬方安和西南爲山高水長樓，西向九楹，後擁連岡，前帶河流，中央地勢平衍，凡數頃。圓明園册

〔臣等謹按〕山高水長，四十景之一也。額爲皇上御書。左楹横碣上恭刊乾隆十七年上諭，詳見國朝宫室。碑陰刊乾隆四十三年上諭，恭録卷内。其地爲外藩朝正錫宴及平時侍衛較射之所，每歲燈節則陳火戲於此。

乾隆四十三年五月二十八日奉上諭：朕恭閲太宗文皇帝實録，天聰四年二月，上諭羣臣曰：昨攻取永平城，大臣阿山葉臣與猛士廿四人冒火奮力登城，乃我國第一等驍勇人也。其廿四人蒙上天眷佑，幸俱無恙。次日召伊等進見，朕心愴然，幾不能忍。此等猛士與巴圖魯、薩木哈圖及他處先登驍勇出衆之人，前已有旨，後遇攻城，勿令再登。及攻昌黎縣，薩木哈圖又復與焉。以後此等捐軀建功之人，勿得再令攻城，但當在諸貝勒、固山額真左右，遇衆對敵之時與之同進。若彼欲自攻城，亦當止之。即或厮卒中有一二次率先登城立功者，亦不可再令攻城，以示朕愛惜材勇之意。仰見我祖宗開創艱難，於戰勝攻取時仁恩恤下，無微不至。是以人思感勵，敵愾効忠，所向克捷。開疆定業，肇造鴻圖，貽謀垂裕之道實在於是。朕臨御以來，平定準部回部及蕩平兩金川，我旗營勁

旅中鼓勇先登攻堅拔柵者固不乏人。卽緑營中亦間有出衆奮勉者，一經將軍等具奏，卽賞以巴圖魯號，用示獎勵。而伊等倍加感奮，凡遇攻奪碉寨，仍復超衆爭先，以圖報効。其間屢建功績者固多，而因冒險傷殞者亦復不少。朕每爲矜憫，蠹然於懷。兹紬繹祖訓，驍勇立功之人毋令再登，益敬服大聖人之用心，非孫臣所能見及也。今武功告蕆，函夏謐寧，繼此不願復有用兵之事。但兵可百年不用，不可一日不備。而謨訓昭垂法良意美亦不可一日或忘。用是敬録聖諭，明白宣示我君臣，當其恪守以垂久遠。且使我世世子孫懋繼前規，勉思善述，以鞏億萬載丕丕基。其欽承毋忽！

乾隆九年御製山高水長詩 在園之西南隅，地勢平衍，構重樓數楹。每一臨瞰，遠岫堆鬟，近郊錯繡，曠如也。爲外藩朝正錫宴，陳魚龍角觝之所，平時宿衛士於此較射。重構枕平川，湖山萬景全。時觀君子德，式命上賓筵。湛露今推惠，彤弓古尚賢。更殷三接晉，内外一家連。

〔臣等謹按〕山高水長御製詩，恭載首見之篇，餘不備録。

山高水長之北，度橋由山口入，梵刹一區爲月地雲居，殿五楹，前殿方式，四面各五楹，後樓上下各七楹。月地雲居之東爲法源樓，又東爲静室，西度橋，折而北爲劉猛將軍廟。圓明園册

〔臣等謹按〕月地雲居，四十景之一，額爲皇上御書。山門額曰清淨地，前殿額曰妙證無聲，後樓簷額曰蓮花法藏，與法源樓、靜室諸額皆御書。

乾隆九年御製月地雲居詞調寄清平樂 琳宮一區，背山臨流，松色翠密，與紅牆相映。結楞嚴壇大悲壇其中，魚鯨齊喝，風旛交動，繞過補特迦山，又入室羅筏城。永明壽所謂宴坐水月道場大作夢中佛事也。大千乾闥，指上無真月。覺海漚中頭出没，是卽那羅延窟。何分西土東天，倩他裝點名園。借使瞿曇重現，未肯參伊死禪。

〔臣等謹按〕月地雲居御製詞，恭載首見之篇，餘不備録。

月地雲居之後，循山徑入，爲鴻慈永祜，安佑宮前琉璃坊座南面額也。左右石華表各一，坊南及東西復有三坊環列，其南爲月河橋。又東南爲致孚殿，三楹西向。宮門五楹南向爲安佑門，門前白玉石橋三座，左右井亭各一，朝房各五楹，門内重檐正殿九楹，爲安佑宮。殿内中龕敬奉聖祖仁皇帝聖容，左龕敬奉世宗憲皇帝聖容。左右配殿各五楹，碑亭各一，燎亭各一。圓明園册

〔臣等謹按〕安佑宮建自乾隆七年，皇上恭仿壽皇殿之制，敬奉聖祖、世宗聖容，歲時朔望瞻禮於兹。鴻慈永祜爲四十景之一。坊北面額曰燕翼長詒，鴻慈永祜之前三坊，南曰羹牆愾慕，曰雲日瞻依，東曰動華式焕，曰謨烈重光，西曰德配清寧，曰

功隆作述。殿内中龕額曰音容儼在，左龕額曰陟降在兹。與安佑門、安佑宫額皆御書。致孚殿内恭刊乾隆七年御筆敬録世宗圓明園記，並御製圓明園後記，記文已恭載前卷内。

御製安佑宫碑文序昭穆以祀其先，祖有功而宗有德，建報本之義，爲萬古之經者，宗廟之制，三代以上卽有之。繼人之志述人之事者，所當謹也。設裳衣以如其生，朔有酌而望有獻，盡事親之禮，抒不匱之思者，原廟之制，西漢以來始有之。繼人之志、述人之事者，弗敢廢也。後世神御殿亦猶漢原廟之義耶！然漢之原廟不過月出衣冠一游耳。至宋之時乃有神御之名，蓋奉安列朝御容所也。上元結燈樓，寒食設秋千，其視漢爲已備矣。而崇建徧郡國，奉祀或禪院，識者多議其非禮焉。我皇祖聖祖仁皇帝在位六十餘年，恩澤旁覃，僻邑窮谷圓頂方趾之衆飲其德而不知，子孫臣庶躬被教育者宜其謳歌慨慕而無已思也。是以雍正元年我皇考世宗憲皇帝謹就大内壽皇殿奉安御容，朔望瞻禮，牲新時薦，而於皇祖所幸暢春園亦陳薦如禮，非輕爲此創舉也。我皇祖有非常之澤及天下，是以皇考合天下之情亦以非常之禮報之。有漢宋備物備禮之誠，而無宋代徧及郡國祀繁致褻之譏也。予小子嬛嬛在疚，顧諟皇考之陟降勅明，且凛紹庭，良法美政，布在方册者，謹守而弗敢失。既就壽皇殿東室虔奉皇考御容以配皇祖，念兹圓明園我皇考向日游觀在囿在沼之地也，其何忍恝視？爰擇爽塏之地，具殿廡之規，爲室九，敬奉皇祖御容於中，奉皇考配東一室，匪惟予小子罔極之思，羹牆之慕，藉以稍抒，亦欲使後世子孫凛覲揚之志，勤堂構之基，所謂禮以義起，有其舉之莫敢廢也。鳩工於乾隆庚申，而蕆事於癸亥，所司以碑文請，乃序其事如左而繫之以詩。懿兹苑囿，皇考所作。土階茅茨，遵堯之約。匪誇丹雘，有窅谿壑。匪沸管絃，有唳雲鶴。詎美之求，惟聖所樂。我龍受之，中心惕若。宅是廣居，九有是度。祖武斯繩，宏規敢略。爰相其地，載斟載酌。爰創其模，載經載落。廟貌巖巖，堂皇綽綽。有閈旅楹，有梴松桷。周之以郛，其郛嶽嶽。環之以池，其池瀰瀰。其水何有？鳶飛魚躍。其宇何有？網軒珠箔。神御孔安，心乎莫莫。來覲來齋，曰望曰朔。於萬斯年，予誠永託。

乾隆九年御製鴻慈永祜詩　苑西北地最爽塏，爰建殿寢，敬奉皇祖、皇考神御，以申罔極之懷。堂廡崇閎，中唐有侐。朔望展禮，僾愾見聞。周垣喬松偃蓋，鬱翠干霄，望之起敬起愛。原廟衣冠古昔沿，天興神御至今傳。有承秩秩斯爲美，對越昭昭儼在天。春露秋霜興感切，瞻雲就日致孚乾。式思曩昔含飴澤，敢缺因時獻果虔！實實閟宫龍接宇，深深元寢鳳翔筵。羹牆如見依靈囿，朔望來齋比奉先。釦器黄金仍兩序，泠簫白玉備宫懸。萬年佑啓垂謨烈，繼序兢兢矢勉旃。

〔臣等謹按〕鴻慈永祐御製詩，恭載首見之篇，餘不備録。

鴻慈永祐後垣西北爲紫碧山房，前宇爲横雲堂，山房東巖洞中爲石帆室，東南爲豐樂軒，北爲霽華樓，迤東爲景暉樓。横雲堂西池上爲澄素樓，西北爲引溪亭。圓明園册

〔臣等謹按〕紫碧山房額有二，其一恭懸正宇内，一懸穿堂門檐，與引溪亭額皆世宗御書。紫碧山房正宇檐額曰樂在人和，及横雲堂諸額皆皇上御書。

鴻慈永祐東垣外徑連岡三重，度橋而東，則彙芳書院也。内宇爲抒藻軒，後爲涵遠齋，齋前西垣内爲翠照樓，東垣内爲倬雲樓，又東爲眉月軒。倬雲樓南稍東爲隨安室，又東敞宇三楹爲問津，逾溪橋數武有石坊，爲斷橋殘雪。圓明園册

〔臣等謹按〕彙芳書院四十景之一，額爲皇上御書。倬雲樓中楹額曰竹深荷淨，與院内諸額皆御書。涵遠齋内聯曰：寶案凝香，圖書陳道法；仙臺麗景，晴雨驗耕桑。亦御書。問津額爲世宗御書。

乾隆九年御製彙芳書院詩 階除閒敞，草卉叢秀，東偏學月牙形，構小齋數椽，旁列虚亭，奇石負土争出，穴洞谽谺，翠蔓蒙絡，可攀捫而上問津石室，何必靈鷲峯前？書院新開號彙芳，不因葉錯與華裳。菁莪棫樸育賢意，佐我休明被萬方。

〔臣等謹按〕彙芳書院御製詩，恭載首見之篇，餘不備録。

彙芳書院之南爲日天琳宇，西前樓下之正宇也。其制有中前樓、中後樓，上下各七楹，有西前樓、西後樓，上下各七楹。前後樓間穿堂各三楹，中前樓南有天橋，與樓相屬。天橋東南重簷八方者爲燈亭，西前樓南爲東轉角樓，又西稍南爲西轉角樓，中前樓之東垣内八方亭爲楞嚴壇，又東別院爲瑞應宫，前爲仁應殿，中爲和感殿，後爲晏安殿。圓明園册

〔臣等謹按〕日天琳宇，四十景之一，額爲皇上御書。其規制皆仿雍和宫後佛樓式。中前樓上奉關帝，世宗御書額曰極樂世界，皇上御書額曰赫聲濯靈。聯曰：千載丹心扶大義；兩間正氣護皇圖。西前樓上奉玉皇大帝，世宗御書額曰一天喜色，皇上御書額曰總持元化。聯曰：地載無私宏橐籥；乾元資始肇綱維。此外凡樓宇上下皆供佛像及諸神位。瑞應宫諸殿皆祀龍神。

乾隆九年御製日天琳宇詩　紫微丹地中，立一化城，截斷紅塵，覺同此山光水色，一時盡演圓音矣。修修釋子，渺渺禪棲，踏著門庭，卽此是普賢願海。天外標化城，不許紅塵雜。雲臺寶網中，時有鐘魚答。

〔臣等謹按〕日天琳宇御製詩，恭載首見之篇，餘不備録。

日天琳宇迤東稍南，稻田彌望，河水周環，中有田字式殿，凡四門，其東、北面皆有

樓，北樓正宇爲澹泊寧静，東爲曙光樓。殿之東門外爲翠扶樓，西門外别垣内宇爲多稼軒，南向，七楹。其東臨稻畦者前爲觀稼軒，後爲怡情悦目，爲稻香亭，又東稍北爲溪山不盡，爲蘭溪隱玉。多稼軒西池南爲水精域，西偏爲静香屋，爲招鶴磴，池後東北爲寸碧，西北爲引勝，正北爲互妙樓。圓明園册

〔臣等謹按〕澹泊寧静，四十景之一，額爲皇上御書。南門額曰亦復佳，西門額曰得山水趣，北廊後額曰麥雨稻風，與曙光樓額皆御書。多稼軒、觀稼軒、怡情悦目、稻香亭、溪山不盡、蘭溪隱玉諸額皆世宗御書。多稼軒聯曰：風裊鑪烟移晝漏；月臨書幌正宵衣。又曰：厥惟艱哉，載芟載柞籌穡事；亦既勤止，曰暘曰雨驗農時。皆皇上御書。

乾隆九年御製澹泊寧静詩　仿田字爲房，密室周遮，塵氛不到。其外槐陰花蔓，延青綴紫，風水淪漣，蒹葭蒼瑟，澹泊相遭，洵矣視之既静，其聽始遠。青山本來寧静體，緑水如斯澹泊容。境有會心皆可樂，武侯妙語時相逢。千秋之下對綸羽，溪烟嵐霧方重重。

乾隆二十四年御製多稼軒十景詩有序　一天好雨，恰送黄梅；九夏新涼，初延緑籞。豈羨北窗笑傲，溯兹軒之得名；言占南畝菑畬，思惟稼以爲寶。時也高高下下，各選勝以

成區；色色形形，咸對時而有作。虛亭致爽，淨域祛炎。屋留五架之儲，琴書有託；磴引三盤之趣，風月爲鄰。嶺畔樓高，界畫晨光乍霽；洲中磯小，拍浮晚漲還添。池沼並宜詩，述者敢忘文囿；禽魚紛可繪，皐之詎擬華林。題拈連類十章，律取分裁五字。要以指歸斯在，聊隨喜雨命篇；矧夫景仰長存，如藉嘉禾紀歲云爾。樸室數楹，面勢庨豁，東牖臨水田，座席間與農父老較晴量雨，顔曰多稼。皇考御筆也。徑入翠雲曲，窗含老屋深。數畦水田趣，一脈戚農心。庭竹張真畫，階泉滴暗琴。當簷懸聖藻，每至起予欽。右多稼軒

出多稼軒，假山嶙峋巀嶭，尺寸千里，盤石磴而上，縛竹爲亭，名曰寸碧。攢蹙翠瓊表，翼然亭子凉。騁觀延緑墅，勝概學黄岡。松架炎偏爽，花棚静益香。每來期默識，不必展縑緗。右寸碧亭

石溪方可半畝，朗樹臨之，飛泉淙淙有聲。杜甫詩云：心在水精域。信能傳神。絡石縈林邈，飛湍雲錦淙。嵐扉沿得得，花雨落重重。可遲去聲。平橋步，恰聞遠寺鐘。只疑幽絶處，仿佛贊公逢。右水精域

水精域之西，一室蕭然，柳宗元所謂視之既静者，於斯屋有會心焉。洞房含窈窕，芸席足清嘉。書史道腴味，林泉静致賒。迎風聽竹籟，過雨展蕉芽。鼻觀獨深永，名言未可加。右静香屋

憩於室，窗爲宜；登於磴，臺爲宜。此軒在臺上，不施户牖，故觀稼恒於此。敞榭崇基表，鱗塍俯水田。鋤雲將笠雨，箱萬復倉千。要以知艱設，寧因綴景傳？璇題標兩字，

家法訓祈年。右觀稼軒 迴廊接小亭，獨出水中，時弄竿線，不在得魚否耳。階下水潺湲，春鯈出水閒。綸竿偶可試，網罟定須删。潛躍淵將渚，噞喁往復還。當年寓渭上，此日仰牆間。右釣魚磯 岈然窪然之間，羽客彳亍緩步，雖不招之，而意有顧惜弗去者矣。篆文苔磴滿，鶴蹟印來斜。未可乘軒駕，雅宜點畫叉。樂看長上聲。毛羽，意喜寓烟霞。何必孤山側，偏稱處士家？右招鶴磴 山之妙在擁樓，而樓之妙在納山，映帶氣求，此互妙之所以得名也。層構單椒上，前峯復列屏。吸呼通顥氣，表裏接山靈。静樂宜情性，筌蹄泯色形。環中得深造，可以玩羲經。右互妙樓 一月千川，寧獨此一池然？一池之月卽千川之月也，揭爾静悟，不異當時指月佛詮。穿池貯淨水，孤月喜居之。秋夕寥蕭際，春宵淡蕩時。一將千豈别？半與滿無私。金口説如是，瞠乎詎易窺！右印月池 印月池之右，别爲一沼，有牐通水，育熱河美鯽魚數百頭，取攜爲便。文鱗千許頭，靈籞恣優游。濯戟常看樂，投竿不亟求。闖萍堤影動，戲藻浪花浮。在沼曾憑賞，常虞奉此羞。右濯鱗沼

〔臣等謹按〕澹泊寧静、多稼軒御製詩，恭載首見之篇，餘不備録。

澹泊寧静度河橋而西爲映水蘭香，西向五楹。東南爲釣魚磯，北爲印月池。池北爲知耕織，又北稍東爲濯鱗沼，映水蘭香西南爲貴織山堂，祀蠶神。圓明園册

〔臣等謹按〕映水蘭香四十景之一，額爲皇上御書。釣魚磯、印月池、知耕織、濯鱗

沼、貴織山堂諸額皆世宗御書。

乾隆九年御製映水蘭香詩　在澹泊寧静少西，屋旁松竹交陰，翛然遠俗。前有水田數棱，縱横緑蔭之外，適涼風乍來，稻香徐引，八百鼻功德兹爲第一。園居豈爲事游觀？早晚農功倚檻看。數頃黄雲黍雨潤，千畦緑水稻風寒。心田喜色良勝玉，鼻觀真香不數蘭。日在豳風圖畫裏，敢忘周頌命田官？

〔臣等謹按〕映水蘭香御製詩，恭載首見之篇，餘不備録。

映水蘭香東北爲水木明瑟。圓明園册

〔臣等謹按〕水木明瑟，四十景之一，額爲皇上御書。世宗御書額曰一溪清水引風涼。

乾隆九年御製水木明瑟詞調寄秋風清　用泰西水法引入室中，以轉風扇，泠泠瑟瑟，非絲非竹，天籟遥聞，林光逾生淨緑。酈道元云：竹柏之懷，與神心妙達；智仁之性，共山水效深。兹境有焉。林瑟瑟，水泠泠。溪風羣籟動，山鳥一聲鳴。斯時斯景誰圖得？非色非空吟不成。

〔臣等謹按〕水木明瑟御製詞，恭載首見之篇，餘不備録。

水木明瑟之北稍西爲文源閣，上下各六楹。閣西爲柳浪聞鶯。圓明園册

〔臣等謹按〕文源閣乾隆三十九年建，與文華殿後之文淵閣、避暑山莊之文津閣，皆以

貯四庫全書。閣額及閣内汲古觀瀾額皆御書。聯曰：因溯委以會心，是處原泉來活水；即登高而游目，當前奥窔對玲峯。屏扆聯曰：寧誇池館消閒暇；雅喜詩書悦性靈。檐柱聯曰：討尋宜富波瀾，浩矣無涯神智益；披攬直探星宿，挹之不盡古今涵。亦御書。閣前石爲玲峰，刊御製文源閣詩，閣東亭内石碣刊御製文源閣記，恭録卷内。

御製文源閣記　藏書之家頗多，而必以浙之范氏天一閣爲巨擘。因輯四庫全書，命取其閣式以構庋貯之所。既圖以來，乃知其閣建自明嘉靖末，至於今二百一十餘年，雖時修葺而未曾改移。閣之間數及梁柱寬長尺寸皆有精義，蓋取天一生水、地六成之之意，於是就御園中隙地，一倣其製爲之，名曰文源閣，而爲之記曰：文之時義大矣哉，以經世，以載道，以立言，以牖民。自開闢以至於今，所謂天之未喪斯文也。以水喻之，則經者文之源也，史者文之流也，子者文之支也，集者文之派也。派也，支也，流也，皆自源而分；集也，子也，史也，皆自經而出。故吾於貯四庫之書首重者經，而以水喻文，願溯其源，且數典天一之閣，亦庶幾不大相徑庭也夫！

乾隆四十一年御製題文源閣詩　四庫猶遼待，圖書今古披。我皇祖古今圖書集成凡一萬卷，雖無永樂大典之多，而考核精當不似彼限韻割裂，因於文源、文淵、文津三閣各貯一部，以舊有之書已庋之廚矣。縹緗馥新歲，前後繞清池。觸目資深造，澄懷得妙思。文源端在此，詎謂騁妍辭！

乾隆四十年御製玲峯歌　將謂湖石洞庭産，孰知北地多無限。萬鍾異石大房山，有奇必偶斯爲伴。天地生物弗拘墟，龍井吴山率長見。叶二處亦多玲瓏怪石，豈皆取自太湖耶？米未能致今致之，青芝岫屏湖裔館。米石棄良鄉縣多年，因運至於昆明湖之樂壽堂，名之曰青芝岫，向有詩。彼勞奇文徒問答，米萬鍾既得異石於大房山，東牲載書以告，甬東薛岡見之，復代石報米書，二書當時傳誦以爲韻事。詳見春明夢餘録。物遇其時當自顯。茲峯有過無不及，名曰玲實稱豈舛？伊家顛叟上皇山，亦既艷稱百夫輦。致此用力雖倍蓰，賁來寧費修書柬？略發内帑給雇值，肯教張去聲。事恣朱勔。大孔小穴盡靈透，凸突凹窳仍巇嵯。春風秋月幾閲歷，海水桑田任遷轉。故土那憶埋黄沙？素質奚礙皴蒼蘚？一峯峙我文源閣，育秀通虚映萬卷。萬卷徵實難更僕，特宜黄石覿面展。又如逸興到棲霞，棲霞有玲峯池。日面月面應誰辨？每來汲古遺幾餘，詎同二米爲高簡？欣於斯卽慚於斯，悦目怡情究非善。

乾隆四十一年御製再作玲峯歌　青芝岫及此玲峯，二物均西山神産，前後以徐胥致之，東牲告詎勞書簡？米萬鍾得異石於大房山，東牲載書以告，薛岡見之，因代石報米書。春明夢餘録載其事。芝岫樂壽堂名，在萬壽山昆明湖裔。樹塞門，玲峯文源閣名，御園新建以待貯四庫全書。峙溪堧。叶　岫横峯豎各適用，造物生材寧可舛？體大器博復玲瓏，八十一穴過猶遠。見米芾皇山帖取自崇岡歷平野，原非不脛實車轉。豈其出於不測淵，豈毁橋梁鑿城闉？所幸在兹愧在兹，作歌箴過非頌善。

〔臣等謹按〕文源閣玲峯御製詩，謹繹有關紀述事實者恭載卷内，餘不備録。

欽定日下舊聞考卷八十二

國朝苑囿 圓明園三

水木明瑟西北，環池帶河，爲濂溪樂處，正殿九楹。後爲雲香清勝，東垣爲芰荷深處。折而東北爲香雪廊，其東有樓，爲雲霞舒卷。樓北亭爲臨泉。圓明園册

〔臣等謹按〕濂溪樂處，四十景之一，額爲皇上御書。殿檐額曰慎修思永。聯曰：與古人相對，左圖右書；偕造物者游，仰觀俯察。與雲香清勝諸額皆御書。香雪廊、臨泉二額世宗御書。

乾隆九年御製濂溪樂處詩　苑中菡萏甚多，此處特盛。小殿數楹，流水周環於其下。每月涼暑夕，風爽秋初，淨緑紛紅，動香不已。想西湖十里野水蒼茫，無此端嚴清麗也。左右前後皆君子，洵可永日。水軒俯澄泓，天光涵數頃。爛漫六月春，摇曳玻瓈影。香風湖面來，炎夏方秋冷。時披濂溪書，樂處惟自省。君子斯我師，何須求玉井！

〔臣等謹按〕濂溪樂處御製詩，恭載首見之篇，餘不備録。

濂溪樂處之南爲彙萬總春之廟，正殿爲蕃育羣芳，五楹。殿東北樓爲香遠益清，樓西爲樂天和，爲味真書屋。又西爲池水共心月同明，廟東沿山徑出爲普濟橋。（圓明園册）

〔臣等謹按〕彙萬總春之廟以祀花神，殿樓諸額皆皇上御書。池水共心月同明額世宗御書。

濂溪樂處迤北對河外稻塍者爲多稼如雲，正宇五楹。前宇爲芰荷香。正宇東稍南有室爲湛緑。（圓明園册）

〔臣等謹按〕多稼如雲，四十景之一，軒額與芰荷香、湛緑皆御書。

乾隆九年御製多稼如雲詩 坡有桃，沼有蓮，月地花天，虹梁雲棟，巍若仙居矣。隔垣一方，鱗塍參差，野風習習，襏襫蓑笠往來，又田家風味也。蓋古有弄田，用知稼穡之候云。稼穡艱難尚克知，黍高稻下入疇諮。弄田常有倉箱慶，四海如茲念在茲。

〔臣等謹按〕多稼如雲御製詩，恭載首見之篇，餘不備録。

多稼如雲東北爲魚躍鳶飛，四面爲門，各五楹。東廂爲暢觀軒，西南爲鋪翠環流，樓南有室爲傳妙，又南出山口爲多子亭。（圓明園册）

〔臣等謹按〕魚躍鳶飛，四十景之一，額爲世宗御書。鋪翠環流之北額曰溪山，曰曲徑泉聲與傳妙，多子亭諸額皆世宗御書。魚躍鳶飛東門額曰嵐光曙色，南曰綺疏文照，北曰澗溜調琴，與暢觀軒諸額皆皇上御書。

乾隆九年御製魚躍鳶飛詩　榱桷翼翼，户牖四達。曲水周遭，儼如縈帶。兩岸村舍鱗次，晨烟暮靄，蓊鬱平林，眼前物色活潑潑地。心無塵常惺，境愜賞爲美。川泳與雲飛，物物含至理。

〔臣等謹按〕魚躍鳶飛御製詩，恭載首見之篇，餘不備録。

魚躍鳶飛之東，禾疇彌望，河南北岸仿農居村市者爲北遠山村。北岸石垣西偏爲蘭野，後爲繪雨精舍，其西南爲水村圖。又西有樓，前後相屬，前爲皆春閣，後爲稻涼樓，又西爲涉趣樓，右爲湛虚書屋。圓明園册

〔臣等謹按〕北遠山村，四十景之一，兹額及蘭野、繪雨精舍諸額皆皇上御書。水村圖聯曰：魚躍鳶飛參物理；耕田鑿井樂民和。亦御書。

乾隆九年御製北遠山村詩　循苑牆度北關，村落鱗次，竹籬茅舍，巷陌交通。平疇遠風，有牧篴漁歌與舂杵應答。讀王儲田家詩時遇此境。矮屋幾楹漁舍，疏籬一帶農家。獨速畦邊秧馬，更番岸上水車。牧童牛背村篴，饁婦釵梁野花。輞川圖昔曾見，摩詰信不我遐。

〔臣等謹按〕北遠山村御製詩，恭載首見之篇，餘不備録。

北遠山村東北度石橋，折而西爲湛虚翠軒，又西爲耕雲堂，又西爲若帆之閣。湛虚翠軒東數十武有關帝廟。〔圓明園册〕

〔臣等謹按〕若帆之閣下層額曰御風泠然，上額曰平臨天鏡，與湛虚翠軒諸額皆御書。

北遠山村西南有室臨河西向爲西峯秀色，河西松巒峻峙，爲小匡廬，後有龍王廟。西峯秀色之東爲含韻齋，又東爲一堂和氣，又東南爲自得軒。後垣東爲嵐鏡舫，西爲花港觀魚。〔圓明園册〕

〔臣等謹按〕西峯秀色，四十景之一，兹額及含韻齋、一堂和氣、自得軒額皆世宗御書，嵐鏡舫、花港觀魚諸額皆皇上御書。

乾隆九年御製西峯秀色詩　軒楹洞達，面臨翠巘，西山爽氣在我襟袖。後宇爲含韻齋，周植玉蘭十餘本，方春花氣襲人，宛入衆香國裏。塏地高軒架木爲，朱明颯爽如秋時。不雕不斲太古意，詎惟其麗惟其宜。西窗正對西山啓，遥接堯峯等尺咫。霜辰紅葉詩思杜，雨夕緑螺畫看米。亦有童童盤蓋松，重基特立孰與同？三冬百卉凋零盡，依然鬱翠惟此翁。山腰蘭若雲遮半，一聲清磬風吹斷。疑有苾蒭單上參，不如詩客窗中玩。結構既久蒼苔老，花棚藥時相縈抱。憑欄送目無不佳，趺榻怡神良復好。春朝秋夜值幾餘，把卷時還讀我書。齋外水田凡數頃，較晴量雨諮農夫。清詞麗句箇中得，消幾丁丁玉壺刻。但憶趨庭十載前，徊徨無語予心惻。是地軒爽明敞，户對西山，皇考最愛居此。

〔臣等謹按〕西峯秀色御製詩，恭載首見之篇，餘不備録。

西峯秀色迤東東西船塢各二所，北岸爲四宜書屋五楹，卽安瀾園之正宇。東南爲葄經館，又南爲采芳洲，其後爲飛睇亭，東北爲緑帷舫。四宜書屋西南爲無邊風月之閣，又西南爲涵秋堂，北爲烟月清真樓。樓西稍南爲遠秀山房，樓北度曲橋爲染霞樓。圓明園册

〔臣等謹按〕四宜書屋，四十景之一，額爲世宗御書。皇上卽於其地略仿海寧陳氏安瀾園之意，因以命名。詳御製安瀾園記，並御製安瀾園十景詩，恭録卷内。葄經館諸額皆御書。

御製安瀾園記　安瀾園者，壬午幸海寧所賜陳氏隅園之名也。陳氏之園何以名御園？蓋喜其結構致佳，圖以歸，園既成，爰數典而仍其名也。然則創歟？曰非也。就四宜書屋左右前後略經位置，卽與陳園曲折如一無二也。四宜書屋者，圓明園四十景之一，既圖既詠，至於今已歷二十年也。土木之工二十年斯弊，故就修葺之便，稍爲更移，費不侈而一舉兩得也。彼以安瀾賜額，則因近海塘，似與此無涉也。然帝王家天下，薄海之内均予户庭也。況予繾念塘工，旬有報而月有圖，所謂魚鱗土備、南坍北漲諸形勢，無

不欲悉。安瀾之願實無時不廑於懷也。由其亭臺則思至鹽官者，以籌海塘而願其瀾之安也，不寧惟是，凡長江洪河，與夫南北之濟運，清黄之交滙，何一非予宵旰切切關心者？亦胥願其瀾之安也。是則予之以安瀾名是園者，固非遊情泉石之爲，而實蒿目桑麻之計，所謂在此不在彼也。

乾隆九年御製四宜書屋詩 春宜花，夏宜風，秋宜月，冬宜雪，居處之適也。冬有突廈，夏室寒些，騷人所艶。允矣兹室，君子攸寧。秀木千章緑陰鎖，間間遠嶠青蓮朶。三百六旬過隙駒，棄日一篇無不可。墨林義府足優遊，不羡長楊與馺娑。風花雪月各殊宜，四時瀟灑松竹我。

乾隆二十九年御製安瀾園十詠園別有記 入園門樸室三間，背倚峯屏，右臨池鏡，顔曰菲經，不減陳氏藏書樓也。緬年默記復潛神，那擬班家戲答賓。枕藉亦非耽博古，欲推實政善安民。右菲經館 爲圓明園四十景之一，因歲久修葺，略爲更置，宛然鹽官安瀾園。皇考御額在焉。春夏秋冬無不宜，所宜樂總讀書時，何須千里鹽官憶？卽景吾方勉近思。右四宜書屋 界域有邊，風月則無邊。輕拂朗照中，吾不知爲在御園在海寧矣。月藉清風摇籟影，風邀明月奏琅音。三千界外三千界，蹤跡無邊那可尋？右無邊風月之閣 西臨長河，波光翻影，動摇楣梠間。坐此可悟南華。堂襟西向額涵秋，金水相生厥有由。不論何時此偶坐，總如爽氣面前浮。右涵秋堂　房築假山上，而遠納西山秀色，所謂全賓全主。近低微遠見遥高，峯側嶺横翠莫韜。此即泰山一指喻，重華明目爲去聲。斯勞。右遠秀山房　名曰染霞，而實近水，每來常愛坐此。池上層樓敞紫甍，水中樓影亦含清。自知不是餐霞侣，孤負横楣浪與名。右染霞樓　曲廊宛轉構水上，偶一憑檻，烟水在襟袖間，何必真舫？臨水何妨即舫之？成陰樹是緑油帷。了無逐浪爲行止，那有隨風作轉移？右緑帷舫　一峯秀拔，亭據其上，每當縱望園外，稻塍千頃皆在目中，直與農夫田父共較雨量晴矣。低俯鱗塍迥據山，犁雲鋤雨繪民艱。問應飛睇於何處，只在隅園咫尺間。右飛睇亭　四宜書屋之後，延樓高敞，不施廚障，爲納烟月契神處。又似在陳氏竹堂月閣間。一輪古月真無匹，幾縷空烟清莫加。朗照輕籠寥廓表，便成句亦謝雕華。右烟月清真樓　是芳皆可采，不必學楚騷注意蘭荃。澄波之上敞軒臨，葳蕤芊芊滿碧潯。是藥文殊胥命采，此芳寧向楚騷尋？右采芳洲

〔臣等謹按〕四宜書屋、安瀾園御製詩，恭載首見之篇，餘不備録。

四宜書屋之東臨池樓宇爲方壺勝境，上下各五楹。南建坊座二，其北樓宇爲曦鸞殿，又北爲瓊華樓。曦鸞殿東爲蕊珠宫，宫南船塢後有龍王廟。圓明園册

〔臣等謹按〕方壺勝境，四十景之一，額爲皇上御書。坊座南額曰芝田日永，曰閬苑

春深，北曰鳳鳴珠樹，曰鹿壽靈臺，方壺勝境樓宇上額曰宜春，殿曰敬勝怠，巘鸞殿樓宇上額曰用厥中，曰有真賞在，瓊華樓額曰潄芳潤，及蕊珠宫額皆御書。

乾隆九年御製方壺勝境詩　海上三神山，舟到風輒引去，徒妄語耳。要知金銀爲宫闕，亦何異人寰？卽境卽仙，自在我室，何事遠求？此方壺所爲寓名也。東爲蕊珠宫，西則三潭印月，淨淥空明，又闢一勝境矣。飛觀圖雲鏡水涵，孥空松柏與天參。高岡翽羽鳴應六，曲渚寒蟾印有三。魯匠營心非美事，齊人搤掔只虛談。争如茅土仙人宅，十二金堂比不慚。

〔臣等謹按〕方壺勝境御製詩，恭載首見之篇，餘不備録。

方壺勝境西北爲三潭印月，又西北度橋爲天宇空明。其後爲澄景堂，堂東爲清曠樓，西爲華照樓。圓明園册

〔臣等謹按〕三潭印月、天宇空明諸額皆皇上御書。

澡身浴德在福海西南隅，卽澄虛榭，正宇三楹，東嚮。南爲含清暉，北爲涵妙識。折而西向爲静香館，又西爲解愠書屋，西南爲曠然閣。圓明園册

〔臣等謹按〕福海亦稱東湖，周廣凡數頃。澡身浴德，四十景之一也。額爲皇上御書。聯曰：好雨知時，岑巒添遠碧；薰風叶奏，殿閣有餘清。亦御書。

乾隆九年御製澡身浴德詩　福海西壖，平漪鏡淨，黛蓄膏停，竹嶼蘆汀，極望瀰瀰，浴凫飛鷺，游泳翔集。王司州云：非惟使人情開滌，亦覺日月清朗。苓香含石髓，秋水長天色。不竭亦不盈，是惟君子德。我來俯空明，鏡已默相識。魚躍與鳶飛，如如安樂國。

〔臣等謹按〕澡身浴德御製詩，恭載首見之篇，餘不備録。

澡身浴德之北，度河橋爲望瀛洲。其北爲深柳讀書堂，堂北爲溪月松風。圓明園册

〔臣等謹按〕望瀛洲額皇上御書。深柳讀書堂、溪月松風額皆世宗御書。

平湖秋月在福海西北隅，正宇三楹。西爲流水音。東北出山口臨河爲花嶼蘭皐。折而東南，度橋爲兩峯插雲。又東南爲山水樂，其北爲君子軒，爲藏密樓。圓明園册

〔臣等謹按〕平湖秋月，四十景之一。額爲世宗御書。流水音、花嶼蘭皐諸額爲皇上御書。

乾隆九年御製平湖秋月詞調寄浣溪紗　倚山面湖，竹樹蒙密，左右支板橋以通步屧。湖可數十頃，當秋深月皎，瀲灧波光接天無際。蘇公堤畔，差足方茲勝概。不辨天光與水光，結璘池館慶霄涼，蓼烟荷露正蒼茫。白傅蘇公風雅客，一杯相勸舞霓裳。此時誰不道錢塘？

〔臣等謹按〕平湖秋月御製詞，恭載首見之篇，餘不備録。

蓬島瑶臺在福海中央，門三楹，南嚮。正殿七楹。殿前東爲暢襟樓，西爲神洲三島，東偏爲隨安室，西偏爲日日平安報好音。由蓬島瑶臺東南度橋爲東島，有亭爲瀛海仙山，西北度橋爲北島，正宇三楹。圓明園册

〔臣等謹按〕蓬島瑶臺，四十景之一，舊名蓬萊洲，後易今名，額爲皇上御書。門額曰鏡中閣，與暢襟樓、隨安室額皆御書。神洲三島、日日平安報好音、瀛海仙山諸額皆世宗御書。

乾隆九年御製蓬島瑶臺詩　福海中作大小三島，仿李思訓畫意，爲仙山樓閣之狀，岧岧亭亭，望之若金堂五所、玉樓十二也。真妄一如，小大一如，能知此是三壺方丈，便可半升鐺内煮江山。名葩綽約草葳蕤，隱映仙家白玉墀。天上畫圖懸日月，水中樓閣浸琉璃。鷺拳淨沼波翻雪，燕賀新巢棟有芝。海外方蓬原宇内，祖龍鞭石竟奚爲？

〔臣等謹按〕蓬島瑶臺御製詩，恭載首見之篇，餘不備録。

接秀山房在福海東隅，正宇三楹西嚮。後稍東爲琴趣軒，其北方樓爲尋雲，東南爲澄練樓，樓後爲怡然書屋。尋雲樓稍東佛室爲安隱幢。接秀山房之南爲攬翠亭。圓明園册

〔臣等謹按〕接秀山房，四十景之一，與攬翠亭額皆世宗御書。琴趣軒、尋雲諸額皆

皇上御書。

乾隆九年御製接秀山房詩　平岡縈迴，碧沚停蓄，虚館閒閒，境獨夷曠。隔岸數峯逞秀，朝嵐霏青，返照添紫，氣象萬千，真目不給賞情不周玩也。烟霞供潤浥，朝暮看遥興。户接西山秀，窗臨北渚澄。琴書吾所好，松竹古之朋。仿佛雲林衲，攜笻共我登。

〔臣等謹按〕接秀山房御製詩，恭載首見之篇，餘不備録。

接秀山房之南有敞宇，北依山，南臨河，爲别有洞天，五楹。西爲納翠樓，西南爲水木清華之閣，閣西稍北爲時賞齋。圓明園册

〔臣等謹按〕别有洞天，四十景之一。額與納翠樓、水木清華之閣諸額皆皇上御書。

乾隆九年御製别有洞天詩　苑牆東出水關曰秀清村，長薄疏林，映帶莊墅，自有塵外致。正不必傾岑峻磵，阻絶恒蹊，罕得津逮也。几席絶塵囂，草木清且淑。即此凌霞標，何須三十六？

〔臣等謹按〕别有洞天御製詩，恭載首見之篇，餘不備録。

别有洞天迤西爲夾鏡鳴琴，南爲聚遠樓，東爲廣育宫。前建坊座，後爲凝祥殿。宫東爲南屏晚鐘，又東度橋爲西山入畫，爲山容水態，夾鏡鳴琴之西爲湖山在望，爲佳山水，

爲洞裏長春。（圓明園册）

〔臣等謹按〕夾鏡鳴琴，四十景之一。額爲皇上御書。廣育宫奉碧霞元君，殿額曰恩光仁照，與西山入畫、湖山在望、佳山水、洞裏長春諸額皆世宗御書。廣育宫前坊額曰含弘光大，曰品物咸亨，與凝祥殿、南屏晚鐘諸額皆皇上御書。凝祥殿聯曰：茂育恩覃昭聖感；資生德溥配坤元。亦御書。

乾隆九年御製夾鏡鳴琴詞（調寄水仙子） 取李青蓮兩水夾明鏡詩意，架虹橋一道，上搆傑閣。俯瞰澄泓，畫欄倒影，旁厓懸瀑，水衝激石罅，琤琮自鳴，猶識成連遺響。垂絲風裏木蘭船，拍拍飛鳧破渚烟。臨淵無意漁人羨，空明水與天。琴心莫説當年。移情遠，不在絃，付與成連。

〔臣等謹按〕夾鏡鳴琴御製詩，恭載首見之篇，餘不備録。

涵虚朗鑑在福海東，卽雷峯夕照正宇。其北稍西爲惠如春，又東北爲尋雲榭，又北爲貽蘭庭，爲會心不遠，其南爲臨衆芳，爲雲錦墅，爲菊秀松蕤，爲萬景天全。（圓明園册）

〔臣等謹按〕涵虚朗鑑，四十景之一。額爲皇上御書。舊懸湖西澄虚榭，後移置湖東雷峯夕照軒宇内。惠如春、尋雲榭諸額亦御書。

乾隆九年御製涵虚朗鑑詩 結宇福海之東，左右雲堤紆委，千章層青。面前巨浸空澄，一泓淨碧。日月出入，雲霞卷舒，遠山烟嵐，近水樓閣，來不迎而去不距，莫不落其度内，如如焉亦無如如者，吾得之於濠上也。涵虚斯朗鑑，鑑朗在虚涵。即此契元理，悠然對碧潭。雲山同妙静，魚鳥適清酣。天水相忘處，空明共我三。

〔臣等謹按〕涵虚朗鑑御製詩，恭載首見之篇，餘不備録。

福海西北隅平湖秋月之西爲廓然大公，正宇七楹。前爲雙鶴齋。西北爲規月橋，東北爲綺吟堂，又北爲採芝徑，又北徑巖洞而西，爲峭蒨居。北垣門外有樓爲天真可佳。峭蒨居西爲披雲徑，又西亭爲啓秀，又西稍南爲韻石淙。西北平臺臨池爲芰荷深處，垣外爲影山樓。雙鶴齋西爲環秀山房，西北爲臨湖樓。圓明園册

〔臣等謹按〕廓然大公，四十景之一，額爲皇上御書。雙鶴齋、採芝徑、天真可佳、芰荷深處、影山樓、環秀山房、臨湖樓諸額皆世宗御書。峭蒨居、披雲徑諸額皆皇上御書。

乾隆九年御製廓然大公詩　平岡迴合，山禽渚鳥遠近相呼。後鑿曲池，有蒲菡萏。長夏高啓北窗，水香拂拂，真足開豁襟顔。有山不讓土，故得高峩峩。有河不擇流，故得寬瀰瀰。是之謂大公，而我以名此。偶值清晏閒，憑眺誠樂只。識得聖人心，聞諸程夫子。

乾隆二十年御製廓然大公八景詩有序

圓明園四十景皆取四字爲題。各景之中一軒一峯，具有幽致，日涉成趣，正復不窮，題以八景，系之七言。前接陌柳，後臨平湖，軒堂翼然，虚明洞徹。皇考御書題額時有卿雲護之。廓然大公扁卽在後室，一泓涵碧，頗有物來順應之趣。深柳偏宜羽客嬉，會心恰當讀書時。是處昔又名深柳讀書堂。在陰能和寧吾謂？好爵還思與爾縻。右雙鶴齋 循雙鶴齋而西，跨湖爲橋，圓如半璧，映水則爲滿月，繚以長廊，悠然濠濮間想。拖如玉帶曲如鈎，上置行廊又似舟。仙術何須倩法善？往來常作廣寒游。右規月橋 性之介立爲峭，文之藻蔚爲蒨，太沖詩意，良足會心。石秀松蕤各出羣，不同同處挹清芬。太沖豈務多奇者？五字全拈大塊文。右峭蒨居 面東爲樓，杜陵句曰：平陂以南純浸山，動影窈窕沖融間。斯樓有焉。因迴爲高結構清，層樓因得影山名。窗中峯作波中態，上下明漪最有情。右影山樓 奇石嶙峋迴互，徑出其中，烟雲往來，披拂襟袖。緑雲叢翠徑縈紆，面面深奇步步殊。倩得仇英寫生筆，定須爲作採芝圖。右披雲徑 機政之餘，拈吟適興，每遇佳景，不覺綺思濬發。逢源左右足深資，適興無非把筆時。設使古人癖誠有，吟之一字我何辭？右綺吟堂 曲澗奔泉，琤琮作金石聲，韻出天然是謂雲山韶濩。迸水摐摐下石磯，八音繁會太音稀。輞川漫擬王家畫，虞陛高懷舜手揮。右韻石淙 山巔笠亭，孤標秀出，左顧飛瀑，右挹雲林，盡得此間勝概。詭石蒼松扶翼

然，氤氲朝暮幻雲烟。林光泉韻無非秀，都付山亭秀占全。右啓秀亭

〔臣等謹按〕廓然大公御製詩，恭載首見之篇，餘不備録。

坐石臨流在水木明瑟東南，澹泊寧静之東，溪水周環，軒宇三楹，西嚮。圓明園册

〔臣等謹按〕坐石臨流，四十景之一，額爲皇上御書。

乾隆九年御製坐石臨流詩 仄澗中瀿泉奔滙，奇石峭列，爲坻爲碕，爲嶼爲奥。激波分注，潺潺鳴籟，可以漱齒，可以泛觴。作亭據勝處，泠然山水清音，東爲同樂園。白石清泉帶碧蘿，曲流貼貼泛金荷。年年上巳尋歡處，便是當時晉永和。

〔臣等謹按〕坐石臨流御製詩，恭載首見之篇，餘不備録。

坐石臨流東南當碧桐書院。正東爲麴院風荷，五楹南嚮。其西佛樓爲洛伽勝境。圓明園册

〔臣等謹按〕麴院風荷，四十景之一，額亦皇上御書，洛迦勝境額亦御書。

乾隆九年御製麴院風荷詩 西湖麴院爲宋時酒務地，荷花最多，是有麴院風荷之名。兹處紅衣印波，長虹摇影，風景相似，故以其名名之。香遠風清誰解圖，亭亭花底睡雙鳧，停橈堤畔饒真賞，那數餘杭西子湖！

〔臣等謹按〕麴院風荷御製詩，恭載首見之篇，餘不備録。

麴院風荷之南，跨池東西，橋九空，坊楔二，西爲金鼇，東爲玉蝀。金鼇西南河外室爲

四圍佳麗，玉蝀東有亭爲飲練長虹，又東南度橋，折而北，設城關，爲寧和鎮。其東南爲東樓門。圓明園册

〔臣等謹按〕飲練長虹、寧和鎮諸額皆御書。

麴院風荷之北爲同樂園，前後樓各五楹，南向。其前爲清音閣，北向。東爲永日堂，中有南北長街。街西爲抱樸草堂。街北度雙橋爲舍衛城，前樹坊楔三，城南面爲多寶閣，内爲山門，正殿爲壽國壽民，後爲仁慈殿，又後爲普福宫，城北爲最勝閣。圓明園册

〔臣等謹按〕永日堂、壽國壽民、仁慈殿、普福宫諸額皆世宗御書。舍衛城北坊額曰花界，曰香城，東曰蓮湧，曰金池，西曰曇霏，曰珠林。多寶閣祀關帝，額曰至神大勇，壽國壽民殿額曰心月妙相，仁慈殿額曰具足圓成，普福宫額曰瑞應優曇，最勝閣坊額曰乾闥持輪，曰祇林垂鬘，皆御書。

洞天深處在如意館西稍南。前宇乃諸皇子所居，爲四所。東西二街，南北一街。前爲福園門。四所之西爲諸皇子肄業之所。前爲前垂天貺，中爲中天景物，東宇爲斯文在茲，後爲後天不老。圓明園册

〔臣等謹按〕洞天深處，四十景之一。額爲皇上御書。前垂天貺、中天景物、後天不老及如意館諸額皆世宗御書。斯文在茲額恭懸至聖先師神龕上。聯曰：道統集成歸

至德；聖功養正仰微言。皆御書。

乾隆九年御製洞天深處詩 緣溪而東，徑曲折如蟻盤。短椽陋室，於奥爲宜。雜植卉木，紛紅駭緑，幽巖石厂，别有天地非人間。少南即前垂天貺，皇考御題，予兄弟舊時讀書舍也。幽蘭泛重阿，喬柯幕憩樹。牝壑既虚寂，細瀑時淙瀉。瑟瑟竹籟秋，亭亭松月夜。對此少淹留，安知歲月流？願爲君子儒，不作逍遥游。

〔臣等謹按〕洞天深處御製詩，恭載首見之篇，餘不備録。

欽定日下舊聞考卷八十三

國朝苑囿 長春園

圓明園之東曰長春園。長春園册

〔臣等謹按〕長春園本圓明園東垣外隙地，舊名水磨村。就添殿宇數所，敬依長春仙館賜號，錫名曰長春園，額懸宫門。

乾隆三十五年御製長春園題句有序　山水符樂壽之徵，興隨所遇；日月引壺洲之景，春與俱長。迺拓餘地於御園，爰效嘉名於仙館。顧當年之賜號，時切體元；籌他日之安居，茲惟卜始。波通福海，東壖旭麗扶桑；垣亘清河，北陌香浮華黍。列縹緗以娱志，堂啓含經；撫翰墨以怡神，軒成淳化。思永勵始終如一，式是齋乎；開襟而氣象盈千，登斯樓也。他若某邱某壑，境足賞心；有榭有亭，勝堪寓目。每幾暇竭來游憩，擬耄期恒此頤恬。以紀元六十載爲衡，積愿笑惟奢望；從周甲廿五年而計，勗勤敢有倦心！儷以弁言，系之長律。長春非敢暢春侔，暢春園在圓明園之南，皇祖所建，今奉皇太后居之。即景名園亦有由。賜號當年例仙館，長春仙館爲明圓園四十景之一，雍正年間賜居也，即以當年賜號名之。倦勤他日擬菟裘。予有夙願，若至乾隆六十年，壽登八十五，彼時亦應歸政，故鄰圓明園之東預修此園，爲他日優游之地。雖屬侈望，然果得如此，亦國家景運之隆，天下臣民之慶也。培松拱把冀鱗老，留石平心待句酬。廿五春秋仍劼毖，今歲六旬，屈指果得歸政，尚當二十五年。然一日臨莅，矢不敢少懈，此敬勤之志，必居此園時然後可息肩娱老耳。耄期歲月合優游。

〔臣等謹按〕長春園御製詩，謹繹有關紀述事實者恭載卷内，餘不備録。

長春園宮門五楹，東西朝房各五楹，正殿爲澹懷堂，後爲衆樂亭，亭後河北敞宇爲雲容水態，其西稍南爲長橋。長春園册

〔臣等謹按〕澹懷堂内額曰樂在人和。聯曰：敷政協民心，好愜箕風畢雨；澄懷觀物理，妙參智水仁山。與衆樂亭、雲容水態諸額皆皇上御題。

〔又按〕園内諸河之水由圓明園東垣之一空閘五空閘流出，環繞各所，又東出七空閘，灌溉稻田。

乾隆十四年御製秋日澹懷堂詩　玉宇暢霽光，松軒俯閬井。山水既清佳，結構更寬整。土階每覺慚，繡柱無須逞。神心適可達，紛營於以屏。斐然翰墨香，謐爾希夷境。豈惟容膝安？寄懷斯良永。

〔臣等謹按〕澹懷堂御製詩，恭載首見之篇，餘不備録。

雲容水態西北循山逕入，建琉璃坊楔三，其北宮門五楹，南嚮。内爲含經堂七楹，後

爲淳化軒，又後爲蘊真齋。含經堂東爲霞翥樓，爲淵映齋，堂西爲梵香樓，爲涵光室。長春園册

〔臣等謹按〕淳化軒内額曰奉三無私。聯曰：貞石麗延廊，畧存古意；淳風扇寰宇，冀遂初心。東西廊廡壁間嵌御定淳化閣帖石刻。蘊真齋内額曰禮園書圃，霞翥樓内額曰味腴書屋。

御製淳化軒記 淳化軒何爲而作也？以藏重刻淳化閣帖石而作也。蓋自伏滔崆峒之銘，石虹堯碑之文，歷代相傳，石刻尚焉。然物有其成，必有其壞。世遠年湮，真僞莫辨。則漢唐且難得其全者，無論周秦以上矣。故言帖必以趙宋爲猶近，而宋帖必以淳化爲最美。重刻之由，考稽之故，已見於帖前之旨，册後之跋，兹不復記，記所以藏石作軒之故云。石刻既成，凡若干頁。使散置之，慮其有失也，爰於長春園中含經堂之後，就舊有之廻廊，每廊砌石若干頁，恰得若干廊，而帖石畢砌焉。廊之中原有蘊真齋，因稍移齋於其北，卽舊基而拓爲軒。事起藏帖，則以帖名名之。夫淳化，宋太宗之紀年也，爲人君者卽不能以唐堯虞舜爲師，亦當以夏甲周成爲軌，所謂取法乎上僅能得中耳。若宋太宗始終家國之間慚德多矣，吾所不取，而又有何慕於淳化而以之名軒爲哉？

乾隆十四年御製夏日含經堂詩 高軒能却暑，邃室亦生涼。味道研精義，隨時愛景

光。用選句。苑禽鳴處樂，砌卉吐來芳。石鼎閒嘗煮，瑤琴静不張。詩吟西蜀杜，壁畫輞川王。差喜娱清暇，還慚致治康。

乾隆三十五年御製題淳化軒詩　閣帖欣猶善本全，幾餘考訂爲重鐫。墨華輝映題軒扁，内府藏有淳化閣帖初搨，既爲訂正重刻，因於含經堂後迴廊分嵌石幅，廊之中拓爲是軒，即以帖名名之。石刻珍藏嵌壁甎。閲古於焉閲歲月，賞心何異賞雲烟？頤居儻得遂初願，若紀元得至六十，則壽登八十五，彼時當歸政居此。果如所願，得以翰墨静娱，誠至樂也。陶寫端知勝管絃。

乾隆二十四年御製味腴書屋詩　含經堂畔敞書筵，味道腴常喜静便。枕葄崇情托經史，躍飛精趣察魚鳶。遣閒偶染兔枝墨，結習猶披蠖葉篇。少坐亟臨勤政殿，勅幾惟日慎邦權。

〔臣等謹按〕含經堂、淳化軒、味腴書屋御製諸詩，謹繹有關紀述事實者恭載卷内，餘不備録。

澹懷堂迤西濱河水石之間爲蒨園，門西嚮内爲朗潤齋三楹，其東爲湛景樓，又東爲菱香沜。朗潤齋西有石立於園門内，爲青蓮朵。齋東南山池間爲標勝亭，又東南爲别有天，西北爲韻天琴，南角門外别院爲委宛藏。長春園册

〔臣等謹按〕蒨園門左碑亭一，刊重摹梅石碑，標勝亭西壁勒御製蒨園八景詩。

乾隆三十二年御製重摹梅石碑置青蓮朵側而系之詩有序　乙酉冬曾摹德壽宫梅石碑，驛致

杭州，以存舊蹟。因思梅既久枯，石又北來，則新碑與舊碑不過留其名於依稀髣髴間耳。既又思梅之槁於南者，雖不可復生，而石之存於北者固在也。因命重摹一通，置之石側。青蓮朵者，蓋壬申初到時所命名，亦並有詩紀事云。昔年德壽石，名曰青蓮朵。梅枯石北來，惟餘碑尚妥。德壽豈復存？久矣燬兵火。不禁興廢感，碑亦漫漶頗。因之爲憮蹟，驛致江之左。新碑鄰舊碑，那見梅石我？重摹置石側，爲結無緣果。誰云假冰玉，猶是真檗峩。如因憶中郎，武賁何不可？

乾隆十八年御製蒨園八景詩　一亭一沼，爰静神游之鄉；非壑非林，自足天成之趣。此中大有佳處，物外聊爾寄情。不爲嵩山之比方，偶效右丞之格調。機緘合希夷，水木呈明翠。銀塘横半畝，萬頃烟波意。右朗潤齋　樓臨内外湖，地高望斯遠。湛然虛且明，絜矩出治本。右湛景樓　風前度彌静，雨後香益清。彷彿吴興岸，菱歌唱晚晴。右菱香沜　藍瑛碑側石，名之青蓮朵。介示無去來，默傳忘物我。右青蓮朵　總此一大内，謾稱别有天。達人誚坐井，匪我古已然。右别有天　石激出淙乳，儼中宮商音。我不解攖醳，而愛韻天琴。右韻天琴　笠亭據假山，亦足云標勝。設擬宣城蹟，合得謫仙詠。右標勝亭　境以曲折幽，中宏延外廣。尺宅含寸田，至人貴知養。右委宛藏

〔臣等謹按〕蒨園八景御製詩，恭載首見之篇，餘不備録。

蒨園後河北岸爲思永齋七楹。齋北樓宇臨池爲山色湖光共一樓，齋東別院爲小有天園。長春園册

〔臣等謹按〕思永齋門額曰静便趣，齋内額曰萬横香玉。

御製小有天園記　左淨慈，面明聖，兼挹湖山之秀，爲南屏最佳處者，莫過於汪氏之小有天園。蓋辛未南巡所命名也。去歲丁丑，復至其地，爲之流連，爲之倚吟。歸而思畫家所爲收千里於咫尺者，適得思永齋東林屋一區，室則十笏，窗乃半之。窗之外隙地方廣亦十笏，命匠氏叠石成峰，則居然慧日也。範錫爲宇，又依然壑庵也。汪氏別業舊名。激水作瀑，泠泠琤琤，不殊幽居洞之所聞。而黄山松樹子雖盈尺，有凌雲之概，夭矯盤拏，高下雜出，於石笋峭蒨間，復與琴臺之古木蒼巖玲瓏秀削不可言同。何況云異？吾於是知天地間之景無窮，而人之心亦無窮。境有異，而人之心無有異。夫此爲軒、爲亭、爲磴、爲池、爲林泉、爲崖壑，固不可歷歷手攀而足陟之者。使目擊道存，會心不遠，則此爲軒、爲亭、爲磴、爲池、爲林泉、爲崖壑，又何不可歷歷手攀而足陟之乎？昔新豐雞犬各識其户，固已侈矣。李德裕平泉之像巴峽，寫洞庭，則又務窮遠，盡態極妍而不必師。所可師者其意而已。然吾之意不在千里外之湖光山色應接目前，而在兩浙間之吏治民依來往胸中矣。是爲記。

〔臣等謹按〕御製小有天園記，謹繹有關紀述事實者恭載卷内，餘不備録。

思永齋西稍南，河外爲得全閣。南爲寶雲樓，北爲遠風樓。齋北河池㶁滙，中有圓式崇基，其上樓宇三層，爲海嶽開襟，四旁坊楔各一。長春園册

〔臣等謹按〕得全閣額曰天心水面，海嶽開襟爲下層樓内額，其南簷額曰青瑶嶼，最上層額曰乘六龍。

乾隆二十四年御製海嶽開襟歌樓名，上有扁曰乘六龍。滄池漾瀁蛟龍窟，中聳玉臺規寶月。祖洲之草琪樹枝，襲芳籠影水精闕。周裨瀛海誠曠哉，崑嶠方壺縮地來。八琅雲璈底須奏？松風竭聽塵襟開。芥舟祇需坳堂水，溟渤何勞千萬里？得其環中游物外，棗葉須彌皆一理。我之所戒在求仙，海嶽寄興屬偶然。保合太和勵體乾，時乘六龍以御天。

〔臣等謹按〕海嶽開襟御製詩，恭載首見之篇，餘不備録。

海嶽開襟之西河池外有亭爲流香渚，亭北爲罨畫溪。長春園册

〔臣等謹按〕流香渚之西循山逕行，即達圓明園之明春門。

海嶽開襟東北爲諧奇趣。東爲法慧寺，山門西嚮。内爲四面延樓，後殿爲光明性海，其西别院有琉璃方塔。法慧寺東爲寶相寺，山門南嚮，内爲澄光閣，後爲曇霏閣，又後崇基上有殿爲現大圓鏡。長春園册

〔臣等謹按〕法慧寺山門額曰普香界，現大圓鏡殿内額曰香臺華鬘。由寶相寺度城關而東，迤南爲翠交軒，軒下石室爲熙春洞，北爲愛山樓，又北爲澤蘭堂。長春園册

〔臣等謹按〕愛山樓上額曰天風海濤，樓下額曰山静雲閒，澤蘭堂額曰神觀蕭爽。愛山樓東北爲平疇交遠風，南爲轉湘帆。長春園册

〔臣等謹按〕平疇交遠風宇後額曰平皋緑淨。聯曰：畏民碞其難其慎；勅天命惟幾惟康。

平疇交遠風之東爲叢芳榭，後爲琴清齋。長春園册

〔臣等謹按〕琴清齋内額曰霞蹤天想。

乾隆二十四年御製叢芳榭得句　曲廊迴抱疏軒敞，階俯琳池波泱漭。繚以紗疏碧且虚，延爽障寒幽復朗。宴息四序無不宜，恒春花鎮含芳蕤。風欄雨埭氤氲際，月宇雪窗澹蕩時。摛藻發思真契妙，一歲之中曾幾到。今來憩卽今年初，却笑何須亟營造。

〔臣等謹按〕叢芳榭御製詩，恭載首見之篇，餘不備録。

叢芳榭之東爲獅子林，爲虹橋，爲假山，爲納景堂，爲清閟閣，爲藤架，爲磴道，爲占峯亭，爲清淑齋，爲小香幢，爲探真書屋，爲延景樓，爲雲林石室，爲横碧軒，爲水門。

乾隆三十七年御製獅子林八景詩　獅子林之名，賴倪迂圖卷以傳。此間竹石邱壑皆肖其景爲之，冠以舊名，志數典也。最憶倪家獅子林，涉園黄氏幻爲今。吴中獅子林故址雖存，已屢易爲黄氏涉園，丁丑南巡，曾訪其勝，因郵倪卷證之。壬午、乙酉復再至，前後並有詩題卷中。因教規寫閶城趣，爲去聲。便尋常御苑臨。不可移來惟古樹，遄由飛去是遐心。峯姿池影都無二，呼出鞮逢懶瓚吟。右獅子林　跨水爲小橋，垂虹宛在，片雲帆影，何必更羨吴江？駕溪宛若虹，其下可舟通。設使幔亭張，去聲。吾當問順風。右虹橋

獅林以石勝，相傳爲瓚自位置者，兹令吴下高手堆塑小景，曲折盡肖，驛此展拓成林，奚啻武賁之於中郎？妙手吴中堆塑能，絶勝道子寫嘉陵。一邱一壑都神肖，憶我春巡展步曾。右假山　鏡水寫形，遇以無心，而景自爲納，斯堂所得，迨乎近之。花木四時趣，風雲朝暮情。一堂無意納，萬景自爲呈。色是空中色，聲皆静裏聲。摐然聲色表，五字亦因成。右納景堂　臨曲池，面假山，景清境閟，雲林小閣何不可作如是觀？武夷一曲中，清閟小閣置。近臨活水澄，平揖假山翠。遐想創作圖，自詡荆關意。王蒙那夢見？因公宜寶弆。叶以上三句隳括倪瓚自識語。豈期属黄氏，又復御園至。今古實一瞬，蘇燕非二地。當年閣中人，未必首肯遂。右清閟閣　紫藤引架，垂陰縵縈可十數武，於石橋宛轉尤宜。石橋既曲折，藤架復邐迤。春時都作花，步障垂茸紫。瑣月多風流，蘸波鮮塵滓。施松援覺

艱，附木平可喜。載詠頍弁章，庶幾見君子。右藤架　循巖陟磴，詩人比之丹梯，此雖叠石而成，亦自覺風雲可生足底。房山石似洞庭，刻峭一例岭嵤。拾級試登磴道，丹臺咫尺通靈。右磴道　峯頂一笠，清曠絶塵，元鎮畫往往如是印證，故在不卽離間。雖是假山亦有峯，嶕嶫砐硪轉饒趣。歷艱陟頂得稍平，四柱小亭翼然據。一步一奇極變幻，眼底神情乃畢露。俗手石工那得窺？粉本倪迂精絶處。右占峯亭

又御製續題獅子林八景詩　倪瓚原卷中自識，與趙善長商搉作獅子林圖，且屬如海因公宜寶弆云云，是則爲圖本自倪，而叠石築室已在疑似，何況歷歲四百餘年，室主不知凡幾更，而今又屬黄氏矣。則今之亭臺峯沼，但能同吳中之獅子林，而不能盡同迂翁之獅子林圖，固其宜也。雖然，予之詠高山而企慕藺，實在倪而不在黄，言之不足長言之，因復取其可詠者凡八景，爲續題云。就樹得佳陰，境原獅子林。假山亦碞齬，曲徑致幽深。花色淑非艷，溪聲清以沈。如云晤倪老，恐未契高襟。右清淑齋　一間樓湧小香幢，調御琉璃朗慧釭。珍重迂翁囑如海，倪瓚獅子林卷自識有如海因公宜寶之之語。由來者箇未全降。右小香幢　雲廊拾級上，書屋號探真。詎在游文苑，所希識道津。精研足緗歲，深造貴潛神。欲問枕葄者，誰誠自得人。右探真書屋　詭石玲瓏棧徑通，入來渾似萬山中。近峯遠渚攬次第，秋月春風觀色空。拾級望遥目容與，焚檀習静意沖融。雖然延得江南景，罷露臺慚未昔同。右延景樓　有

溪有岸有舟呼，活景沿緣面面殊。欲倣清河書畫舫，收來真蹟是倪迂。右畫舫 灑然石室額雲林，元鎮流風若可尋。却與田盤開別面，盤山静寄山莊中向有雲林石室。古松都隱剩嶔岑。假山雖肖吳中，稚松皆新種，固不如田盤古松林立也。右雲林石室 文軒築溪上，溪水如帶横。一條拖碧玉，朗映心目清。有時漾輕漪，閃影翻檐楹。奚必藉鳶魚，天然道趣呈。右横碧軒 牆界林園水作門，泛舟雅似武陵源。贏他衹有淵明記，不及迂翁畫卷存。右水門

〔臣等謹按〕獅子林八景御製諸詩，謹繹有關紀述事實者恭載卷内，餘不備録。

獅子林之南爲玉玲瓏館，正宇爲正誼明道五楹，北爲林光澹碧，東爲鶴安齋，西南爲蹈和堂。長春園册

〔臣等謹按〕林光澹碧宇内額曰游心於淡。

乾隆二十年御製玉玲瓏館詩 湖石三四峯，湘筠五六箇。月下詭狀獰，風前清影簸。詩渾白濁吟，畫是倪迂作。發興在宣毫，澄懷當笋座。而我每少閒，隔月纔一過。叶

〔臣等謹按〕玉玲瓏館御製詩，恭載首見之篇，餘不備録。

玉玲瓏館之南爲昭曠亭，亭東南爲映清齋，齋東爲鑑園，敞宇五楹西嚮。北爲漱瓊齋，其東爲師善堂。長春園册

〔臣等謹按〕鑑園之後有船塢。

由鑑園北山徑折而東爲東宫門，樓宇上下各七楹，東向。南北朝房各三楹，其外爲護河，有石橋。長春園册

〔臣等謹按〕東宫門亦稱大東門。

鑑園西南爲如園，門三楹西嚮，内爲敦素堂，堂北稍東爲冠霞閣，又東爲明漪樓。長春園册

〔臣等謹按〕由如園山徑西行，卽澹懷堂之東垣門。

乾隆三十五年御製如園詩 南北臨衢各築垣，過來復道便如園。有泉有竹清幽致，曰室曰齋淳樸敦。境寫中山遥古蹟，江寧藩司署中瞻園，卽明中山王徐達西園之舊，是園規制畧倣之。石移西嶺近雲根。邇方小得心懷暢，景對南薰畧可論。

〔臣等謹按〕如園御製詩，恭載首見之篇，餘不備録。

欽定日下舊聞考卷八十四

國朝苑囿　清漪園

清漪園建於萬壽山之麓，在圓明園西二里許，前爲昆明湖。清漪園册

〔臣等謹按〕孫承澤春明夢餘録載，甕山在玉泉山之旁，西湖當其前，金山拱其後，明時舊有圓静寺，後廢。今上乾隆十五年，於其地建大報恩延壽寺，命名萬壽山。並疏導玉泉諸派，匯於西湖，易名曰昆明湖。設戰船，仿福建廣東巡洋之制，命閩省千把教演。自後每逢伏日，香山健鋭營弁兵於湖内按期水操。若其經流，則自繡漪橋南入長河，引流入京城，繞紫禁城而出，歸通惠河通濟漕渠，灌溉田畝，實萬世永賴之利也。皇上御題額曰清漪園，有御製昆明湖記、清漪園記，恭載卷内。

宫門五楹東向，門外南北朝房。駕兩石梁，下爲溪河，左右罩門内有内朝房，亦南北向，内爲勤政殿七楹。清漪園册

〔臣等謹按〕勤政殿内額曰海涵春育。聯曰：念切者豐年爲瑞，賢臣爲寶；心游乎道

德之淵，仁義之林。又聯曰：義制事，禮制心，檢身若不及；德懋官，功懋賞，立政惟其人。中刊御製座右銘，皆皇上御書。

御製萬壽山昆明湖記 歲己巳，考通惠河之源而勒碑於麥莊橋。元史所載引白浮、甕山諸泉云者，時皆湮没不可詳。夫河渠，國家之大事也。浮漕利涉灌田，使漲有受而旱無虞，其在導洩有方而瀦蓄不匱乎！是不宜聽其淤閼泛濫而不治。因命就甕山前，芟葦茭之叢雜，浚沙泥之隘塞，匯西湖之水，都爲一區。經始之時，司事者咸以爲新湖之廓與深兩倍於舊，踟躕慮水之不足。及湖成而水通，則汪洋漭沆，較舊倍盛，於是又慮夏秋汛漲或有疏虞。甚哉集事之難，可與樂成者以因循爲得計，而古人良法美意，利足及民而中止不究者，皆是也。今之爲牐爲壩爲涵洞，非所以待汛漲乎？非所以濟溝塍乎？非所以啓閉以時使東南順軌以浮漕而利涉乎？昔之城河水不盈尺，今則三尺矣。昔之海甸無水田，今則水田日闢矣。顧予不以此矜其能而滋以懼。蓋天下事必待一人積思勞慮，親細務有弗辭，致衆議有弗恤，而爲之以僥倖有成焉，則其所得者必少而所失者亦多矣。此予所重慨夫集事之難也。湖既成，因賜名萬壽山昆明湖，景仰放勳之蹟，兼寓習武之意。得泉甕山而易之曰萬壽云者，則以今年恭逢皇太后六旬大慶，建延壽寺於山之陽故爾。寺別有記，茲特記湖之成，並元史所載泉源始末廢興所由云。

御製萬壽山清漪園記　萬壽山昆明湖記作於辛未，記治水之由與山之更名及湖之始成也。萬壽山清漪園成於辛巳，而今始作記者，以建置題額間或緩待而亦有所難於措辭也。夫既建園矣，既題額矣，何所難而措辭？以與我初言有所背，則不能不愧於心。有所言乃若誦吾過而終不能不言者，所謂君子之過。予雖不言，能免天下之言之乎？蓋湖之成以治水，山之名以臨湖，既具湖山之勝概，能無亭臺之點綴？事有相因，文緣質起，而出内帑，給雇直，敦樸素，袪藻飾，一如圓明園舊制，無敢或踰焉。雖然，圓明園後記有云，不肯舍此重費民力建園囿矣，今之清漪園非重建乎？非食言乎？以臨湖而易山名，以近山而創園囿，雖云治水，誰其信之？然而暢春以奉東朝，圓明以恒莅政，清漪静明，一水可通，以爲勅幾清暇散志澄懷之所，蕭何所謂無令後世有以加者，意在斯乎！意在斯乎！及憶司馬光之言，則又爽然自失。園雖成，過辰而往，逮午而返，未嘗度宵，猶初志也，或亦有以諒予矣。

御製座右銘　凛於豐亨，遹求厥寧。思艱圖易，居安慮傾。堂下萬里，無恃爾克明。民方殿屎，無恃爾善聽。無矜大名，無侈頌聲。止慾於未萌，防危於無形。日慎一日，先民是程。昔之人有言曰：堯業業，舜兢兢。臨淵履冰，式鑒茲銘。

乾隆十五年御製西海名之曰昆明湖而紀以詩　西海受水地，歲久頗泥淤。疏濬命將作，内帑出餘儲。乘冬農務暇，受值利貧夫。蕆事未兩月，居然肖具區。春禽於以翔，夏潦於以豬。昨從淀池來，水圍徵澤虞。此誠近而便，可習佽飛徒。師古有前聞，錫命昆明湖。

乾隆十六年御製萬壽山詩有序 歲辛未，喜值皇太后六旬初度大慶，敬祝南山之壽，兼資西竺之慈。因就甕山建延壽寺，而易今名，並誌以詩。選勝廓精藍，延禧資釋曇。山名揚萬壽，峯勢壓千嵐。寶網鴻祥集，璇池浩澤涵。載賡天保什，長願祝如南。

〔臣等謹按〕昆明湖萬壽山御製詩，恭載首見之篇，餘不備録。

勤政殿後北達怡春堂，西爲玉瀾堂，北爲宜芸館，館之西爲樂壽堂。清漪園册

〔臣等謹按〕樂壽堂前有大石如屏，恭鐫御題青芝岫三字，東曰玉英，西曰蓮秀。門楣上刊御題樂壽堂詩，前軒御題額曰水木自親。

乾隆十六年御製青芝岫詩有序 米萬鍾大石記云：房山有石，長三丈，廣七尺，色青而潤，欲致之勺園，僅達良鄉，工力竭而止。今其石仍在，命移置萬壽山之樂壽堂，名之曰青芝岫，而系以詩。我聞莫釐縹緲，乃在洞庭中。湖山秀氣之所鍾，爰生奇石竅玲瓏。石宜實也而函虚，此理誠難窮。誰云南北物性殊燥濕，此亦有之殆或過之無不及。君不見房山巨石磊岦岌，萬鍾勺園初築葺。旁蒐皺瘦森笏立，縋幽得此苦艱澁。致之中止卧

道旁，覆以葭屋繚以牆。出萬鍾記語。年深屋頹牆亦廢，至今竅中生樹拱把强。天地無棄物，而況山骨良？居然屏我樂壽堂。青芝之岫含雲蒼。崔嵬刻削裒直方。應在因提疏仡以前闢元黄。無斧鑿痕剖吴剛。雨留飛瀑月留光。錫名題什翰墨香。老米皇山之石穴九九，未聞一一穴中金幢玉節紛縈糾。友石不能致而此致之，力有不同事有偶。知者樂兮仁者壽，皇山洞庭夫何有？

乾隆二十五年御製樂壽堂六韻　聳峙千峯護，虚明萬頃開。精神山水萃，義理知仁該。擇向樸堂建，乘閒清蹕來。樂惟以天下，壽願共春臺。霽月光風會，江毫宣硯陪。翹思茅土約，抱愧敢嬉哉。

〔臣等謹按〕青芝岫樂壽堂御製詩，恭載首見之篇，餘不備録。

樂壽堂後折而西爲方池，池北爲樂安和。清漪園册

〔臣等謹按〕樂安和之西長廊相接，直達石丈亭，詳見後條。

樂安和西北爲養雲軒，軒後爲餐秀亭，亭西爲無盡意軒，又西稍北爲圓朗齋。清漪園册

〔臣等謹按〕餐秀亭後石壁上勒御題燕臺大觀四字。

乾隆二十年御製養雲軒詩　名山多奇境，平陵構疏軒。軒中何所有？朝暮饒雲烟。岔入既不拒，寫去忽復旋。高詠陶氏停，欲笑蘇家攓。蓄矣發應時，爲霖利大田。

〔臣等謹按〕養雲軒御製詩，恭載首見之篇，餘不備録。

無盡意軒之西爲慈福樓。清漪園册

〔臣等謹按〕慈福樓内額曰大自在，樓後崇臺上石幢勒萬壽山昆明湖六字，後刊御製昆明湖記，文已恭録前條。

慈福樓西爲大報恩延壽寺，前爲天王殿，爲鐘鼓樓，内爲大雄寶殿，後爲多寶殿，爲佛香閣，又後爲智慧海。清漪園册

〔臣等謹按〕大報恩延壽寺内額曰度世慈緣，曰作大吉祥，曰真如，曰妙覺，曰華海慈雲，皆御書。殿前碑亭勒御製大報恩延壽寺記，殿後碑亭東勒金剛經，西勒華嚴經。

御製萬壽山大報恩延壽寺碑記　欽惟我聖母崇慶慈宣康惠敦和裕壽皇太后，仁善性生，惟慈惟懿，母儀天下，尊極域中。粤乾隆辛未之歲，恭遇聖壽六袠誕辰，朕躬率天下臣民，舉行大慶禮，奉萬年觴，敬效天保南山之義。以甕山居昆明湖之陽，加號曰萬壽，創建梵宫，命之曰大報恩延壽寺。殿宇千楹，浮圖九級，堂廡翼如，金碧輝映，爇香燈，函貝葉，以爲禮懺祝嘏地。朕惟人子之於親恩罔極則思報之心與爲罔極。而報恩之分恒不能稱其思報之願。凡所謂祝釐頌嘏，修香光之業，開法喜之筵，於申報曷能以

毫髮數？亦隨時隨地致其愛慕誠悃云爾。我聖母至仁廣被，如大雲起雨，一切卉木藥草，隨分受潤，慈心善質，自足以緝純嘏，集遐福。盛德之致福永年，固有不求而至焉。而兹復以祇陀布金之園，爲灌佛報恩之舉。金盤炫日則光照雲表，寶鐸含風則音出天外，法鼓洪響，偈頌清發，於以歡喜讚誦，不更有以廣益福利，綿遠增高，爲聖母上無量之壽哉！自今伊始，其以兹寺爲樂林，爲香國，萬幾之暇，親奉大安輦隨喜於此。前臨平湖，則醍醐之海也。後倚翠屏，則阿耨之山也。招提廣開，舍利高矗，則琉璃土而玉毘臺也。散華葳蕤，流芬飛樾。栴檀之香遡風而聞，迦陵之鳥送音而至。我聖母仁心爲質，崇信淨業，登斯寺也，必有欣然合掌、喜溢慈顔者，亦足爲承歡養志之一助。且山容清淨，貞固恒久，寶幢金刹，日月常新。藉兹山之命名，申建寺之宏願，春暉寸草之心與俱永焉。爰爲之記，并依般若四聲作祝頌曰：佛言慈善根，廣受諸利益。如繅能藉玉，如磁解吸鐵。又言布施力，指期得果報。如尼拘類樹，歲收實數萬。洪惟我聖母，聖善實性生。至仁蔭世界，慈氏再出世。譬猶黍谷吹，葭管纔一動，萬物盡和煦，藹然游春温。以此無量德，致彼無量福。五福壽最先，壽量不可説。我欲報罔極，亦復何以加。寶篆鏤精璆，瓊册鐫華玉。緊聞香光業，供養利人天。堪以無礙施，廣益無量壽。遂効呼嵩祝，耆闍崛移來。更闢甘露場，祇樹園布就。青鴛大蘭若，堂殿八九重。

鐵鏁界百道，鈴鐸半空響。後有舍利塔，直上凌虚空。高懸金露盤，去地百餘丈。中爲無垢地，處處白銀階。塗壁百品香，窣地七寶飭。堂堂蓮花座，寶相何莊嚴。湧現白毫光，圓容規滿月。其餘大菩薩，羅漢及金剛。金縷伽梨衣，各各端正在。寶刹初告成，聖壽聿屆臨。彩幢華蓋中，虔修佛頂會。以何備供養，新鮮五莖花。摩勒果萬枚，伊蒲饌千斛。又何備供養，五綵氍毹。新羅紫金鐘，祇洹青玉鉢。環繞禮法懺，膜拜復唄誦。牟尼一串珠，徧繙榆欓函。轟轟法鼓震，琅琅銅鈸響。薝蔔散馥郁，慧燈發光明。維時十方界，無不生歡喜。龍天八部中，一聲齊讚歎。天女散香花，衆花紛紛下。拈花虔頂禮，敬上無量壽。亦有大迦葉，如聞緊那弦。起作小兒舞，敬上無量壽。最後如來佛，降自忉利天。手持千葉蓮，敬上無量壽。聖壽本無量，更有無量加。無量復無邊，萬萬千千歲。以茲福德地，常作快樂園。時駕紫罽車，來此一隨喜。喜林大葱鬱，樂樹高婆娑。四望種福田，三界選佛地。朝朝承聖歡，歲歲奉慈輦。延此無量壽，敬報罔極恩。

大報恩延壽寺之西爲羅漢堂田字式。清漪園册

〔臣等謹按〕羅漢堂爲門三，南曰華嚴真諦，東曰生歡喜心，西曰法界清微。堂内分甲乙十道，塑阿羅漢五百尊，東門内曰祇樹園，曰獅子窟，曰須夜摩洞；轉而南爲

阿伽橋；稍南曰阿樓那崖，曰徙多橋，橋上曰彌樓，曰摩偷地，曰砥柱，曰摩訶窩；上曰兜率陀崖，曰功德池，曰栴檀林；再上曰須彌頂，曰善現城，曰金田，曰陀羅峯，曰雞園，曰鹿苑；中爲室羅筏雷音殿；北曰耆闍崛；旁曰舍利塔，曰蜂臺，曰毗訶羅橋；南曰露山，曰香巖；西曰信度橋；諸額皆御書。堂之東有亭，卧碣上勒御製五百羅漢記，文詳見御製文初集。

羅漢堂後爲寶雲閣。清漪園册

〔臣等謹按〕寶雲閣笵銅爲宇，御題額曰大光明藏。

寶雲閣西爲邵窩，爲雲松巢，又西爲澄輝閣，閣東南有三層樓，樓西爲聽鸝館。清漪園册

〔臣等謹按〕三層樓上御書額曰山色湖光共一樓。

聽鸝館西爲石丈亭，爲石舫。清漪園册

御製石舫記　自茅茨土階以來，爲室者必有階，爲階者率以石，所以去湫濕，就高明。棟宇以安，固其基址。陛九級，廉遠地則堂高，陛無級，廉近地則堂卑。古人所以爲喻也。至乃步壛釦砌，左墄右平，設切厓隒，山塄水磯，雖華質殊製，高下異施，其所以限柱礎而承屋基，則一耳。余之石舫，蓋築之昆明湖中，不依汀傍岸，雖無九成之規，而有一帆之概。彌近烟雲之賞，迴遠風浪之驚。鷗鷺新波，菰蒲密渚。湧金漪而月潔，

凝玉鏡而冰寒。四時之景不同，朝暮之觀屢易。彼之青雀黄龍，雖資濟川，亦虞穿線，則何如一肖形而浮坎止艮，義兩存焉。非徒歐米之興慕也。且田盤之浮石，奇則奇矣，而或需乎雲；香山之緑雲，似則似矣，而或乏乎水。若夫凛載舟之戒，奠磐石之安，虚明洞達，職思其居，意在斯乎！意在斯乎！

石舫之北有樓爲延清賞，西爲曠觀齋，又西爲水周堂。清漪園册

〔臣等謹按〕自此以北建城關，額曰宿雲，簷曰貝闕，上有樓，奉關聖。御書額曰浩然正氣。循城關以北，折而西，是爲園之西門矣。

怡春堂後城關迤北爲惠山園。清漪園册

〔臣等謹按〕惠山園規制仿寄暢園，建萬壽山之東麓。有御製惠山園八景詩。

惠山園門西向，門内池數畝，池東爲載時堂，其北爲墨妙軒。清漪園册

〔臣等謹按〕墨妙軒内貯三希堂續摹石刻，廊壁間嵌墨妙軒法帖諸石。

園池之西爲就雲樓，稍南爲澹碧齋。池南折而東爲水樂亭，爲知魚橋。就雲樓之東爲尋詩逕，逕側爲涵光洞，迤北爲霽清軒，軒後有石峽，其北卽園之東北門。清漪園册

乾隆十九年御題惠山園八景詩有序 江南諸名墅，惟惠山秦園最古。我皇祖賜題曰寄暢。辛未春南巡，喜其幽致，攜圖以歸，肖其意於萬壽山之東麓，名曰惠山園。一亭一徑，

足諧奇趣。得景凡八，各繫以詩。橋東爲堂，爽塏奥密，兼有其勝，風漪瀾縠，泛影簷際。背山得勝地，面水構閒堂。階俯蘭苕秀，簷翻綺縠光。對時欣職殖，撫序勅幾康。玩愒曾何謂，分陰惜不遑。右載時堂

曲徑迤東，疏軒面勢，壁間石刻，翠墨留香，有望古遥集之槩。兩壁貞珉勒，千秋寶矩垂。古香曾不竭，心正實堪師。春鳥芝文印，風漪筆陣披。逢源契神解，豈必定於斯？右墨妙軒

抗嶺岑樓，每當朝暮晦明，水面山腰，雲氣蓬勃，頃刻百變。因迴爲高易，對山得閣幽。有窗納薈蔚，無地幻沈浮。竹素今兮古，蘿軒春復秋。宜居忘世者，緊我足先憂。右就雲樓

樓南閒館，俯瞰遠碧，流憩之餘，神心俱澹。齋俯緑琉璃，澄觀會筦俔。藻淵潛赤鯉，錦浪泛文鷖。淡月銀蟾鏡，輕烟絲柳堤。忘懷此小坐，還似對梁溪。右澹碧齋

繞池爲園，亭在岸南，洞庭廣樂，恍然遇之。石泉真可聽，絲竹不須多。聲是八音會，徵爲六合和。非關肖西浙，乍似遇東坡。羣鶴神仙侣，還來按舞傞。右水樂亭

水樂亭之東，長橋卧波，與秋水濠梁同趣。屧步石橋上，輕鯈出水游。濠梁真識樂，竿綫不須投。子我嗤多辨，烟波匪外求。琳池春雨足，菁藻任潛浮。右知魚橋

過就雲樓而東，苔徑繚曲，護以石欄，點筆題詩，幽尋無盡。巖壑有奇趣，烟雲無盡藏。石欄遮曲逕，春水漾方塘。新會忽於此，幽尋每異常。自然成迴句，底用錦爲囊？右尋詩逕

徑側多奇石，爲厂爲竇，深入綫天，層折而出，彷彿

靈鷲飛來。窈窕神仙府，嵚岑靈鷲峯。光涵千舍利，青削萬芙蓉。芝徑繚而曲，雲林秀以重。只疑丹竈側，佺羨或相逢。右涵光洞

〔臣等謹按〕惠山園八景御製詩，恭載首見之篇，餘不備録。

惠山園西爲雲繪軒，軒東爲延緑軒，後廊有樓，爲隨安室。雲繪軒又西爲花承閣。清漪園册

乾隆二十一年御製題隨安室　花承閣東峪，結宇敞而幽。忽步階梯降，方知上下樓。室聊因舊號，隨安蓋余舊日書室名也。學祇仰前修。今昔勞閒異，惟從二典求。

又御製花承閣詩　月匡早種千年樹，雲構常承四季花。何必餌芝將錬石，陵壥是處卽仙家。

〔臣等謹按〕隨安室、花承閣御製詩，恭載首見之篇，餘不備録。

花承閣之左爲多寶琉璃塔。清漪園册

〔臣等謹按〕塔下有石碑，恭勒御製多寶佛塔頌，閣西北度橋爲城關樓，又西折而北爲園之北樓門。

御製萬壽山多寶佛塔頌　萬壽山陰花承閣西，五色琉璃合成寶塔，八面七層，高五丈餘，黄碧彩翠，錯落相間。飛櫩寶鐸，層層周綴。榱棨户牖，不施寸木。黄金爲頂，玉

石爲臺。千佛瑞相，一一具足。坐蓮花座，現寶塔中。輪相莊嚴，凌虚標勝。用稽釋典，名曰多寶佛塔。偈以頌之。頌曰：佛前七寶塔，高五百由旬。涌出虚空中，種種寶莊校，多摩羅跋香，天曼陀羅華。以是爲供養，時出大音聲，讚歎佛妙法。人天千萬億，怪得未曾有。佛告大樂説，乃過去東方，無量僧祇刼，有佛號多寶，時作大誓願。説法華經者，我當爲證明。若在在處處，有説法華者，寶塔皆涌出，分身無量佛，如恒河沙數。善哉世尊言，此塔隨處現，恒河沙國土，千萬億菩薩，充滿於其中。今此寶淨地，釋迦牟尼佛，來此分半座，願以神通力，接引諸大衆，皆在虚空中。善哉世尊言，妙不可思議。是山卽耆崛，清淨極安樂，白毫光一照，寶塔隨涌現。當未現塔時，多寶佛何在？寶塔忽涌現，全身在其中。一佛一寶塔，光滿三千界。一塔千億佛，神妙復如是。了了見十方，寶樹與寶衣。無量億寶物，充牣於其中。以是供養佛，而得大法喜。今多所衆生，安樂普利益。般若金剛身，壽量千萬億。種諸福德本，大慈悲願力。成就是功德，現此寶塔故。

北樓門在萬壽山之北。門外東西朝房，内爲直房。其南爲長橋，橋南佛寺。三面立坊楔，内爲須彌靈境，後爲香嚴宗印之閣，閣東爲善現寺，西爲雲會寺。清漪園册

〔臣等謹按〕須彌靈境坊額中曰慈福，曰慧因，東曰栴林，曰蓮界，西曰梵天，曰

寶地。

雲會寺北爲構虚軒，又北爲繪芳堂。搆虚軒西南爲清可軒，又西爲味閒齋，齋北爲綺望軒。清漪園册

〔臣等謹按〕清可軒石壁間御題曰集翠，曰詩態，曰烟霞潤色，曰方外游，曰蒼崖半入雲濤堆。

乾隆十七年御製清可軒詩　金山屋包山，焦山山包屋。包屋未免儉，包山未免俗。昆明湖映帶，萬壽山陰麓。恰當建三楹，石壁在其腹。山包屋亦包，豐嗇適兼足。顔曰清可軒，可意饒清淑。璆琳匪所宜，鼎彝或堪蓄。掛琴擬號陶，安銚聊仿陸。人盡返淳風，豈非天下福！

〔臣等謹按〕清可軒御製詩，恭載首見之篇，餘不備録。

繪芳堂北隔河爲嘉蔭軒。清漪園册

〔臣等謹按〕萬壽山後溪河亦發源於玉泉，自玉河東流，經柳橋曲折東注。其出水分爲三，一由東北門西垣下牐口出，一由東垣下牐口出，並歸圓明園西垣外河；一由惠山園南流出垣下牐，爲宫門前河，又南流由東堤外河，會馬廠諸水，入圓明園内。

昆明湖東西爲長堤，西堤之外爲西湖，其西南爲養水湖。（清漪園册）

〔臣等謹按〕昆明湖東堤設牐及涵洞，隨時啓閉，西堤有橋六，詳後條。

東堤之北爲文昌閣，其南爲廓如亭，亭西爲長橋，又南爲繡漪橋。（清漪園册）

〔臣等謹按〕文昌閣御題額曰爲章于天，曰穆清資始。長橋南額曰修蝀凌波，北曰靈鼉偃月。廓如亭之北爲崑崙石，勒御製詩。其旁笵銅爲牛，背鐫御製金牛銘，恭録卷内。

御製金牛銘　夏禹治河，鐵牛傳頌。義重安瀾，後人景從。制寓剛戊，象取厚坤。蛟龍遠避，詎數鼉黿？瀠此昆明，瀦流萬頃。金寫神牛，用鎮悠永。巴邱淮水，共貫同條。人稱漢武，我慕唐堯。瑞應之符，逮於西海。敬兹降祥，乾隆乙亥。

乾隆二十四年御製繡漪橋詩　進舫長河過廣源，（閘名。）石橋飲練鎖溪園。（過橋即昆明湖，直接萬壽山。）風漪春水文章麗，神繡應成天女孫。

乾隆二十九年御製西堤詩　西堤此日是東堤，名象何曾定可稽？（西堤在暢春園西牆外，向以衛園而設，今昆明湖乃在堤外，其西更置堤，則此爲東矣。）展拓湖光千頃碧，衛臨牆影一痕齊。刺波生意出新芷，踏浪忘機起野鷖。堤與牆間惜棄地，引流種稻看連畦。

〔臣等謹按〕繡漪橋西堤御製詩，恭載首見之篇，餘不備録。

廓如亭西度長橋爲廣潤祠，祠西爲鑑遠堂，東北爲望蟾閣。清漪園册

乾隆十五年御製廣潤祠詩　昆明湖上舊有龍神祠，爰新葺之而名之曰廣潤云。靈祠俯碧津，丹雘爲重新。雲氣生帷幄，波光漾柍桭。含弘敷大澤，時濟佑斯民。蔓雨昨飄瓦，知時恰及春。

〔臣等謹按〕廣潤祠御製詩，恭載首見之篇，餘不備録。

繡漪橋北湖中圓島，上爲鳳凰墩。清漪園册

乾隆十七年御製鳳凰墩詩　渚墩學黄埠，在錫山之陽，四面臨水，此墩適相肖。上有鳳凰樓。一鏡中懸畫，四時長似秋。山容空外秀，波態席前浮。何事三山遠？還期佺羡游。

〔臣等謹按〕鳳墩御製詩，恭載首見之篇，餘不備録。

西堤之北爲柳橋，爲桑苧橋，中爲玉帶橋，稍南爲鏡橋，爲練橋，再南爲界湖橋，橋之北爲景明樓。清漪園册

〔臣等謹按〕西堤六橋並直亘昆明湖。

景明樓西南湖中爲藻鑑堂，堂西湖岸爲暢觀堂。清漪園册

〔臣等謹按〕暢觀堂在昆明湖西南隅。

乾隆三十年御製暢觀堂詩　左俯昆明右玉泉，背屏鏡治閣名。面溪田。四圍應接真無暇，

一晌登臨屬有緣。騁目不遮斯暢矣，棲心惟静總宜焉。設於風地觀義象，未曰怡然先悚然。

乾隆三十四年御製暢觀堂詩 迴廊曲轉處，向北有書堂。遠揖山峭蒨，近披湖渺茫。詩聊説情性，圖以閲耕桑。是堂北對耕織圖。便是暢觀所，敬勤敢暫忘！

〔臣等謹按〕暢觀堂御製詩，謹繹有關紀述事實者恭載卷内，餘不備録。

暢觀堂西北湖中圓城，爲門四，其上爲治鏡閣。清漪園册

〔臣等謹按〕圓城四門，南額曰豳風圖畫，北曰蓬島烟霞，東曰秀引湖光，西曰清含泉韻。其中復爲重城，四門額曰南華秋水，曰北苑春山，曰暉朗東瀛，曰爽凝西嶺。閣制凡三層，下曰仰觀俯察，中曰得滄洲趣，上懸治鏡閣額。

治鏡閣北湖岸爲延賞齋，西爲蠶神廟，北爲織染局，其後爲水村居。清漪園册

〔臣等謹按〕延賞齋在玉帶橋之西，前爲玉河齋，左右廊壁嵌耕織圖石刻，河北立石勒耕織圖三字。蠶神廟每年九月間織染局專司祈祀，又清明日於水村居設祀，織染局内前爲織局，後爲絡絲局，北爲染局，西爲蠶户房，環植以桑。又西隔玉河皆稻田，河水自此西接玉泉爲静明園界。

乾隆二十年御製耕織圖口占詩 玉帶橋西耕織圖，織雲耕雨學東吴。水天氣象略如彼，

衣食根源每廑吾。

〔臣等謹按〕耕織圖御製詩，恭載首見之篇，餘不備録。

【原】甕山在都城西三十里，玉泉之東，西湖當其前，金山拱其後。山下有寺曰圓靜，寺後石壁百尺，步磴而上，晶菴在焉。青溪漫稿

〔臣等謹按〕圓靜寺今廢，詳見前卷。

【原】西湖堤東，稻畦千頃。接甕山之麓有寺曰圓靜，因巖而構。甃爲石磴。游者拾級而上，山頂有屋曰雪洞，俯視湖曲，平田遠村，綿亘無際。白巖集

【補】甕山前有仁慈庵，入門三百步，兩旁椿樹夾之。登石磴二十級，有堂三楹，兩廡翼之。西廡前爲樓庵，左爲圓靜寺。寺門度石橋，大道通湖堤，門内半里許，從左小徑登臺，精藍十餘。室之西殿三楹，左右精舍一間，據山面湖。山行雜記

【原】甕山圓靜寺，左俯緑疇，右臨碧浸，近山之勝於是乎始。長安可游記

【原】甕山，相傳有老父鑿得石甕，上有華蟲雕刻文，中有物數十種，悉爲老父攜去，置甕於山之西，留讖曰：石甕徙，貧帝里。人不之信也。嘉靖初，甕不知所存，嗣是物力漸耗。薊邱集

【原】甕山去阜成門二十餘里，土赤墳，童童無草木。度山前小橋而南，人家傍山臨湖，水

田棊布。山後一畝泉，今失去。山上一寺，破瓦壞垣，額曰圓静。弘治七年助聖夫人羅氏所建也。帝京景物畧

原甕山在海淀西五里，土色純盧。其南巖若洞而圮者，一樵人曰：此少离仙室也。人家傍山，小具池亭，桔橰鋤犂，咸置垣下，酷似江南風景。長安客話

原王嘉謨甕山詩　瀰瀰湖水外，叠嶺削青冥。十丈涵霜鏡，三春洗翠屏。山寒果半落，石古草長青。日夕迷歸路，樵聲自可聽。薊邱集

原謝榛夜自西湖循甕山同玉峯上人步歸蘭若詩　湖色冷春激，沙禽夜尚飛。路隨山下轉，僧伴月中歸。祇樹藏金界，禪燈出翠微。他年謝靈運，結社願無違。四溟山人集

增王衡甕山詩　平楚隨山去，河流界遠皋。春冰浮草色，日暮起松濤。碧瓦分烟落，朱霞簇野高。一灣資短策，枯荻尚蕭蕭。緱山集

原王慎中圓静寺後山詩　策馬晴隨滄水吏，捫蘿幽到碧山岑。最憐絶壁流霞氣，況有澄湖清客心。落木蕭疏明遠近，行雲縹緲静高深。靈芝紫蕨亦吾分，石髓丹砂共爾尋。遵巖集

原王穉登圓静寺詩　香閣林端出，登臨夕靄間。霜寒半陂水，木落一禪關。施食湖中鳥，窺窗塞上山。能容下塵榻，信宿竟忘還。燕市集

原西湖東西二里，南北三里，蓋燕之舊池也。渌水澄澹，川亭望遠，爲游矚之勝所。水經注

原濕水上承薊水，西注大湖，湖有二源，水俱出縣西北平地道泉，流結西湖。水經注

原西湖在玉泉山下，環湖十里爲一郡之勝觀。紀纂淵海

補西湖，土人稱之必曰西湖景。朔紀

原西湖去玉泉山僅里許，卽玉泉龍泉所瀦。此地最窪，受諸泉之委，滙爲巨浸，土名大

泊湖。沙禽水鳥，出没隱見於天光雲影中，可稱絶勝。湖濱舊有釣臺，武廟幸西山，曾釣於此。萬曆十六年，謁陵迴鑾，幸西山，經西湖，登龍舟，后妃嬪御皆從。先期水衡於下流閉水，水與岸平，白波淼蕩，一望十里。内侍潛繫巨魚水中，以標識之，一舉網，紫鱗潑刺波面，天顔亦爲解頤。是時艅艎青雀，首尾相銜，卽漢之昆明殆不過是。近爲南人興水田之利，盡決諸窪，築堤列塍，爲菑爲畬，菱芡蓮菰，靡不畢具，宛然江南風景。而長波瀰望則少減矣。長安客話

補西湖北岸長堤五六里，堤柳多合抱，龍王廟據其中。外視波光十里，空灝際天。諸峯在眉睫間，絶無丹青脂粉氣。山行雜記

原西湖之滸，佛寺有十，土人名西湖十寺。余文敏集

原西湖蓮花千畝，以守衛者嚴，故花事特盛。步長堤息龍王廟，香風繞袖。至功德寺，水漸約，花亦減矣。瀟碧堂集

原過響水牐，至龍潭，樹益多，水益闊，是爲西湖。盛夏之月，芙蓉十里，堤柳叢翠，中隱見村落。行至功德寺，有危橋可坐。寺僧多業農，日既西馳，執畚鍤帶笠而歸，水田活活，羣蛙亂鳴，真田家之樂也。珂雪齋集

原西湖方十餘里，有山趾，其涯曰甕山寺，曰圓静寺。左田右湖，又三里爲功德寺。洪

波衍其東，幽林出其南，路盡叢薄，始達於野。懷麓堂集

原永樂二年八月，北京行部言：宛平、昌平二縣西湖景東牛闌莊及青龍、華家、甕山三閘水，衝決堤岸百六十丈。命發軍民修治。五年五月，北京行部言：自昌平縣東南白浮村至西湖景東流水河口一百里，宜增置十二閘，請以民丁二十萬，官給費用修置。命以運糧軍士浚之。九月，修西湖景堤三百七十九丈。二十二年十二月，罷海子至西湖巡視官，謂尚書蹇義曰：古者山澤之利與民共之。朕之心凡可利民，雖府庫不吝，況山澤所産哉？明成祖實録

原王直西湖詩 玉泉東滙浸平沙，八月芙蓉尚有花。曲島山通蛟女室，晴波深映梵王家。常時鳧雁聞清唄，舊日魚龍識翠華。堤下連雲秔稻熟，江南風物未宜誇。王文端集

原馬汝驥行經西湖詩 宣皇畫舸戲湖中，鼉鼓鸞簫震碧空。何似漢家汾水上，櫂歌摇落歎秋風。珠林翠閣倚長湖，倒映西山入畫圖。若得輕舟泛明月，風流還似剡溪無？西元集

原文徵明西湖詩 春湖落日水拖藍，天影樓臺上下涵。十里青山行畫裏，雙飛白鳥似江南。思家忽動扁舟興，顧影深懷短綬慚。不盡平生淹戀意，緑陰深處更停驂。甫田集

原朱正初湖上作 長堤曲曲石磷磷，柳色參差接望春。烟鎖禁中疑作雨，風過湖上不生塵。翠分懸瀑穿雲白，緑盡平蕪入漲新。隨處青旗能醉客，客身千載此沈淪。長安客話

原鄔紳游燕京西湖詩 垂鞭遵廣陌，攜酒眺長汀。葭菼參差緑，巖巒遠近青。鳥飛天欲暝，龍卧水猶腥。賴有張平子，裁詩表地靈。鄔中憲集

原何御西湖作 西湖堤上立，風景恣游心。十里澄虛色，羣峯落翠陰。菰蒲隨遠近，魚鳥自高深。一望天河接，星槎擬共尋。白湖集

原朱國祚西山湖上詩 芍藥闌邊花氣收，鸊鵜谷口斷雲浮。倦游愛説江鄉事，先試西湖一葉舟。介石齋集 以上各條原在郊坰門，今移改。

欽定日下舊聞考卷八十五

國朝苑囿 靜明園

〔臣等謹按〕靜明園在玉泉山之陽，園西山勢窈深，靈源濬發，奇徵趵突，是爲玉泉。山麓舊傳有金章宗芙蓉殿，址無考，惟華嚴、吕公諸洞尚存。康熙年間剏建是園，我皇上幾餘臨憩，略加修葺。園内景凡十六，謹依御製十六景詩次序，條列於後。

靜明園宫門五楹，南向。門外東西朝房各三楹，左右罩門二，前爲高水湖。靜明園冊

〔臣等謹按〕園内爲門六，正中御書宫門額曰靜明園。東爲東宫門，爲小南門，又東爲小東門，園之西北爲夾牆門，稍南爲西宫門。其中水城關牐一，及東宫門南閘，宣洩玉泉，由高水湖東南引入金河，與昆明湖水合流爲長河。

宫門内爲廓然大公，正殿七楹，東西配殿各五楹。靜明園冊

〔臣等謹按〕廓然大公爲十六景之一，後宇額曰涵萬象，皆御題。

乾隆十八年御製廓然大公詩 聽政之所，虛明洞徹，境與心會，取程子語顔之。沼宮時燕豫，召對有明庭。即境愛空闊，因心悟逝停。鑑呈自妍醜，汲取任罍瓶。敷政真堪式，寧惟悦性靈。

〔臣等謹按〕廓然大公御製詩，恭載首見之篇，餘不備録。

廓然大公之北臨後湖，湖中爲芙蓉晴照，西爲虛受堂。静明園册

〔臣等謹按〕芙蓉晴照爲十六景之一，檐額曰樂景閣。

乾隆十八年御製芙蓉晴照詩 峯咢如青蓮華，其巔相傳爲金章宗芙蓉殿遺址，名適暗合，非相襲也。秋水南華趣，春光六月紅。羞稱張氏面，不斷卓家風。無意峯光落，恰看晴照同。更傳稱别殿，舊蹟仰睎中。

〔臣等謹按〕芙蓉晴照御製詩，恭載首見之篇，餘不備録。

虛受堂之西，山畔有泉，爲玉泉趵突，其上爲龍王廟。静明園册

〔臣等謹按〕玉泉趵突爲十六景之一，亦爲燕山八景之一。舊稱玉泉垂虹。第垂虹以擬瀑泉則可，若玉泉則從山根仰出，噴薄如珠，實與趵突之義允合。詳見御製玉泉趵突詩，並御製天下第一泉記。記文已恭載形勝卷内。泉上碑二，左刊天下第一泉五字，右刊御製玉泉山天下第一泉記，臣汪由敦敬書。石臺上復立碣二，左刊玉泉

趵突四字，右勒上諭一通。御題龍王廟額曰永澤皇畿。

乾隆十六年閏五月二十九日奉上諭：京師玉泉，靈源濬發，爲德水之樞紐。畿甸衆流環匯，皆從此瀠注。朕歷品名泉，實爲天下第一。其澤流潤廣，惠濟者博而遠矣。泉上有龍神祠，已命所司鳩工崇飾，宜列之祀典。其品式一視黑龍潭，該部具儀以聞。

乾隆十七年御製玉泉山天下第一泉龍神祠落成詩紀其事　功德無雙水，名稱第一泉。合教崇廟貌，用以妥神筵。方落臨佳令，肇禋卜吉蠲。瓣香親致敬，清酒命申虔。靈貺時暘雨，鴻庥利澗瀍。黄圖佑千載，壬養紀今年。

乾隆十八年御製玉泉趵突詩　泉自山腹瀵出，燕山八景目以垂虹者謬也，兹始爲正之。

濟南趵突。將浙右，虎跑。第一讓皇都。遍品名泉，定玉泉爲天下第一，詳見記中。鏡水呈功德，屏山叠畫圖。澗瀍千載利，玉帛萬方趨。日下傳成説，於今始正誣。

〔臣等謹按〕玉泉山、玉泉趵突御製詩，恭載首見之篇，餘不備録。

龍王廟之南，循石徑而入，爲竹罏山房，南爲開錦齋，後爲觀音洞，其上爲賞遇樓。

〔臣等謹按〕竹罏山房爲十六景之一。又伏讀御製玉泉山雜詠十六首序云：玉泉山蓋靈境也，雖亭臺點綴，時有晦明，而山水吐納，嵐靄朝暮，與造物相終始。故一時之會，前後迥異，一步之移，方向頓殊。吾安能以十六景概之。卽景雜詠，復成十六首。臣等謹按其目曰清音齋，曰華滋館，曰冠峯亭，曰觀音洞，曰賞遇樓，曰飛雲𡸣，曰試墨泉，曰分鑑曲，曰寫琴廊，曰延綠廳，曰犁雲亭，曰羅漢洞，曰如如室，曰層明宇，曰迸珠泉，曰心遠閣。以上各景謹就近附載，並恭録御製詩於各條内。

乾隆十八年御製竹鑪山房詩　南巡過惠山聽松庵，愛其高雅，輒於第一泉仿置之，二泉固當兄事。惠泉仿雅製，特爲構山房。調去聲。水無煩遠，名泉卽在旁。一時仍漫畫，今春過山房試茗，曾手寫爲圖，題詩置壁間。五字旋成章。瓶罄何須慮？松鳴真是涼。

又御製觀音洞詩　何處飛來此落伽？默然不更轉三車。設云義諦無餘轉，者箇非忘見轉差。

又御製賞遇樓詩　於此賞心遇每多，春風秋月周巖阿。十年前題緑壁字，一彈指頃纔幾何。

〔臣等謹按〕竹鑪山房、觀音洞、賞遇樓御製諸詩，恭載首見之篇，餘不備録。

觀音洞之南爲真武廟，後爲吕祖洞，旁爲雙關帝廟。静明園册

〔臣等謹按〕真武廟額曰辰居資佑，吕祖洞額曰鸞鶴悠然，雙關帝廟額曰文經武緯，

皆御題。

乾隆二十年御製呂祖洞詩　墨貽古洞閲時年，應禱修誠致意虔。雲鶴仙儀爲重整，年來祈禱雨雪屢應，特爲重加莊嚴。祇求歲美不求仙。

〔臣等謹按〕呂祖洞御製詩，恭載首見之篇，餘不備録。

雙關帝廟迤南爲聖因綜繪，其西爲寫流軒，軒後爲層明宇，又西爲福地幽居，後爲冠峯亭。静明園册

〔臣等謹按〕聖因綜繪爲十六景之一。

乾隆十八年御製聖因綜繪詩　薈萃西湖行宫八景於山之坤隅，恍攬兩高而面南屏，坐天然圖畫間也。爲愛西湖上，行宫號聖因。圖來原恰當，構得宛成真。鐘遞南屏韻，山標上竺皴。所輸波萬頃，却便閲耕畇。

又御製層明宇詩　絶頂平凌下視雲，水村山郭望中分。以斯朗照通爲政，何慮人情物理紛？

又御製冠峯亭詩　危亭四柱據層峯，攬得風雲一袖濃。恰似梵天花雨裏，珠宫每冠玉芙蓉。

〔臣等謹按〕聖因綜繪、層明宇、冠峯亭御製詩，恭載首見之篇，餘不備録。

福地幽居之西梵宇爲華藏海，又西爲繡壁詩態。静明園册

〔臣等謹按〕繡壁詩態爲十六景之一，由華藏海循山，從東南行，俯臨溪河，河水引玉泉西南流，由水城關達高水湖。

乾隆十八年御製繡壁詩態詩　石崖巉峭壁立，名之曰繡，取杜老絶壁過雲句意也。絶壁幻雲烟，時開錦繡然。名家空藻繢，大塊不雕鎸。留此千年意，居然四十賢。曹劉如降格，知復定誰先。

〔臣等謹按〕繡壁詩態御製詩，恭載首見之篇，餘不備録。

繡壁詩態之西爲溪田課耕，又西爲迸珠泉。静明園册

〔臣等謹按〕溪田課耕爲十六景之一。園内自垂虹橋以西，瀕河皆水田。

乾隆十八年御製溪田課耕詩　疏泉灌稻畦，每過輒與田翁課晴量雨，農家景色歷歷在目。引泉闢溪町，不藉水車鳴。畧具江南意，每觀春月耕。嘉生辨秔稻，農節較陰晴。四海吾方寸，悠哉望歲情。

又御製迸珠泉詩　青蒲戟戟石磷磷，錯落傾來萬斛珍。最是松風蘿月下，夜深彷彿見鮫人。

〔臣等謹按〕溪田課耕、迸珠泉御製詩，恭載首見之篇，餘不備録。

繡壁詩態之北爲水月庵，又東爲城關。靜明園册

〔臣等謹按〕城關建自康熙二十年，聖祖御題額曰函雲。

水月庵之北爲聖緣寺。靜明園册

〔臣等謹按〕聖緣寺正宇爲能仁殿，後爲慈雲殿，左爲清貯齋，右爲閬風齋。

聖緣寺之北爲仁育宮。靜明園册

〔臣等謹按〕仁育宮門外建三面坊楔，中曰瞻喬門，二層曰嶽宗門，宮内奉東嶽天齊大生仁聖帝像，御題額曰蒼靈賜禧。碑二，左勒御製東嶽廟碑文，右勒御製仁育宮頌。左曰佑宸殿，右曰翊元殿，又左爲昭聖殿，右爲孚仁殿，正殿後爲玉宸寶殿，奉昊天至尊玉皇大天尊玄穹高上帝像。又後爲泰鈞樓，左爲景靈殿，右爲衞真殿。

御製玉泉山東嶽廟碑文　東嶽爲五嶽宗，德發揚，詡萬物，出雲雨以蕃殖嘉穀，阜成兆民，伊古以來，秩視三公，載在祀典尚已。顧天門日觀去京師千里而遠，歲時莅事，職在有司，方望之祀，非遇國家大慶及巡狩所至未嘗輒舉。是以郡邑都會往往崇廟貌以奉苾馨，夫亦以東方春生之氣貫於四時，明靈肸蠁，無往勿格，祝釐祈禱，誠應響捷，如生氣之於物，肖翹跂喙，洪纖美惡，無不畢達。固非特巖巖具瞻，表望齊魯而已。京師之西，玉泉山峯巒窈深，林木清瑟，爲玉泉所自出。滋液滲漉，澤潤神皋。與太山之

出雲雨，功用廣大正同。爰卽其地建東嶽廟，凡殿宇若干楹，規制崇麗，以乾隆二十有一年工竣。有司以立碑請，稽古制，四望無廟祀。然周官小宗伯所職，四望有兆，典祀掌外祀之兆，皆有域，又山虞祭山林則爲主。曰兆，曰域，曰主，皆欲神有所憑依，而致其昭格也。近代既有象設，則立廟以祀，尤洋洋顯赫，其致精誠以交於神明不益著歟！夫七十二君封禪之説荒邈無稽，而金泥玉檢，登封岱宗，漢唐令辟尚不免侈爲盛儀，動色矜耀，謂合於經所云因名山以升中於天。夫名山所在多有，均爲造化靈粹所鍾，英爽若接。東嶽之爲泰岱，人皆知之。而不知山嶽之靈，不崇朝而雨天下，其精神布濩，固無不之。譬夫山下出泉，隨地歕湧，導之卽達，固不可謂水專在是，則東嶽之祀於兹山也固宜。是爲記。

乾隆二十三年御製仁育宫頌言叠舊作岱廟詩韻有序　玉泉山西擇爽塏地建東嶽天齊廟，而名之曰仁育宫。天齊之稱見於史記，東嶽岱宗則虞帝之所柴望也。今祠宇遍天下，明靈揚詡，理大物博，豈非以仁育萬彙，不崇朝而雨天下？語曰：泰山不讓土壤，固無往而弗格也。既爲碑記以落廟成，兹經過展禮，輒依舊作岱廟韻以成頌言。出震尊爲五嶽宗，配藜布濩豈拘封？一拳卽是扶桑石，五鬣寧殊漢代松？瑞氣氤氳籠玉殿，蒼靈肅穆仰金容。雲行雨施崇朝遍，常願休徵佑九農。巡狩寧當歲屢行？崇祠擇近致齋精。

天門東望一誠格，陽德中齊萬物亨。秩長羣神孰可匹？功先六子獨稱兄。錫禧雖每叨鴻貺，惟勵欽承凜旦明。

〔臣等謹按〕仁育宫御製詩，恭載首見之篇，餘不備録。

仁育宫之北爲清涼禪窟，後爲嘉蔭堂，堂東爲霞起樓，西爲犁雲亭。靜明園册

〔臣等謹按〕清涼禪窟爲十六景之一。

〔又按〕仁育宫前迤西度橋，爲園之西宫門。門外左右朝房，中爲石橋，橋西即達香山之蹕路也。

乾隆十八年御製清涼禪窟詩　佛火香龕，儼然臺懷淨域，更不問是文殊非文殊。名山結初地，葱萃四鄰通。愛此清涼窟，常饒松竹風。花如悟非色，鳥解説真空。比似白蓮社，迴輿笑彼翁。

又御製犁雲亭詩　緑甸高低繪麥禾，犁雲鋤雨較如何。一年最是關心處，憂爲茲多樂亦多。

〔臣等謹按〕清涼禪窟、犁雲亭御製詩，恭載首見之篇，餘不備録。

清涼禪窟之北爲涵漪齋，西爲飛淙閣，東爲練影堂，稍南爲掛瀑簷。靜明園册

〔臣等謹按〕練影堂掛瀑簷諸水源，一自香山碧雲寺出，一自卧佛寺後引注，經妙喜

寺導入園中，匯爲湖，與玉泉合流，出水城關，同會高水湖。

涵漪齋之西夾牆門外爲妙喜寺。静明園册

〔臣等謹按〕寺内正殿額曰香海同源，後殿額曰優曇應現，曰菩提普印，皆御題。自妙喜寺以西爲静宜園界。

清涼禪窟之北爲采香雲徑。静明園册

〔臣等謹按〕采香雲徑爲十六景之一，其南有樓曰静怡書屋。

乾隆十八年御製采香雲徑詩　由禪窟右轉，東北行，磴道盤紆，山苗磵葉，緋馥緣徑。松徑招提出，蘭衢宛轉通。植援防鹿逸，學圃望魚豐。是藥文殊采，非雲八伯叢。欲因知野趣，匪事慕蓴菘。

〔臣等謹按〕采香雲徑御製詩，恭載首見之篇，餘不備録。

采香雲徑稍北，折而東，爲招鶴庭，南爲峽雪琴音。静明園册

〔臣等謹按〕峽雪琴音爲十六景之一。内額曰麗矚軒，東曰俯青室，北曰罨畫窗。

乾隆十八年御製峽雪琴音詩　山巔湧泉潺潺，石峽中晴雪飛灑，琅然清圓，其醉翁操耶！摶壁上層椒，琤然仙樂調。色疑舞滕六，製不出雷霄。雲霧生衣濕，川原入目遥。置身塵以外，得句亦因超。

〔臣等謹按〕峽雪琴音御製詩，恭載首見之篇，餘不備録。

峽雪琴音迤南山巔爲玉峯塔影，前爲香嚴寺，右爲妙高室。靜明園册

〔臣等謹按〕玉峯塔影爲十六景之一。塔建峯巔，仿金山妙高峯之制。詳御製十六景詩。

乾隆十八年御製玉峯塔影詩 浮圖九層，仿金山妙高峯爲之，高踞重巒，影入虚牖。窣堵最高處，岧岧霄漢間。天風摩鸛鶴，浩刧鎮瀛寰。結攬八窗達，登臨一晌間。俯凭雲海幻，朅爾憶金山。

〔臣等謹按〕玉峯塔影御製詩，恭載首見之篇，餘不備録。

玉峯塔影之後，北峯上爲妙高寺，殿後爲妙高塔，又後爲該妙齋。靜明園册

〔臣等謹按〕妙高寺前石坊額曰靈鷲支峯，殿内額曰江天如是，皆御題。

崇靄軒在妙高峯之西，其東爲含醇室，後爲詠素堂。靜明園册

乾隆三十五年御製題崇靄軒 朝嵐夕靄無定形，祇以峯崇有奇狀。由後山左過山右，在右之隩更西向。鋪空白綿常映帶，時或清閟時疏曠。以之興詠詠亦佳，以之散襟襟實暢。作者何人稱得宜，雲間士龍曾手抗。翠雲崇靄，陸雲句也。

〔臣等謹按〕崇靄軒御製詩，恭載首見之篇，餘不備録。

含經堂在妙高寺東山麓，其東北臨溪爲書畫舫。靜明園册

〔臣等謹按〕書畫舫前有泉出於巖畔，匯爲池，御題曰湧玉，曰寶珠。

含經堂南有樓爲風篁清聽，東爲如如室，西爲近青閣，又西稍南爲飛雲嵔。靜明園册

〔臣等謹按〕風篁清聽爲十六景之一。前有平池數畝，湧玉、寶珠諸泉自北來匯之，東南流經五空閘，出園東垣外，達玉河。

乾隆十八年御製風篁清聽詩　竹近水則韻益清，涼飈暫至，蕭然有渭濱淇澳之想。水木翳然處，端宜植此君。每因機慮息，常有静聲聞。鸞戛風中籟，龍飛月下文。王家多子弟，應爾獨超羣。

又御製如如室詩　金剛如者都稱六，梵帙原來更有三。金剛經四句偈乃鳩摩羅什譯本，其他譯及西竺梵文皆作九如。三亦非多六非欠，本無一物箇中函。

又御製飛雲嵔詩　豐隆技癢不可止，形其奇峯色其綺。借問長繩繫得無？小試爲之旋飛起。

〔臣等謹按〕風篁清聽、如如室、飛雲嵔御製詩，恭載首見之篇，餘不備録。

風篁清聽之西，度橋而南，爲池，池東爲延緑廳，池西爲漱遠緑，爲試墨泉，又西爲鏡影涵虚，南爲分鑑曲，又南爲寫琴廊，爲觀音閣。靜明園册

〔臣等謹按〕鏡影涵虚爲十六景之一，觀音閣額曰堅固林，其上迤西山麓爲華嚴洞，洞外佛宇額曰香雲法雨，皆御書。又上爲香嚴寺。

乾隆十八年御製鏡影涵虚詩　泉至前除，匯爲平池，澄泓見底，荇藻羅羅，輕儵如空中行，洑流沸出，若大珠小珠錯落盤中。濟上曾流憩，珍珠故此如。淙淙常漱玉，朗朗鎮涵虚。曲折千廊繞，團圞一鏡儲。寧無於水鑑，絜矩試憑諸。

又御製延緑廳詩　沓嶂威紆列繡屏，每當過雨便來青。畫家欲擬真粉本，嵐靄何曾有定形。

又御製試墨泉詩　行雲流水定何蹤，試墨欣當五合逢。慚愧會稽王内史，至今猶説墨雲濃。

又御製分鑑曲詩　曲徑沿堤兩鑑分，雲容嵐態總堪欣。恰如一月千江印，全體徒勞擬議紛。

又御製寫琴廊詩　曲折迴廊致有情，檻依瀉玉静中鳴。靈巖若復相衡量，響屧還嫌太艷生。

〔臣等謹按〕鏡影涵虚、延緑廳、試墨泉、分鑑曲、寫琴廊御製詩，恭載首見之篇，餘不備録。

寫琴廊迤南爲含暉堂，後爲清音齋，齋前爲裂帛湖光，齋西山麓爲碧雲深處，東爲心遠閣。静明園册

〔臣等謹按〕裂帛湖光爲十六景之一。清音齋額聖祖御題。心遠閣額皇上御題。裂帛湖光當玉峯東麓，流經園東垣牐口注玉河，匯昆明湖。

乾隆十八年御製裂帛湖光詩　山東麓爲裂帛湖，昔人謂泉從石根出溢爲渠者是也。由昆明湖放舟以達園中，傍岸置織局，桑疇映帶，有中吴風景。湖名傳日下，此日偶重題。縠影風前裂，機聲烟外低。噞喁樂鰷鯉，翔翥集鳧鷖。詎止歌清濁，還因會筦倪。

又御製清音齋詩　數竿竹是湘靈瑟，一派泉真流水琴。淨洗聞塵澄耳觀，不知何處覔清音。

又御製心遠閣詩　山中樹古不妨蒼，閣裏夏深還覺涼。寥天大野何空闊，襟袖之間意與長。

〔臣等謹按〕裂帛湖光、清音齋、心遠閣御製詩，恭載首見之篇，餘不備録。

由心遠閣折而北爲羅漢洞，又上爲水月洞，又西山麓爲古華嚴寺，寺後爲雲外鐘聲，東爲伏魔洞。静明園册

〔臣等謹按〕雲外鐘聲爲十六景之一。

乾隆十八年御製雲外鐘聲詩　園西望西山梵刹，鐘聲遠近相應，寒山夜半殆不足云。

靜室花宫側，鐘聲發上方。隔雲音越迥，警俗意彌長。似共天花落，何殊梵偈揚？七條如可悟，不必問真常。

又御製羅漢洞詩　何年駐錫應真羣，坐席霏微花雨芬。試問維摩著也未，辨才到此竟難分。

〔臣等謹按〕雲外鐘聲、羅漢洞御製詩，恭載首見之篇，餘不備録。

碧雲深處迤南爲翠雲嘉蔭，後爲翠雲堂，東爲甄心齋。靜明園册

〔臣等謹按〕翠雲嘉蔭爲十六景之一，卽華滋館門額也。

乾隆十八年御製翠雲嘉蔭詩　雙栝鬱然並峙，相傳爲金源時植。元吴師道玉泉詩有云：長松古檜見未有。殆卽是耶！因樹爲屋，故以嘉蔭爲名。古栝金源種，雙株尚鬱然。適因構閒館，堪以悟齊年。翠影虚窗外，寒濤敞座邊。夷齊名塞上，丁卯巡塞外，逾僧機圖嶺之南，古松雙幹並峙，命之曰夷齊松，作歌紀之。續詠欲增前。

又御製華滋館詩　竹素園中翰墨筵，優游良覺沃心田。偶來便爾忘歸去，滿目生機總靜妍。

〔臣等謹按〕翠雲嘉蔭、華滋館御製詩，恭載首見之篇，餘不備録。

翠雲嘉蔭之東爲小南門，稍南爲東宮門五楹，門外朝房左右各三楹。靜明園册

〔臣等謹按〕玉泉之水流繞樂景閣前後匯爲湖，其流一曲西南水城關出，一曲東宮門前南牐出，同入高水湖，又自北牐會裂帛湖諸水，經小東門外，東匯於昆明。

靜明園南宮門西南爲影湖樓。靜明園册

〔臣等謹按〕影湖樓在高水湖中，東南爲養水湖，俱蓄水以溉稻田。復於堤東建一空牐，洩玉泉諸水流爲金河，與昆明湖同入長河。

乾隆二十四年御製影湖樓詩有序 邇年開水田漸多，或虞水不足，故於玉泉山靜明園外接拓一湖，俾蓄水上游，以資灌注。湖之中築樓五楹，惟舟可通。適因落成，名之曰影湖而繫以詩。靈源蓄水拓池寬，灌輸去聲期資稼穡艱。樓據湖心攬湖外，客惟舟往亦舟還。會心表裏神明境，動影虛無窈窕間。快雨更欣逢快霽，偷閒於此亦開顔。

〔臣等謹按〕影湖樓御製詩，恭載首見之篇，餘不備録。

小東門外長堤石橋上建石坊二，迤東爲界湖樓。靜明園册

〔臣等謹按〕石橋東坊額曰湖山罨畫，曰雲霞舒卷，西坊額曰烟柳春佳，曰蘭渚蘋香。橋下水北注玉河，沿河皆稻田，又北爲石道，迤邐至青龍橋，即達清漪園之輦

道也。

乾隆二十一年御製界湖樓詩 金河高長河，玉泉高倍蓰。設非次第蓄，一瀉無餘矣。裂帛本有湖，方塘數畝耳。接上擴充之，此湖殊渺瀰。界堤築横樓，漪影翻窗紙。實得空澄趣，詎止烟波美？面面闢溪田，萬頃緑含綺。隨時祝有年，是吾乃所以。

〔臣等謹按〕界湖樓御製詩，恭載首見之篇，餘不備録。

原 玉泉山以泉名。泉出石罅，瀦而爲池，廣三丈許，水清而碧；細石流沙，緑藻紫荇，一一可辨。池東跨小石橋，水經橋下，東流入西湖，山頂有金行宫芙蓉殿故址，相傳章宗嘗避暑於此。長安客話

原 穿青龍橋而西，得玉泉山。山，培塿耳，而土紋隱起，作蒼龍鱗。其下爲池，瀦泉而亭之曰望湖亭。其東爲華嚴寺，寺西泉清可辨蘿髮。緱山集

〔臣等謹按〕望湖亭無考，華嚴寺今存。

原 玉泉山沙痕石隙隨地皆泉。山陽有巨穴，泉歕而上，淙淙有聲，或名之噴雪泉。燕都游覽志

原 玉泉山泉出如沸，滀爲池，清可鑑毛髮。此西湖之源也。白岩集

原 玉泉山金章宗嘗建行宫，今廢。山之北麓鑿石爲螭頭，泉從螭口出，瀦而爲池。南濠集

原 玉泉山在西山大功德寺西數百步。山之北麓鑿石爲螭頭，泉自口出，瀦而爲池，瑩徹

照映，其水甘潔，上品也。水品

〔臣等謹按〕玉泉源從石穴湧出，御製詩并記文，特爲釐定。原書稱自螭口出者，訛也。

補 玉泉頗類趵突，但趵突湧泉有三，玉泉止一穴，趵突高三尺餘，玉泉止尺許，斯不及爾。寄園寄所寄録

〔臣等謹按〕玉泉上出，正所稱趵突者，其靈異遠勝濟南趵突。爾雅釋水篇之濫，劉熙釋名之湧泉，皆此義也。原書乃謂頗類趵突，不惟輕重倒置，并未悉趵突之解矣。至玉泉除中間正穴外，南北山麓諸穴不可勝計，乃云止一穴。又泉勢仰出高三尺餘，其騰起水面者又半尺許，乃云止尺許，皆爲失實。謹辨正以資傳信。

原 玉泉山麓有寺，所謂玉泉寺也。山有吕公洞，稍東爲龍王祠，渟泓方廣數丈，湧泉如珠，名裂帛湖。然玉泉山傍，每遇石縫，即迸流濺雪，不特裂帛湖也。游業

原 玉泉山根碎石泉湧，去山不數武，裂帛湖也。泉迸湖底，狀如裂帛，涣然合於湖。湖方數丈，水澄以鮮，漾沙金色。過溪曰望湖亭，宣廟駐蹕，今圮。其南上下華嚴寺，嘉靖庚戌寺燬焉。存者二洞，華嚴、七真，洞壁刻元耶律氏詞。紆而西，觀音菴，洞曰吕公洞，昔吕仙憩此，去而洞名也。又北金山寺，寺破，但未廢爾。寺有洞曰七寶，徑寺

登乎山，山舊有芙蓉殿，金章宗行宮也。昭化寺，元世祖建也。帝京景物畧

〔臣等謹按〕金山寺、昭化寺今皆無考。

原玉泉在京城西三十里西山之麓。有石洞，泉自中而出。洞門刻玉泉二字，泉味甘冽。上有石巖，名吕公洞。其上有芙蓉閣，金章宗避暑處。其在山之陽者，泉自下湧，鳴若雜佩，泓澄百頃，合流而入都城，逶迤曲折，宛若流虹。戴司成集

原玉泉出於山下，歕薄轉激，散爲谿池。池上有亭，宣宗駐蹕處也。又一里爲華嚴寺，有洞三，其南爲吕公洞，一竅深黑，投以石有水聲，莫有窮之者。懷麓堂集

原玉泉山麓臨水有亭。裂帛泉從石根出溢爲渠，石子鱗鱗，了了可見，依山瞰泉，原爲昭化寺，今久廢。珂雪齋集

原宛平有玉泉山行宫。金史地理志

原明昌元年八月，幸玉泉山。六年四月，幸玉泉山。承安元年八月，幸玉泉山。泰和元年五月，幸玉泉山。三年三月，幸玉泉山。七年五月，幸玉泉山。金史章宗紀

原至元三年八月，郭守敬謂開玉泉水以通漕運，從之。十五年十二月，禁玉泉山樵采漁弋。元史世祖紀

原至治元年十二月，疏玉泉河。元史英宗紀

原泰定元年八月，罷濬玉泉山河役。元史泰定帝紀

原世祖召見郭守敬面陳水利六事。其一，中都舊漕河東至通州，引玉泉水以通舟，歲可省雇車錢六萬緡。元史本傳

原循玉泉山而西二里爲觀音寺。寺依山，入門有洞，深廣二尋。出洞拾級而上，亭曰望湖。山後有小洞可坐二人。洞北有大洞，方闊，兩旁石榻可坐，旁刻字曰玉泉觀音洞。剔蘚辨之，下三字乃後人續刻者。相傳金章宗避暑於此，上有芙蓉殿，漫不可尋，但荒榛碧瓦而已。出洞尋舊路而西，有廢庵，又一洞亦曰觀音洞，山麓有吕公洞。前溪集

原補陀寺在玉泉山半門内，即吕公洞。寺右躋石級上望湖亭。南濠集

原由香山至望湖亭，一水夾溝而出，荇草交横，凡三里許，水漸狹，隱隱不知所之。游者遂以西湖止此，望通衢取道入城。不知轉入林中，灌木忽開，迴堤十里，鴐鵞鶺鴒，低飛遠立，遠水長流，不減杭之段家橋也。燕都遊覽志

原玉泉山有吕公巖，下臨一潭，廣丈餘，山上有看花臺、卷幔樓。燕都遊覽志

〔臣等謹按〕看花臺、卷幔樓今皆無考。

原崇真觀在玉泉山下，觀外小澗環流，橋壞，循岸西清淺處以渡。其前累石爲臺，臺下甃方池，池上有斗室曰靈淵齋。錢文肅集

〔臣等謹按〕崇真觀、靈淵齋今皆無考。

補 玉泉山右名瓦窰頭，西向有隆佑庵，僅數廛，有垂柳，内蒔名花，楚楚可觀。山行雜記

〔臣等謹按〕隆佑庵今無考。

原 呂洞賓名嵒，唐呂渭之後，五代間從鍾離權得道，與權更出没人間。權不甚多而洞賓蹤跡數見，好道者每以爲口實。蒙齋筆談

原 華嚴寺左有洞曰翠華，中有石林可憩息，題詠頗多，苔漬不可讀。又有石洞在山腰，若鼠穴。寺北石壁泉出，其下作裂帛聲，故名裂帛泉。有亭可望西湖，故名望湖亭。瀟碧堂集

原 華嚴寺有小洞三，俱幽邃，屋後石壁下一池，共形如壺，土人呼爲捏鉢湖。長安可遊記

〔臣等謹按〕捏鉢無據，似與裂帛同音，以訛傳訛耳。

原 上華嚴寺下華嚴寺俱正統間建，其額英廟勅賜。寺有二洞，一在山腰，一在殿後，曰七真洞，或云卽翠華洞。洞中石壁鐫元耶律丞相一詞，夏相國言和之，亦刻於壁。長安客話

原 華嚴寺鑿山爲洞，下上凡五處，深者二三十步，淺者十餘丈。文義集

原 華嚴寺後有竇，深不可測。其上爲望湖亭，見西湖明如半月。珂雪齋集

原 自華嚴寺西度三石橋，門臨水，曰金山寺，寺西北皆山也。大復山房集

原金山寺磵道敧窄，僅可徒步。既至寺，抵一笑庵、觀龍洞，洞方廣不及尋丈，旁有石穴，深窅莫測。錢文肅集

原金山寺，西麓盡處也。游業

原華嚴右半里爲金山寺，山有玉龍洞。洞出泉，甃石爲暗渠，引水伏流，約五里入西湖，名曰龍泉堂。湖亭建其上。長安客話

原望湖亭不作於龍潭而作於裂帛湖上，真無識也。袁中郎集

原裂帛從玉泉山根出，溢而爲渠，依山瞰泉爲昭化寺基，今已廢。其鄰爲史園，正泉所出也。珂雪齋集

原裂帛湖泉仰射如珠串，古榆蔭潭上，極幽秀。過趙家堤，水更深碧。長安可遊記

原吴師道遊西山詩序　三月十七日，金華吴師道正傳、晉寧張翥仲舉、襄城趙璉伯器、臨川吴當伯尚、河東王雍元肅同遊西山玉泉護聖寺，遂至香山。既歸，各賦詩以紀實。先是，護聖主僧月潭師款客甚勤，留之不果，則約以再遊，又約以詩爲寄。未及寄，則又屢督趣之，於是裒寫爲卷，納之山中。四人者推某爲最長，故其詩居首而又復敘其畧焉。吁，吾曹東西南北之人，幸而會於京師，佳時勝集，徜徉名山水間，既愜於心，師超然方外而獨惓惓焉，其高致尤可愛而仰也。秋風揚舲，客興未已，又將往踐前約，然桑下三宿之戀，或法所不可。師其有以語我乎！吴禮部集

原三月十八日張仲舉趙伯器吴伯尚王元肅同遊西山玉泉遂至香山詩　肅清門外春草青，背城曼衍趨郊坰。西山曉晴出蒼翠，高下不斷如連屏。道旁巨冢烏鳥噪，寒日野祭遺羶腥。溝深路狹雪泥在，緩控瘦馬仍竛竮。行行將近寺始見，半空碧瓦浮晶熒。先朝營構天下冠，千門萬户侔宫庭。寺前對峙兩飛閣，金鋪射日開朱欞。截留累石作平地，修梁雄跨相緯經。平臺當前白玉座，刻鏤精巧多殊形。常時御舟此遊幸，清簫妙管魚龍聽。沿堤萬柳著新緑，未見蒲葦彌烟汀。鳧飛鷺起渺空闊，使我清思凌滄溟。遊船兩兩棹歌起，亦有公子攜娉婷。主僧説法據高座，撞鐘擊鼓聲發霆。欣然肅客導周歷，顧瞻幻怪何神靈！後園小殿翳花木，繡幃香閣猶深扃。坐陪方丈談亹亹，伊蒲清俱分餘馨。

出門暄風掠人面，前後復歷峴與陘。泉乾土淺草樹少，祇有廟塔高亭亭。香山蘭若金源舊，猶餘大定殘碑銘。長松老檜見未有，澗水遶屋鳴清泠。攀危陟峻劇喘汗，却下迅走誰能停？班荊列坐杏花底，持觴受此香雪零。日晷漸隱半峰側，酒行不盡雙玉瓶。衆賓未醉有餘興，惟我却飲嗟獨醒。疾驅信馬路已熟，遥見樓堞塵冥冥。歸來門巷未深黑，春雲黯黯明踈星。廣文官況淡於水，矧復聚散如浮萍。玉泉頗恨不少住，客意更擬同揚舲。明朝清游墮夢境，擁書却坐槐陰廳。同上

原 胡廣玉泉山作　玉泉之山下出泉，泉流樹色鏡中懸。却帶西湖連内苑，直下通津先百川。微風時動碧波蹙，明月夜映清光圓。此中曾照古人影，故碣記得金元年。胡文穆集

原 鄒緝和韻　嶂霧巖雲湧玉泉，長流未似瀑流懸。聲驚素練鳴秋壑，光訝晴虹飲碧川。飛沫拂林空翠濕，跳波濺石碎珠圓。傳聞絶頂芙蓉殿，猶記明昌避暑年。素齋集

原 李東陽玉泉道中作　日照山山紫翠生，雨餘秋色更分明。蜃樓出霧東浮海，雉堞連雲北繞城。舊識郵亭猶問路，漸多僧寺不知名。十年幾度登臨約，未盡平生吏隱情。懷麓堂集

原 劉大夏玉泉道中作　晚來聯騎踏晴沙，風景蒼蒼一望遐。幾處白雲前代寺，數村流水野人家。鶯啼别墅春猶在，馬到西山日未斜。回首不知歸路遠，九重宫殿隔烟霞。東山集

原 吴寬飲玉泉作　龍唇噴薄淨無腥，純浸西南萬疊青。地底洞名疑小有，江南泉品類中泠。御廚絡繹馳銀甕，僧寺分明枕玉屏。曾是宣皇臨幸處，游人誰復上高亭？匏翁家藏集

原 何景明玉泉詩　行游金口寺，坐愛玉泉名。雲去隨龍女，風來動石鯨。入宫朝太液，穿苑象昆明。却望天河水，迢迢萬古情。大復山人集

原 李濂玉泉山詩　章宗避暑玉泉山，宫女隨鑾到此間。昔日翠華歌舞地，於今猶見五雲還。嵩渚集

原 廖道南玉泉亭作　偶來池上酌，暫謝區中緣。水闊雙飛鳥，林疏獨抱蟬。披雲穿紫竹，聽雨落紅蓮。終日石梁坐，相看意惘然。元素集

原 朱曰藩玉泉寺小山詩　笑指蓬萊石，春桃幾樹花。仙潭馴白鹿，童子戲金沙。一榻居士室，三車長者家。憑君磨素壁，重過賦青霞。山帶閣集

原 何棟玉泉詩　鬼斧何年鑿，仙源此日看。濺珠翻石溜，拂鏡漾晴瀾。鸊鵜春塘淨，雲霞夕影寒。分流入内苑，故作九龍盤。太華集

原 高應冕游玉泉寺詩　西山玉泉寺，蒼翠横寥廓。寒流迴清池，落木何蕭索！青峯映蓮宇，白雲度深閣。攜壺歷翠微，披襟憩幽壑。感此高秋景，寧忘朋聚樂？長吟石上風，緬懷雲中鶴。何當一來游，遂我芙蓉約。高光州集

原 歐大任同黎秘書遊西山經玉泉山池亭望西湖詩　並馬今朝路，西行訪石經。山泉浮鉢緑，湖草映袍青。積玉迷春澗，飛花入暮亭。十年江上客，烟雨憶揚舲。歐虞部集

原 胡應麟游玉泉詩　殿隱芙蓉外，亭開薜荔中。山光寒帶雨，湖色淨連宮。作賦攜詞客，行歌伴釣翁。夕陽沙浦晚，鳧雁起秋風。少室山房集

補 王惲重遊玉泉詩　峯頭亂石鬭嵯岈，水底浮光浸碧霞。絶似蘇門山下路，惜無修竹與桃花。秋澗集

補 黎民表遊西山玉泉池詩　圓渟知異脉，方折紀靈蹤。濯月金規滿，含風石鏡融。平湖隱作浪，曲澗瀉爲淙。一入昆明去，千秋照綺櫳。瑶石集

補 黄清老玉泉山懷友作　遠水平林翠繞城，秋來風雨動離情。玉泉千尺梧桐樹，月下蕭蕭落葉聲。樵川集

補 吴子高次韻馬伯庸玉泉山作　飛絮晴絲絡馬頭，春風長記侍宸游。牙檣映日開龍艦，天樂連雲上翠樓。楊柳盡隨堤北偃，芙蕖不礙水東流。遥憐玉輦時巡處，千里風烟紫塞秋。文翰類選

原 程儀政吕公洞詩　石洞知何代，門當玉澗灣。潮音疑可聽，仙駕杳難攀。暗穴深通海，危亭上據山。吟身貪縱步，遥帶夕陽還。篁墩集

原 李濂游吕公洞詩　窈窕吕公洞，逶迤玉泉側。澗流緬松門，石梁亘雲壁。始入日匿影，徐轉天漏白。靈窟度縈洄，細徑緣攲仄。杖邊霏漸分，衣上霰微積。紫芝敷異芬，瑶草弄明色。窮猿倒窺人，仙鼠飛避客。遥遥薜蘿陰，嫋嫋蒼翠夕。金膏欣可餐，石髓恨難識。意愜諸妄遺，神超萬緣釋。伊予事沈冥，夙負山水癖。曩聞吕仙名，兹覽修真蹟。丹鑪滅灰燼，石牀有苔蝕。一游洞底波，千載杳消息。珪組知爾忘，烟霞恣所適。私哂名利心，蹩躃竟何益！嵩渚集

原 杭淮西山吕公洞詩　我尋吕公洞，水邊春駐鞍。側身入地底，傴側頗礙冠。導燈如星明，墮石訝劍攢。魚貫緣曲折，忽俯千丈湍。却步前未敢，下有龍結蟠。腥風起昏黑，颯爽肌粟寒。五年客金華，兹辰亦奇觀。雙溪集

原 皇甫濂玉泉山寺七真洞詩　高閣重巖合，層臺集樹幽。風殘芝洞日，雲落礀泉秋。貝葉看深誦，金沙歷晚游。七真懷秘躅，仿佛在山邱。皇甫水部集

原 耶律楚材鷓鴣天詞　花界傾頹事已遷，浩歌遥望意茫然。江山王氣空千劫，桃李春風又一年。横翠嶂，架寒烟。野花平碧怨啼鵑。不知何限人間夢，併觸沉思到酒邊。湛然居士集

原 夏言和詞　人世滄桑有變遷，靈巖玉洞自巋然。朝衣幾共游山日，佛界仍存刻石年。嗟歲月，惜風烟。等閒花發又啼鵑。只將彩筆題僧壁，玉帶長留向日邊。桂洲集

原 倪岳遊玉泉華嚴寺詩　門外寒流浸碧虚，玉泉山上老僧居。芙蓉雲鎖前朝殿，耶律詩存古洞書。曲澗正當虹飲處，好山相對雨晴初。笑攀石磴臨高頂，浩蕩天風襲翠裾。青谿集

原 李夢陽翠華巖詩　洞劖耶律詞，其名翠華巖。俯視聳觀閣，仰面攢松杉。厥維何王代，鬼斧開嶄嵓。精氣久削薄，烟嵐鬱相攙。屢憩驗足繭，獨往悲情凡。入蘿畏石墮，轉嶠驚日銜。飄飄萬里風，吹我秋衣衫。放迹慕康樂，入

道懷賀監。載思武陵避，愈悵桃花碞。去住亦由人，極目江上帆。空同集

原何棟華嚴寺詩　尋山入淨苑，撫石眺芳洲。巖樹雲邊盡，春泉雨外流。花深時見鹿，荷密欲藏鷗。夙昔懷邱壑，將因叢桂留。太華集

原李夢陽望湖亭集句　與客提壺上翠微，千家山郭靜朝暉。平沙渺渺來人遠，黄鳥時兼白鳥飛。曉行不厭湖上山，別有天地非人間。安得移家此中老，白雲長在水潺潺。空同集

原何景明望湖亭詩　獨立湖亭望，霜空萬里明。檻疑天上立，槎是斗邊行。雲霧迷山殿，芙蓉暗水城。先朝四百寺，秋日遍題名。大復山人集

原張治望湖亭詩　望湖亭下水如天，曾記宣皇賜幸年。玉輦不來鳧雁冷，一湖楊柳鎖春烟。張文肅集

原文徵明望湖亭詩　寺前楊柳緑陰濃，檻外晴湖白映空。客子長途嘶倦馬，夕陽高閣送飛鴻。即看柳色浮天際，已覺扁舟落掌中。三月燕南花滿地，春光都在五雲東。甫田集

原王稺登望湖亭詩　亭邊楊柳水邊花，落日行人正憶家。不及江南湖上寺，木蘭舟裏載琵琶。燕市集

原王樵望湖亭詩　平疇門外春雨，遠寺山邊夕陽。柳護溪橋輦路，水肥穜稑江鄉。方麓居士集

原朱國祚裂帛湖上作　水淨一匹練，山圍六扇屏。春風纔幾日，藥甲已先青。介石齋集　以上各條原在郊坰門，今移改。

欽定日下舊聞考卷八十六

國朝苑囿 靜宜園一

〔臣等謹按〕香山名勝若來青軒、洪光寺諸處及娑羅寶樹，皆昔蒙聖祖仁皇帝臨幸，天章肇錫，御額親題。我皇上清蹕所臨，略加葺治，敬仰前謨，恭抒宸翰。謹依御製靜宜園二十八景詩次第，編載卷内。

靜宜園前爲城關二，由城關入，東西各建坊楔，中架石橋，下爲月河，度橋左右朝房各三楹，宫門五楹。靜宜園册

〔臣等謹按〕靜宜園額懸宫門檐端，皇上御書。城關南額曰松扉，北額曰蘿幄，東坊額曰芝壓，曰烟壑，西坊額曰雲衢，曰蘭坂。

御製靜宜園記 乾隆乙丑秋七月，始廓香山之郛，薙榛莽，剔瓦礫，即舊行宫之基，葺垣築室。佛殿琳宫，參錯相望。而峯頭嶺腹凡可以占山川之秀，供攬結之奇者，爲亭，爲軒，爲廬，爲广，爲舫室，爲蝸寮，自四柱以至數楹，添置若干區。越明年丙寅

春三月而園成，非創也，蓋因也。昔我皇祖於西山名勝古刹，無不曠覽。游觀興至，則吟賞托懷。草木爲之含輝，巖谷因而增色。恐僕役侍從之臣或有所勞也，率建行宫數宇於佛殿側。無丹雘之飾，質明而往，信宿而歸，牧圉不煩。如岫雲、皇姑、香山者皆是。而惟香山去圓明園十餘里而近。乾隆癸亥，予始往游而樂之。自是之後，或值幾暇，輒命駕焉。蓋山水之樂不能忘於懷，而左右侍御者之揮雨汗而冒風塵亦可廑也。於是乎就皇祖之行宫，式葺式營，肯堂肯構。樸儉是崇，志則先也，動静有養，體智仁也。名曰静宜，本周子之意，或有合於先天也。殿曰勤政，朝夕是臨，與羣臣咨政要而籌民瘼，如圓明園也。有憩息之樂，省往來之勞，以恤下人也。山居望遠村平疇，耕者，耘者，饁者，穫者，斂者，歷歷在目。杏花菖葉，足以驗時令而備農經也。若夫巖巒之怪特，林薄之華滋，足天成而鮮人力。信乎造物靈奥而有待於静者之自得耶！凡爲景二十有八，各見於小記而系之詩。

乾隆二十年御製香山静宜園六韻　山以仁爲德，秋惟静與宜。樹猶張翠色，風自富涼時。久别如初遇，澄懷更起思。嵐光窗裏納，松影座間移。參畫真無盡，過駒有若斯。輕輿問前景，欲去且遲遲。

〔臣等謹按〕静宜園御製詩，恭載首見之篇，餘不備録。

宮門内爲勤政殿五楹，南北配殿各五楹，殿前爲月河。静宜園册

〔臣等謹按〕勤政殿爲二十八景之一。内額曰與和氣游。聯曰：林月映宵衣，寮寀一堂師帝典；松風傳晝漏，農桑四野繪豳圖。皆皇上御書。月河源出碧雲寺，内注正凝堂池中，復經致遠齋而南，由殿右巖隙噴注，流繞墀前。

乾隆十一年御製勤政殿詩 皇祖就西苑趯臺之陂爲瀛臺以避暑，視事之所顔曰勤政。皇考圓明園視事之殿亦以勤政名之。予既以静宜名是園，復建殿山麓，延見公卿百僚，取其自外來者近而無登陟之勞也。晨披既勤，晝接靡倦，所行之政卽皇祖、皇考之政，因寓意兹名，昭繼述之志，用自勗焉。悦心期有養，好樂勵無荒。漫擬靈稱囿，偏宜山號香。問農頻駐蹕，咨采喜同堂。家法傳勤政，孜孜敢暫忘！

〔臣等謹按〕勤政殿御製詩，恭載首見之篇，餘不備録。

勤政殿後北爲致遠齋，南向，五楹。齋西爲韻琴齋，爲聽雪軒，東有樓爲正直和平。静宜園册

〔臣等謹按〕致遠齋、韻琴齋、聽雪軒、正直和平諸額皆皇上御書。

乾隆三十三年御製題致遠齋詩 庶官斯引見，幾務此疇咨。便是遊山處，無非勤政時。人惟得屢試，章不厭詳披。致遠宜從近，省心要在思。

〔臣等謹按〕致遠齋御製詩，謹繹有關紀述事實者恭載卷内，餘不備録。

勤政殿後西爲横秀館，東向。其南亭爲日夕佳，北爲清寄軒、横秀館。後建坊座，内爲麗矚樓，五楹，後爲多雲亭。静宜園册

〔臣等謹按〕麗矚樓爲二十八景之一，與横秀館諸額皆皇上御書。

乾隆十一年御製麗矚樓詩 勤政殿依山爲屏，取徑於屏之南，折而東，平岡數百步，繚以周垣，奥室數楹，顔曰静寄。緣石磴左右上，華表桀峙，岑樓隱峯，審曲面勢，時惟朝陽，因山爲基，斯樓最其勝處。重基百尺聳，萬象四鄰通。嵐靄變朝暮，山川無始終。會心堪致遠，撫景念居崇。春色皇都好，都歸一覽中。

乾隆二十六年御製清寄軒詩 勝游那可戀香界？勤政明當返御園。三日駐山詩卌首，邈然清夜寄斯軒。

〔臣等謹按〕麗矚樓、清寄軒御製詩，恭載首見之篇，餘不備録。

麗矚樓後南爲緑雲舫。静宜園册

〔臣等謹按〕緑雲舫爲二十八景之一。

乾隆十一年御製緑雲舫詩 園中水皆涓涓細流，不任舟楫，因仿避暑山莊内雲帆月舫爲齋室，而以舫名之。蓋自歐陽氏畫舫而後，人多慕倣之者。夫舟之用以水居無異陸處

爲利，而陸處者又以入室如在舟中爲適。然則山居水宿，無事强生分別。况載舟覆舟，爲鑒又豈獨在水哉！是處緑陰稠，幾餘静憩留。烟霞常薈蔚，魚鳥任飛浮。不繫喬松畔，將尋古渡頭。周禅歸妙契，天地一虚舟。

〔臣等謹按〕緑雲舫御製詩，恭載首見之篇，餘不備録。

麗矚樓迤南爲虚朗齋，齋前石渠爲流觴曲水，南爲畫禪室，後爲學古堂，東爲郁蘭堂，西爲佇芳樓，又後宇爲物外超然，其外東西南北四面各設宫門。東宫門外石路二，南達香山寺，東建城關，達於帶水屏山。静宜園册

〔臣等謹按〕虚朗齋爲二十八景之一，相傳卽永安村地。學古堂前周廊嵌御製静宜園二十八景詩石刻。東宫門檐額曰澗碧溪清，聖祖御書。帶水屏山詳後。

乾隆十一年御製虚朗齋詩　由麗矚樓而南，度石橋，爲北宫門。沿澗東行，折而南，爲東宫門。中爲廣宇迴軒，曲廊洞房，密者宜燠，敞者宜涼，宋棁不雕，楹檻不飾。甓石周廡之壁，書兹山舊作，與摹古帖參半。南爲曲水，藤花垂蔓覆其上。嚮南一齋曰虚朗。虚則公，公則明，朗之爲義，高明有融。異夫昭昭察察之爲者，要非致虚極不足語此。澹泊志乃虚，寧静視斯朗。川雲供嘯詠，天地任俯仰。隱几極目清，披襟滿意

爽。惟其無一物，是故含萬象。

乾隆二十四年御製學古堂詩　堂名因傳説，家法始神堯。（避暑山莊有此堂名，皇祖御筆也。）敬述山莊額，常循義府標。惜分陰敢怠？鑒百代惟昭。返己將何托，怵然謹旰宵。

〔臣等謹按〕虚朗齋、學古堂御製詩，恭載首見之篇，餘不備録。

帶水屏山，門宇三楹南向，西爲對瀑，北爲懷風樓，其左爲琢情之閣，東南爲得一書屋，西爲山陽一曲精廬。（静宜園册）

〔臣等謹按〕帶水屏山瀑泉自雙井迤邐東注，至是匯爲池。雙井詳後。

乾隆三十二年御製對瀑詩　到處多吟對瀑詩，不同境亦各殊時。抑予别有會心者，迅水光陰閲若斯。

〔臣等謹按〕御製對瀑詩，恭載首見之篇，餘不備録。

帶水屏山之西爲瓔珞巖，其上廳宇三楹爲緑筠深處。（静宜園册）

〔臣等謹按〕瓔珞巖爲二十八景之一。緑筠深處額，聖祖御書。

乾隆十一年御製瓔珞巖詩　横雲館之東，有泉側出巖穴中。疊石如扆，泉漫流其間，傾者如注，散者如滴，如連珠，如綴旒，汎灑如雨，飛濺如雹。縈委翠壁，潨潨衆響，如奏水樂。顔其亭曰清音，巖曰瓔珞。亭之勝以耳受，巖之勝與目謀，澡濯神明，斯爲最矣。滴滴更潺潺，琴音大地間。東陽原有樂，月面却無山。忘耳聽雲梵，棲心挹黛鬟。飲光如悟此，不復破微顔。

〔臣等謹按〕瓔珞巖御製詩，恭載首見之篇，餘不備録。

瓔珞巖東稍南爲翠微亭。靜宜園册

〔臣等謹按〕翠微亭爲二十八景之一。

乾隆十一年御製翠微亭詩 宮門之南，古木森列，山麓稍北，爲小亭。入夏千章緑陰，禽聲上下；秋冬木葉盡脱，寒柯蕭槭。天然倪迂小景。須彌與一芥，大小豈争差？亭子不嫌窄，翠微良復賒。入詩惟罨畫，沐雨欲蒸霞。莫羨癡黄派，倪迂各擅家。

〔臣等謹按〕翠微亭御製詩，恭載首見之篇，餘不備録。

翠微亭東有亭爲青未了。靜宜園册

〔臣等謹按〕青未了爲二十八景之一。

乾隆十一年御製青未了詩 南山别嶂爲宮門右臂，羣峯蒼翠滿目，阡陌村墟，極望無際。玉泉一山，蔚若點黛，都城烟樹，隱隱可辨。政不必登泰岱、俯青齊，方得杜陵詩意。拳石堪稱岱，來青況復同。川原渺何極？雲木望無窮。社尚懷居易，價疑招遠公。升高應絶頂，不必畏蠶叢。

〔臣等謹按〕青未了御製詩，恭載首見之篇，餘不備録。

青未了迤西，巖際爲馴鹿坡。静宜園册

〔臣等謹按〕馴鹿坡爲二十八景之一。

乾隆十一年御製馴鹿坡詩 東海有使鹿之部，産馴鹿，勝負戴，被鞍服箱，兼牛馬之用，而性尤馴擾。用則呼之使前，用畢散走山澤。其地習爲固然，弗之異也。寧古塔將軍以之入貢。中國服牛乘馬，不假爲用，因放諸長林豐草，俾適其性，其毋以不見用自感耶！鹿馬原常有，甡甡看兩三。器車渾可駕，緑耳底須驂？豐草羣惟適，嘉苹性所躭。輞川傳鹿柴，視此定增慚。

〔臣等謹按〕馴鹿坡御製詩，恭載首見之篇，餘不備録。

馴鹿坡迤西有龍王廟，下爲雙井，其上爲蟾蜍峯。静宜園册

〔臣等謹按〕蟾蜍峯爲二十八景之一。明高穀文義集謂之蝦蟇石。雙井水東北注松塢雲莊池内，入知樂濠，由清音亭過帶水屏山，繞出園門外，是爲南源之水。

乾隆十一年御製蟾蜍峯詩 香山寺西岡，巨石側立如蟾蜍，哆口張頤，睅目皤腹，昂首而東望。嘗謂宇宙間石爲最頑，而肖物象形，往往出人意表。況木變、松化，造物固無所不有。麻源山石中有螺蚌，兹石得無東坡詩中青猿醉道士類歟？久竹生青寧，洪

鑪善委形。試看蹲海物，將欲補山經。腹尚礌礌果，聲疑閣閣聽。空懷玉川子，咄咄筆無停。

〔臣等謹按〕蟾蜍峯御製詩，恭載首見之篇，餘不備録。

蟾蜍峯北稍東爲松隖雲莊，又東有樓爲憑襟致爽，後爲栖雲樓。静宜園册

〔臣等謹按〕栖雲樓爲二十八景之一。

乾隆十一年御製栖雲樓詩　予初遊香山，建此於永安寺西麓，適當山之半。右倚層巖，左瞰遠岫，亭榭畧具。雖逼處西偏，未盡兹山之勝，而堂密薈蔚，致頗幽秀。過去心難得，未來亦復然。以此例現在，畢竟誰火傳？高樓號栖雲，題句憶昔年。階畔碎瓊聲，報我無留遷。

〔臣等謹按〕栖雲樓御製詩，恭載首見之篇，餘不備録。

香山寺前石橋下方池爲知樂濠。静宜園册

〔臣等謹按〕知樂濠爲二十八景之一。香山寺詳後條。

乾隆十一年御製知樂濠詩　山澗曲流湍急，停蓄處苔藻摇曳，輕儵游泳，如行空中。生物以得所爲樂，澗溪沼沚與江湖等耳。知其樂隨在可作濠梁觀。潀潀鳴曲注，然否是濠梁。得趣知魚樂，忘機狎鳥翔。噞喁雲霧上，潑剌柏松旁。寄語拘墟者，來兹悟

達莊。

〔臣等謹按〕知樂濠御製詩，恭載首見之篇，餘不備録。

香山寺在瓔珞巖之西。前建坊楔，山門東向，南北爲鐘鼓樓，上爲戒壇，内正殿七楹。殿後廳宇爲眼界寬，又後六方樓三層，又後山巔樓宇上下各六楹。静宜園册

〔臣等謹按〕香山寺爲二十八景之一。據徐善泠然志，寺爲金章宗會景樓故址，詳見後原書各條。正殿前石屏一，中刊金剛經，左心經，右觀音經，屏後恭鐫皇上御筆然燈古佛、觀音、普賢諸像，並御製贊語。殿額曰圓靈應現。六方樓上層額曰光明連界，中曰無住法輪，下曰薝蔔香林。山巔樓宇上額曰鷲峯雲湧，下曰青霞寄逸。皆皇上御書。

乾隆十一年御製香山寺詩　寺建於金世宗大定間，依巖架壑，爲殿五層，金碧輝映。自下望之，層級可數。舊名永安，亦曰甘露。予謂香山在洛中龍門，白居易取以自號，山名既同，卽以山名寺，奚爲不可？雁堂傳寶界，鹿苑本仙區。結夏參摩詰，和南禮曼殊。分茶馳調水，清饌飽伊蒲。欲擬題新句，尋思色相無。

〔臣等謹按〕香山寺御製詩，恭載首見之篇，餘不備録。

香山寺正殿門外有聽法松，山門内有娑羅樹。静宜園册

〔臣等謹按〕聽法松三字鐫石欄上，爲二十八景之一。娑羅樹歌見聖祖御製集，並皇上御製詩集，恭録卷内。

聖祖御製娑羅樹歌　娑羅珍木不易得，此樹惟應月中植。想見初來西域移，山中有人多未識。海桐結蕋松栝形，千花散盡七葉青。山禽迴翔不敢集，虚堂落子風泠泠。楚州遺碑今已偃，峩眉雪外雙林遠。未若玆山近可遊，靈根終古蟠層巘。繁陰亭午轉團圞，回睇精藍路幾盤。憑教紫府仙山樹，寫入披香殿裏看。

乾隆十一年御製娑羅樹恭依皇祖元韻　樹聞如意隨求得，梵云噶爾布喇瓦喇斯，此云如意樹，即娑羅樹也。梵典曾標鹿苑植。層層幢節古佛前，碧眼番僧來尚識。東土西天豈定形，飛來靈鷲干雲青。安知此樹不憶石，凶風作語猶泠泠。七葉蘢葱湘蓋偃，縱移根越千年遠。益部楚州疑附會，那覩月木依雲巘。娑羅花佛日盛開，每朶十二瓣，遇閏輒多一瓣，故云月木。見雲南志。如桐如栝影團圞，雪覆霜凝翠鬱盤。不殊調御丈夫倚，用涅槃經事。曾沐曼殊師利看。烏斯藏進表皆稱曼殊師利大皇帝。曼殊是佛妙觀察智，更切音與滿洲二字相近，故云。

又御製聽法松詩　山多檜柏，惟香山寺殿前有松數株，虬枝秀挺。山門内一松尤奇古，百尺喬聳，側立迴嚮。自殿中視之，如偏袒階下，生公石不得專美矣。點頭曾有石，聽法詎無松？籟響疑酬偈，枝拏學攫龍。佛張蒼翠蓋，僧倚水雲筇。比似靈巖寺，何勞摩頂重？

〔臣等謹按〕娑羅樹、聽法松御製詩，恭載首見之篇，餘不備録。

香山寺北爲觀音閣，後爲海棠院，院東爲來青軒，西爲妙高堂。靜宜園册

〔臣等謹按〕來青軒爲二十八景之一。軒内恭懸聖祖御題額曰普照乾坤。觀音閣上層額曰普門圓應，下層曰性因妙果，皆皇上御書。

聖祖御製來青軒臨眺二首　摇拂烟雲動翠旗，登臨翰墨每相隨。山河景象無窮意，俯瞰人情因物知。來青高敞眺神京，斜倚名山澗水清。此日君臣同覽賞，村村鷄犬静無聲。

乾隆八年御製來青軒恭瞻皇祖御筆普照乾坤四大字詩　勝地絶塵喧，璇題耀綱軒。餘波流墨瀋，健法突釵痕。尚覩雲烟潤，因驚歲月奔。聖情空想像，長此照乾坤。

乾隆十一年御製來青軒詩　由香山寺正殿歷級東行，過迴廊而東，爲來青軒。帝京景物畧謂明神宗所題，今額已不存矣。遠眺絶曠，盡挹山川之秀，故爲西山最著名處。因仍其名而重爲書額。聖祖御題普照乾坤四大字，瞻仰之次，想見函蓋一切氣象。山齋懸樹杪，曠若發塵蒙。探蹟思今昔，游神泯異同。烟容空外合，黛影牖間通。敬仰留題意，乾坤方寸中。

〔臣等謹按〕來青軒御製諸詩，謹繹有關紀述事實者恭載卷内，餘不備録。

香山寺北有無量殿。靜宜園冊

〔臣等謹按〕無量殿山門額曰楞伽妙覺，皇上御書。

來青軒西南爲歡喜園，東西各有坊楔。靜宜園冊

〔臣等謹按〕歡喜園西坊額曰停靄，曰棲霞，東坊額曰紓青，曰延緑，皆皇上御書。

香山寺北稍西六方亭爲唳霜皋。靜宜園冊

〔臣等謹按〕唳霜皋爲二十八景之一。

乾隆十一年御製唳霜皋詩　山中晨禽時鳥，隨候哢聲，與梵唄魚鼓相應。飼海鶴一羣，月夜澄霽，霜天曉晴，戛然送響，嘹亮雲外。胎仙志雲水，詎可羈塵俗？霜皋逼青冥，差當寄高躅。華表事匪幻，赤壁夢誰續？婆羅門叫音，遠勝絲竹肉。

〔臣等謹按〕唳霜皋御製詩，恭載首見之篇，餘不備録。

香山寺西北，由盤道上爲洪光寺，山門東北向，内建毘盧圓殿，正殿五楹，左爲太虛室，又左爲香嵓室。靜宜園冊

〔臣等謹按〕洪光寺盤道，即所謂十八盤也。毘盧圓殿額曰光明三昧，正殿後檐額曰慈雲常蔭，皆聖祖御書。正殿内額曰香嵓淨域，寺後門外坊座前額曰薫馨，後曰芝采，皆皇上御書。香嵓室爲二十八景之一。

聖祖御製洪光寺盤道詩　白雲飛夏日，斜徑盡崎嶇。仙阜崇高異，神州覽眺殊。

乾隆十一年御製香嵓室詩　據香山東嶺有古刹，名洪光。明成化中中官鄭同重修。同，高麗人，相傳寺毘盧圓殿卽仿其國金剛山爲之者，未知信否也。因庋爲高，臨虚標秀，予舊題曰香嵓淨域。突夏據横巒，天窗納虚宇。樹分功德林，身在逍遥所。始静恰宜聽，既遠猶堪覩。天女參維摩，時時下花雨。

〔臣等謹按〕香嵓室御製詩，恭載首見之篇，餘不備録。

洪光寺前盤道間敞宇三楹爲霞標磴。静宜園册

〔臣等謹按〕霞標磴爲二十八景之一。

乾隆十一年御製霞標磴詩　香嵓空前，累石爲磴，凡九曲，歷十八盤而上，彷彿李思訓王維畫蜀山棧道。山勢聳拔，取徑以紆而得夷。非五迴之嶺、九折之坂嶄絶而不可上者比也。築山嗤簣力，結宇喜天成。踏蹬看霞起，披林納月行。惟因紆作直，却化險爲平。九折何須比？因之見物情。

〔臣等謹按〕霞標磴御製詩，恭載首見之篇，餘不備録。

霞標磴之北爲玉乳泉。静宜園册

〔臣等謹按〕玉乳泉爲二十八景之一。

乾隆十一年御製玉乳泉詩 行宫之西，循仄徑而上，有泉從山腹中出，清泚可鑒。因其高下，鑿三沼蓄之。盈科而進，各滿其量，不溢不竭。長安可游記謂山有乳峯，時嘘雲霧，類匡廬香鑪峯。不知玉液流甘，峯自以泉得名耳。乍可微風拂，偏宜皎月涵。西河不千里，當境即三潭。演漾岡巒影，卷舒晴雨嵐。靈源何處是？一脈試尋探。

〔臣等謹按〕玉乳泉御製詩，恭載首見之篇，餘不備録。

玉乳泉西稍南爲絢秋林。静宜園册

〔臣等謹按〕絢秋林爲二十八景之一。巖間巨石森列，鐫題曰蘿屏，曰翠雲堆，曰留青。又上爲觀音閣，額曰鷃集崖，崖旁勒仙掌二字，下有石臨泉，鐫題曰羅漢影。

乾隆十一年御製絢秋林詩 山中之樹，嘉者有松、有檜、有柏、有槐、有榆，最大者有銀杏、有楓，深秋霜老，丹黄朱翠，幻色炫采。朝旭初射，夕陽返照，綺纈不足擬其麗，巧匠設色不能窮其工。嶂葉經霜染，迎暉紫翠紛。絢秋堪入畫，開錦恰過雲。晻藹峯容變，迷茫界道分。金官鬭青帝，果足張吾軍。

〔臣等謹按〕絢秋林御製詩，恭載首見之篇，餘不備録。

絢秋林北爲雨香館，後爲洒蘭書屋，其南爲林天石海。静宜園册

〔臣等謹按〕雨香館爲二十八景之一。自勤政殿以迄雨香館，是爲内垣，爲景凡

二十。

〔又按〕内垣凡六門，曰東南門，曰東北門，西曰約白門，西南曰如意門，西北曰中亭子門，北曰進膳門。

乾隆十一年御製雨香館詩　緑雲舫稍西，步平岡而南，爲雨香館。山中晴雨朝暮各有其勝，而雨景尤奇。油雲四起，滃鬱棟牖，長風飄灑，倏近倏遠。苔石藥苗，芬馨郁烈，沉水龍涎，不免烟火氣。出雲峯更秀，釀雨地斯靈。景寫一空白，膏蘇萬隴青。悦心惟樂歲，養志奉慈寧。何必劉賓客，端稱以德馨。

〔臣等謹按〕雨香館御製詩，恭載首見之篇，餘不備録。

欽定日下舊聞考卷八十七

國朝苑囿 靜宜園二

麗矚樓北度嶺爲晞陽阿。其北坊座一，東坊座一，西爲朝陽洞，後爲觀音閣。靜宜園册

〔臣等謹按〕晞陽阿爲二十八景之一。北坊額曰丹梯，曰翠幄，東坊額曰蘿圃，曰秀岑。朝陽洞深廣可丈餘，内祀龍神，觀音閣額曰淨界慈雲，皆皇上御書。

乾隆十一年御製晞陽阿詩 逾麗矚樓而北，過小嶺，有石砑立，虛其中爲厂，可敷蒲團晏坐，望香嵓來青，縹緲雲外。其南數十步復有巨石，卓立如偉丈夫，俗呼朝陽洞。日下舊聞不之載，蓋無僧寮亭榭，爲游人所忽耳。命掃石壁烟煤，芟除灌穢，取楚詞爲之名。我初未來此，霧壑爾許深。掃石坐中唐，一暢平生心。仰接天花落，俯視飛鳥沈。自惟昔豈昔，乃知今匪今。

〔臣等謹按〕晞陽阿御製詩，恭載首見之篇，餘不備録。

晞陽阿北爲芙蓉坪，樓宇三楹。其東敞宇爲靜如太古。靜宜園册

〔臣等謹按〕芙蓉坪爲二十八景之一，鐫題於石壁間。

乾隆十一年御製芙蓉坪詩　最北一嶂，迤邐曲注，宛宛如游龍，迴繞園後。昔人有云，巖嶺高則雲霞之氣鮮，林藪深則蕭瑟之音清。兩言得園中之概。足底生雲霞，臂左招星辰。振衣千仞岡，此語誠可人。到來每徘徊，欲去重逡巡。翹首眺青蓮，堪以靜六塵。

〔臣等謹按〕芙蓉坪御製詩，恭載首見之篇，餘不備録。

芙蓉坪西南爲香霧窟，東南北小坊座各一，東面大坊座一，正宇七楹。後爲竹罏精舍，其北巖間有西山晴雪石幢，又北爲潔素履。靜宜園册

〔臣等謹按〕香霧窟爲二十八景之一，卽靜室也。東面大坊座額曰香圃，曰琪林，其前小坊座額曰虹梁，曰月鏡，南曰攢蘿，曰環綺，北曰丹梯，曰翠壑，與西山晴雪石刻皆皇上御書。西山晴雪爲燕山八景之一。御製詩已恭載形勝卷内。

乾隆十一年御製香霧窟詩　歷玉華岫而上，西南行，陟山巔，是園中最高處。就迴峯之側爲麗譙，睥睨如嚴關。由石磴拾級而上，則山外復有羣山，屏障其外。境之不易窮如此。人以足所至爲高，目所際爲遠，至此可自悟矣。將謂最高處，更有無窮境。千里遥，衣裳九夏冷。漫嫌步屧勞，堪令心神屏。賁緣蘿薜烟，攀陟楓杉嶺。樽俎

乾隆十三年御製題靜室卽香霧窟詩　香霧窟堪稱靜室，最高處迥出凡塵。香山室宇惟此處最高。吟哦舊

句渾如昨，慘淡冬山亦可人。撫柏便同參道筦，聽泉直欲息言津。風巖木葉蕭蕭下，會待明年特地新。

乾隆三十二年御製竹鑪精舍詩　綴景偶教筠鼎施，趁閒聊亦小棲遲。擎來茗椀定遵例，何必如斯著相（去聲）爲？茶舍窗中景致殊，西山積雪有碑模。（西山積雪爲燕臺八景之一，向立碑於精舍對嶂，窗中即見。）前句忽憶御園望，一幀即斯展畫圖。

〔臣等謹按〕香霧窟、静室、竹鑪精舍御製詩，謹繹有關紀述事實者恭載卷内，餘不備録。

香霧窟南稍東爲栖月崖，廳宇三楹。其西宇爲得趣書屋，距崖半里許，設石樓門，鐫題曰雲闕。（静宜園册）

〔臣等謹按〕栖月崖爲二十八景之一。廳宇額曰樂此山川佳，與得趣書屋額皆皇上御書。

乾隆十一年御製栖月崖詩　玉華岫之北，宛而中隆，清曠衍夷，綴以閒館。酈道元謂嶺紆曦軒，峯駐月駕，斯崖有焉。秋夕溶溶際，春宵淡淡時。亭虚全約白，崖迴半含規。隱與環中契，懸應静裏知。嫦娥餘結習，到此幾栖遲。

〔臣等謹按〕栖月崖御製詩，恭載首見之篇，餘不備録。

棲月崖北爲重翠崦，廳宇三楹。其下爲龍王堂，堂下有泉。靜宜園册

〔臣等謹按〕重翠崦爲二十八景之一。

乾隆十一年御製重翠崦詩　度棲月崖而北稍西，邃宇閒敞，嵐青樹碧，烟浮翠重，近拂几案間。崦字，字書所署，而唐宋人詩多用之者。疑巖岫複疊處如所謂一重一掩耳。掩映山變態，既狹歘開豁。卷幔風聲颯，寫檻雲容活。馴鹿守翠微，幽禽下古栝。素志托清曠，遐矚極完闊。

〔臣等謹按〕重翠崦御製詩，恭載首見之篇，餘不備録。

重翠崦東南爲玉華寺，山門東向，正殿三楹。殿西南廳宇爲玉華岫，其東爲皐塗精舍。靜宜園册

〔臣等謹按〕玉華岫爲二十八景之一。寺北門内有石洞出泉，稱玉華泉。正殿額曰香嵓慧日，皐塗精舍額曰林虚桂静，皆皇上御書。

乾隆十一年御製玉華岫詩　玉華亦古刹，而規制差隘，其高乃不减來青。闢其南爲小軒，俯瞰羣岫，霞舉雲迴，若拱若抱。昌黎詩：前低劃開闊，爛漫堆衆皺，洵工於體物。嵌㠫淙甘脈，精藍瞰迥墟。棼絲成桂酒，月地本雲居。是處有洞出泉，清泠芳潤。帝京景物略云：桂子入冬則收育於此，他處率不能活，亦西山一奇云。激越來階下，芬馨過雨餘。遠皴將近黛，次第入紗疏。

乾隆十二年御製玉華寺臯塗精舍作　山椒卜築傍僧庵，一室虛明萬景涵。暮靄朝嵐常自寫，橫峯側嶺盡來參。杏花已放甜山色，桂子還韜寶月馣。游歷每教成小憩，天然佳句座中探。

〔臣等謹按〕玉華岫、臯塗精舍御製詩，恭載首見之篇，餘不備録。

玉華寺西南峯石屹立，上勒御題，爲森玉笏。東北爲超然堂，堂南爲曠覽臺，後爲碧峯館。靜宜園册

〔臣等謹按〕森玉笏爲二十八景之一。

乾隆十一年御製森玉笏詩　山勢橫峯側嶺，牝谷層岡，攲澗曲徑，不以巉削峻峭爲奇。而遥睇諸嶺，迴合交互，若宫、若霍、若岌、若峘、若嶠、若巋、若厜、若㕒、若重甗，嵯峨嶔崟，負異角立。積雪映之，山骨逼露。羣玉峯當不是過也。迴岡紛合沓，峻嶺鬱嵯峨。儼若千夫立，森然萬玉羅。色無需藻繪，堅不受礱磨。山伯朝天闕，圭璋列幾多。

〔臣等謹按〕森玉笏御製詩，恭載首見之篇，餘不備録。

森玉笏東北峯上有亭爲隔雲鐘。靜宜園册

〔臣等謹按〕隔雲鐘爲二十八景之一。自晞陽阿以迄隔雲鐘，是爲外垣，爲景凡八。

乾隆十一年御製隔雲鐘詩　園內外幢刹交望，鈴鐸梵唄之聲相聞。近者卧佛、法海、弘教，遠者華嚴、慈恩。覺生最遠，鐘最大，卽永樂中鑄華嚴經其上者。每靜夜未闌，曉星欲上，雲扃尚掩，霜籟先流，忽斷忽續，如應如和，致足警聽。不問高低寺，鐘聲處處同。耳根初靜後，禪悅小參中。底厭箏琶響，應知水乳融。蒲牢寂亦得，大地是乘風。

〔臣等謹按〕隔雲鐘御製詩，恭載首見之篇，餘不備録。

外垣之北别垣內佛樓爲宗鏡大昭之廟，門東向，建琉璃坊楔。前殿三楹，內爲白臺，繞東南北三面上下凡四層。西爲清淨法智殿，又後爲紅臺，四周上下亦四層。靜宜園册

〔臣等謹按〕宗鏡大昭之廟亦稱昭廟，額懸都罡正殿。乾隆四十五年，就鹿園地建琉璃坊。東面額曰法源演慶，西面額曰慧照騰輝，前殿額曰衆妙之門。清淨法智殿前八方重檐碑亭內恭勒御製昭廟詩。紅臺上層東額曰大圓鏡智殿，西曰妙觀察智殿，南曰平等性智殿，北曰成所作智殿。皆皇上御書。

乾隆四十五年御製昭廟六韻　昭廟緣何建？神僧來自遐。因教仿西衛，既建須彌福壽之廟於熱河，復建昭廟於香山之靜宜園，以班禪遠來祝釐之誠可嘉，且以示我中華之興黃教也。是日自謁陵迴蹕至香山落成，班禪適居此慶讚。又昭廟肖衛地古式爲之。衛者番語謂中，俗謂之前藏。班禪所居後藏乃實名藏，藏者善也。並以示中華。是日當慶落，便途禮脱闍。見楞嚴經注，唐語謂法幢也。黃衣宣法雨，碧嶂散天花。是日本晴，甫至經壇乃微

雨，皆以爲散天花之喜云。六度期羣度，三車演妙車。雪山和震旦，一例普麻嘉。

〔臣等謹按〕御製昭廟詩，謹繹有關紀述事實者恭載卷内，餘不備録。

昭廟之北度石橋爲正凝堂，堂北爲暢風樓。静宜園册

乾隆三十四年御製題正凝堂詩 一片波當面，堪稱正色凝。山池弗易致，雲氣以時興。階影涵空暎，岸痕過雨增。垂堂雖不坐，對鏡若同澂。

〔臣等謹按〕正凝堂御製詩，恭載首見之篇，餘不備録。

正凝堂迤北爲碧雲寺，山門東向。度橋爲天王殿，復逾橋爲正殿，爲次層殿，後爲三層殿。又後爲金剛寶座塔院，院前白石坊座一。静宜園册

〔臣等謹按〕碧雲寺正殿額曰能仁寂照，殿後六方亭恭勒御製碧雲寺碑文。次層殿額曰静演三車，後殿檐額曰普明妙覺，内額曰聖業慧因。塔院坊座上額曰西方極樂世界阿彌陀佛安養道場。塔座凡三層，上層石洞鐫額曰發阿耨多羅三藐三菩提心，石龕額曰燈在菩提。由石級螺旋而上，至頂建塔，凡七，皆鏤以佛像。中龕額曰現舍利光。院前碑亭恭勒御製金剛寶座塔碑文。

御製碧雲寺碑文 西山佛寺累百，惟碧雲以閎麗著稱，而境亦殊勝。巖壑高下，臺殿因依，竹樹參差，泉流經絡。學人瀟灑安禪，殆無有踰於此也。自元耶律楚材之裔名阿

勒彌者，捨宅開山，淨業始構。明正德中，税監于經爲窀穸計，將以大作功德，而寺遂廓然焕然。至魏忠賢踵而行之，奢僭轉甚。夫奉佛者不廢莊嚴，要以清淨爲本。如梵夾所載人天供養窮極珍異，皆本清淨爲莊嚴也。否則汙法席而玷山靈，何福田利益之有？雖山體常新，如如不動，初無纖毫增損，而自人事觀之，有足慨者。當明政不綱，椓人專恣，鬼神爲之怨痛，猶欲佞佛以求庇於地下。而爲其上者方且假以寵靈，錫之題額，若惟恐其香火之不延，宅兆之不固。厥後罪惡貫盈，刑誅踵接，而穢迹之標揭於林莽間者，迨易世迺克剷除。追維末造，誰實尸之？斯足爲車鑒也已。朕駐蹕静宜園，時過此寺，樂觀林壑之美，而念古刹之有待於護持也。爰命重加整葺。喜其滌瑕盪穢而復爲淨域，因筆之於石，用垂戒焉。

御製金剛寶座塔碑文　昔如來成等正覺，必坐菩提道場。蓋法王、人王有世出、世間之異，而居尊御極，其理則同。故寶座莊嚴，所以正夫人師之位也。佛威神力，能使六種震動，而當其初轉無上法輪，轉一切天人所不能轉，則地爲普動以應之。惟道場安立之區，常住不動。其地乃三千大千世界之中，上極金輪，下侵地際。金剛所成，周百餘步。如須彌之隱於沙界而露其巔，去來諸佛並於此坐，而入金剛定，以是名金剛座焉。摩揭佗國鉢羅笈山聖蹟彰明，諸方信嚮。佛滅度後，座隱不見，諸國王乃以銅觀自在像南北標識其處。厥後又仿浮圖之制，笵金爲座，以便供養。平臺特起，周帀嚴淨，象道場廣輪之所極也。五塔岳峙，各具寶相，象佛之徧歷四隅而常依止中座也。西域流傳，中土希有。乾隆十有三年，西僧奉以入貢，爰命所司，就碧雲寺如式建造。尺寸引伸，高廣具足。勢同地涌，望擬天游。賢刼祖庭，實在於是。夫塔廟之設，類以藏舍利齒髮爲過去崇奉地耳。此座獨表法王御世之初，威德尊勝若是，其靈異顯著，將人天瞻仰，恍如佛日之方中，而神力之所加持，固有歷刼不傾者。成此善果，因備述其緣起云。

聖祖御製駐蹕碧雲寺詩　山寺通幽徑，鶯啼緑樹枝。旛虹迎玉輦，刹鳳駐雲旗。翠麓三乘闢，佳辰萬騎宜。松陰輝落景，游豫近臣知。

聖祖御製碧雲寺曉起詩　山中曉起聽蟬鳴，遥對峯岑霽色清。洞壑有年奇樹老，夢回疑是在蓬瀛。

乾隆十三年御製初至碧雲寺十二韻　我愛碧雲寺，香山一脈連。迴峯成左障，隔壑據層巔。古刹塵埃暗，山僧歲月延。望中已久矣，到此實初焉。助景因經始，施檀亦偶然。照園輝佛日，梵網焕諸天。是日新秋霽，靜宜香山行宮名之曰靜宜園。駐蹕便。試參山水秀，果占畫圖全。衣履如霑潤，林巒益逞妍。一泓天半澈，百道澗邊懸。有句皆清絶，無心不静蠲。徘徊瞻聖藻，皇祖有碧雲寺曉起詩。俯仰憶堯年。

乾隆十六年御製登碧雲寺金剛牀塔詩 百丈之山，延緣徐步忘其高。十丈之塔，矗爾拔地直上，乃訝高岧嶢。何況窣堵迴據西山半，宜其下視無地，上已干青霄。太行西來歷萬古，杯水滄溟金彈吐。康回能使東南傾，女媧誰見西北補？我聞佛諦要令萬緣忘，胡爲梵誌傳此金剛牀？高秋乘興一拾級，目窮千里心萬方。今年登塔凡三度，六和報恩皆有賦。江山信美慮程遥，詎可頻頻勞六御？因之念寄吴越間，夏災數郡遭迍邅。何能五風十雨斗米纔三錢？恧哉吾治遜彼唐貞觀。

〔臣等謹按〕碧雲寺御製詩，恭載首見之篇，餘不備録。

碧雲寺南爲羅漢堂，後爲藏經閣。靜宜園册

〔臣等謹按〕羅漢堂内奉五百羅漢，仿杭州淨慈寺像，額曰海會應真，前宇額曰鷲光合印，皆皇上御書。

碧雲寺北爲涵碧齋，後爲雲容水態，爲洗心亭，又後爲試泉悦性山房。靜宜園册

〔臣等謹按〕涵碧齋内額曰活潑天機，試泉悦性山房檐額曰境與心遠，後檐額曰澄華，是爲泉水發源處。

原 西山蒼蒼，上干雲霄，重岡疊翠，來朝皇闕，中有道場曰香山。李晏香山記

原 香山寺址，遼中丞阿勒彌所捨。殿前二碑載捨宅始末，光潤如玉，白質紫章，寺僧目

爲鷹爪石。又云寺即金章宗之會景樓也。（泠然志 按：阿勒彌，滿洲語聲譽也，舊作阿里吉。今譯改。）

原 耶律淳者，世號爲北遼，興宗第四孫。保大二年，天祚入夾山，奚王和勒博、林牙耶律達什等引唐靈武故事，議立淳，即位百官上號天錫皇帝，改保大二年爲建福元年。尋病死。百官僞謚曰孝章皇帝，廟號宣宗，葬燕西香山永安陵。（遼史 按：和勒博，滿洲語聯絡也，舊作回離保。今譯改。）

〔臣等謹按〕永安陵今無考。

原 天會間大軍下河北，胡礪爲軍士所掠，行至燕，亡匿香山寺。（金史本傳）

原 大定二十六年三月，香山寺成，幸其寺，賜名大永安寺，給田二千畝，栗七十株，錢二萬貫。（金史世宗紀）

原 大定中，詔匡構與近臣同經營香山行宮及佛舍。（金史本傳）

原 明昌四年三月，幸香山永安寺及玉泉山。承安三年七月，幸香山。八月，獵於香山。四年八月，獵於香山。五年八月，幸香山。泰和元年六月，幸香山。六年九月，幸香山。（金史章宗記）

原 元世祖幸香山永安寺，見書輝和字於壁，問誰所書。僧對曰：國師兄子特爾格書也。帝召見，愛其容儀秀麗，語音清亮，命隸丞相博囉，備宿衛。（元史本傳 按：特爾格，蒙古語車也，舊作鐵哥。今譯改。）

原 皇慶元年四月，給鈔萬錠修香山永安寺。（元史仁宗纪）

原元平章政事李武愍公葬京師之西，永安山之陽，其子益都淄萊等路管軍萬户世雄祔葬先塋。養蒙集

〔臣等謹按〕李武愍塋今無考。

原香山永安寺亦名甘露，石梁下有方池。正統間，遣中官以金魚數十投其中，今巨者盈尺矣。上金剛殿後有古椿六，又上由畫廊登慈恩殿，其右爲香鑪岡，岡下有蟾蜍石、丹井，又有夢感泉。金章宗常至其地，夢矢發泉湧，旦起掘地，果得泉。其後僧以泉淺濇之，遂隱。南濠集

〔臣等謹按〕蟾蜍石即今之蟾蜍峯，丹井殆即今之雙井也。夢感泉無考。

原香山寺南一山，松蘿交蔭，橋下魚朱黑二種，若游空中。拾級而上，佛殿甚閎壯。殿檻外兩山環擁，遠望一亭踞山半，穿蹬道二里始至。亭名流憩，下視寺垣如墮深壑，望遠水如白玉玦，疑即桑乾河也。瀟碧堂集

〔臣等謹按〕流憩亭今無考。

原香山一徑幽遐，青松夾道，流泉下注，朱闌上引。依巖爲刹，高傑整麗。獨是作者騁象馬之雄圖，乏邱壑之妙思，數十年後金碧蝕於蛛絲，階砌隱於苔蘚，游人漸稀，樹木漸老，則兹山之勝當倍於今日矣。袁中郎集

原香山門徑寬博，喬木夾道，流泉界之，依山汙隆以爲殿宇。殿前古松二株，虬龍詰曲。左來青軒如衫袖忽開，盡見原隰。寺後有藏經閣，石路淨潔，高松列植，四望比來青較遠。其傍僧舍數十處，多植偃蓋之松，引流水周其霤下。珂雪齋集

原穿洪光寺柏徑而上，即香山藏經殿，步而下即後殿，從兩廊逶迤行至正殿，歷級從東行，至方丈，自迴廊復東爲來青軒。下見坡陀，杏樹可十萬株，寺中來青軒、鬱秀、清雅、望都亭四扁，皆御書。燕都遊覽志

〔臣等謹按〕鬱秀、清雅諸扁今皆廢。

原香山有乳峯石，時噓雲霧，類匡廬香鑪峯，故名。長安可游記

〔臣等謹按〕乳峯石，恭繹御製静宜園二十八景詩序，今已釐正爲玉乳峯。

原香山夾道盡白楊青檜，流憩亭在山半灌木陰翳中。來青軒前兩山相距，而虚其襟以捧帝城。自無量殿折而至洪光寺，皆短垣疏柏。中涓甃白石爲階，東望閣道參差爲光裕寺。緱山集

〔臣等謹按〕無量殿今存，光裕寺今無考。

補洪光寺東壑中有光裕寺。緱山集

原香山寺殿五重，崇廣略等，斜廊平欄，翼以軒閣。世宗幸寺，曰：西山一帶香山獨有

翠色。神宗題軒曰來青。來青軒右上，轉而北爲無量殿，轉而西曰流憇亭。山多名蹟，有葛稚川丹井，金章宗祭星臺、護駕松、夢感泉，又有棋盤石、蟾蜍石、香鑪石。寺始金大定，正統中太監范宏拓之，費七十餘萬。今寺有宏墓，墓中有衣冠耳。宏從幸土木不歸。帝京景物畧

〔臣等謹按〕祭星臺諸處今皆無考，香鑪石應卽今之玉乳峯，詳見前條。

原 香山有巨石二，狀如蝦蟆，石下二井相去丈許，水深纔三四尺，俯手可濯。井底沙石歷歷可數，近寺人家皆取給焉。文義集

原 張養浩游香山寺　山行彌日山益奇，亂峯挾翠紛參差。游人如蟻度林杪，細路一線雲間垂。我來青帝已迴馭，太古殘雪猶離離。一聲啼鴂百花落，兩崖紅雨春淋漓。蓬萊兜率杳何處，無乃造物移於斯？斜陽忽將暝色至，山靈應怪歸鞍遲。歸田類稾

原 虞集題大都香山寺圖　香山蒼翠帝城西，古寺高寒北斗齊。繞屋清泉龍穩卧，對簷老樹鳳常棲。曾陪退相尋山徑，亦共幽人躡石梯。忽見畫圖驚十載，春雲秋雨不勝題。道園學古録

原 李夢陽香山寺詩　萬山突而止，兩崖南北抱。鑿翠置殿榭，級石上穹昊。高卑勢各稱，曲盡結構巧。有泉如線縷，盤轉出松杪。嗜奇忘登頓，緣危肆探討。險絶逼斗牛，蕭颯若風島。夜宿來青軒，天色碧可掃。湖沙静莽莽，海月白浩浩。想當邦邑初，此地卽蒿草。綺麗誰所營？民力爲兹槁。空同集

原 又集句　二月已破三月來，山下碧桃花自開。半醒半醉游三日，並馬今朝未擬迴。同上

原 何御香山寺詩　香山高巘業，複磴碧雲西。對嶺抱溪轉，迴峯聳刹齊。高卑散精舍，錯落標金題。搴蕋多勁條，采芳無柔荑。息策丹泉曲，振衣青霞梯。已貪竟流覽，殊覺疲遠蹐。款款下層閣，徐徐道前蹊。賞心頗云悉，矯首夕陽低。白湖集

【原】馮惟訥香山寺詩　香界盤空磴，松蘿一徑幽。何須問葱嶺？此地即丹邱。檻是諸天隔，泉將德水流。山花雜祇樹，隨意滿芳洲。少洲集

【原】栗應宏香山寺詩　山色敞招提，空香處處迷。曹溪一水曲，瞿舍五燈齊。夕鉢藏龍影，春沙印馬蹄。何期踏芳草，靈境得攀躋。栗大行集

【原】王格香山寺詩　峻嶺凌青漢，疏林隱絳宫。騎從斜磴入，門逐斷巖通。風日三秋裏，關城四眺中。松亭陳桂醑，延賞興何窮！少泉集

【原】何維柏香山寺晚眺詩　翠積香山迥，烟深草徑迷。傍橋尋谷口，緣磴躡招提。孤鳥連雲遠，平原入望低。回瞻雙鳳闕，高峙玉河西。天山集

【原】謝榛宿香山詩　深夜無眠風露清，天移北斗坐間横。幽人不作紅塵夢，月照空山鶴一聲。四溟山人集

【原】安紹芳香山寺詩　隔嶺藏香閣，到門生暮烟。斷崖寒積雨，細草伏流泉。臺指祈星處，松傳護駕年。石幢連繡栱，似欲化青蓮。研亭稿

【原】黎民表香山寺詩　卻月横香閣，祠星隱紺臺。殿隨山勢轉，池向水源開。雙闕浮雲斂，千林返照來。鶴岑清絶處，心賞信悠哉！瑶石稿

【原】吴擴暮登香山詩　石門亘西天，幽花夾山路。歸鳥競喧呼，夕陽隱芳樹。登登青崖端，偶與羣公遇。散坐雲壑間，會兹静中趣。纖月何娟娟，清風灑襟素。貞素堂集

【原】俞憲香山寺詩　已陟軒楹勝，還尋澗壑幽。獨行無燕笑，情至亦淹留。花密藏溪路，峯危帶石樓。回看禪誦處，香靄接天浮。是堂稿

【原】郭棐香山寺詩　來青亭上覽流暉，歷歷僧房隱翠微。大壑風聲摇几席，近山霜氣濕征衣。林花照水娟娟並，幽鳥迎人款款飛。因憶羅浮諸勝在，驅車何日可言歸？蘭省稿

【原】朱國祚秋入香山寺詩　山半松門度石梁，流泉決決響僧廊。置身著色屏風裏，梨葉新紅柿子黄。介石齋集

【原】陳萬言香山寺詩　氣轉春逾爽，山藏霧尚寒。路真通杳靄，香已熟栴檀。霞外千峯寺，人間六祖壇。淋漓瞻寶墨，飛作五雲看。鈃園集

【原】傅淑訓香山題壁詩　棋盤石無人奕，護駕松有鳥棲。下界鐘聲古寺，上方月影前溪。平甸草鋪似繡，高峯石削如門。牛羊十里五里，雞犬前村後村。帝京景物畧

【補】王惲題香山寺詩　送客當年過玉泉，醉中游賞得奇觀。一泓湛碧浮僧鉢，幾葉秋黄打石闌。山色空濛金界濕，松聲清泛碧波寒。吟鞭回首都門道，斜日歸時翠滿鞍。秋澗集

【補】郭第香山寺詩　碧雲回首翠千重，又聽香山寺裏鐘。乳鵲不飛人寂寂，女蘿垂葉掛長松。明詩正聲

補劉秉忠同宋義甫宿香山寺詩　摩空削出碧芙蓉，繾綣香山一帶峯。野樹去年曾繫馬，閒雲今日復從龍。玉鉤三寸月沉水，琴調數聲風入松。清徹夢魂眠不得，覺來那假曉樓鐘？藏春詩集

原香山寺有軒曰來青，坐見兩山迴合，平疇外衍，飛鳥出没雲際。寺門有泉，石橋跨之，其流入西湖。柏厓集

原永安寺來青軒，軒居山半，俯瞰叢樹，青黄相雜。循廊而上，殿閣崇麗，與平坡並峙。正統間太監范宏所建。懷麓堂集

原來青軒臨絶巘，周匝女牆。倚牆下瞰，平楚荒榛，杳渺無際。余文敏集

原來青軒五楹，闌楯外垣以甎甓，下臨絶壑。玉泉諸峯按伏其前。朱殿撰之蕃題楹云：恐壞雲根開地窄，愛看山色放牆低。憑闌東望，盡挹山川之秀，若流憩亭不及來青遠甚。然仰視山巔，高插雲漢，亦奇境也。至寒泉亭，斯可有無矣。長安客話

〔臣等謹按〕寒泉亭今無考。

原李東陽錢仁夫錢承德夜宿香山來青軒聯句　一軒縹緲閣空青，東陽　四顧參差擁翠屏。仁夫　涼夜推窗堪待月，承德　前朝掃石記祠星。東陽　雲蒸衣潤龍歸鉢，仁夫　風梟鑪薰鶴聽經。承德　地隔紅塵三百丈，東陽　尋仙何必泛滄溟？仁夫　美具録

原李言恭宿來青軒詩　地敞千林月，門開萬壑霞。花間翻貝葉，樹杪見人家。路轉溪流折，山迴石磴斜。平空聊借榻，高卧似浮槎。貝葉齋稾

原區大相登來青軒詩　層軒翠微裏，宸翰此高題。仰見星辰列，平看雲霧低。路盤陵樹北，山擁帝城西。萬乘來游地，應無七聖迷。海目集

增姚希孟來青軒詩　虛檻雲嵐上，諸峯斷復連。圍成螺髻頂，散作鬱藍天。空翠山藏骨，冥濛樹拂烟。品題留御藻，青色自年年。帝京景物畧

原來青軒之前，兩腋皆叠嶂環列。賓軒爲金章宗祭星臺。其西南道上，章宗經此，有松密覆，因呼爲護駕松。長安客話

原常山劉文正王以沉機大略，最爲世祖親幸，且通秘術。用兵之際，役使鬼神，多著奇效。乃作祠宇於宛平之西山，以祀太乙六丁之神，號曰靈應萬壽宫。説學集

〔臣等謹按〕靈應萬壽宫今無考。

原至元十一年，建太乙宫於兩京，命李居素居之，領祠事，且禋祀六丁以繼太保劉秉忠之術。元史釋老傳

原趙孟頫萬壽宫館舍作　來時殘雪點征衣，落盡庭花尚未歸。夢裏不知身卧病，春衫鄉路馬如飛。松雪齋集

原范梈靈應宫詩　萬花如繡擁朱宫，上界嚴祠望碧空。一十二時春百刻，日長半在鳥啼中。范德機詩集

原元英宗延祐四年四月，祭遁甲神於香山。今香山有金章宗祭星臺，於史無所考，或是元時祭遁甲神之地。北平古今記

補元無名氏題祭星臺詩　章宗曾爲祭星來，鑿石誅茅築此臺。野鳥未能隨鶴化，山花猶自傍人開。順天府舊志

增太倉王衡祭星臺詩　空潭落星辰，騰沙鬱四野。不知何王碑，隔坡問牧者。緱山集

原香山西佛堂懸御書二扁，一曰雲白山青，一曰西巖。長安可游記

〔臣等謹按〕雲白山青、西巖二扁今皆廢。

原程敏政香山永安禪寺觀音閣重修記 西山之剎以數百計，香山號獨勝。層樓叠屋，翬飛岌立，於林巒紫翠中若畫圖然。觀音閣據寺東隅，視諸閣尤峻。閣久漸圮，寺主左善世定皚東白募修之。太監李公興、陳公冕爲之上聞，詔賜内帑白金彩幣倡之，遠邇聞者咸樂爲助。乃以弘治四年七月啓工，以明年竣事。東白常熟人，弘慈禪師玉磵清公再傳之弟子。篁墩集

〔臣等謹按〕觀音閣今存。

原洪光寺據山頂，短垣繞門，地悉甃以石，寬平可坐。山之勝一覽而盡。南濠集

增洪光寺入石門，路甚修平，古柏夾之。人行道上蒼翠撲衣。可數百步，復折而上，如是者十有一。每登一折，必右俯木末，左瞰絶壁，壁皆甃石爲之，歲久若天造。天府廣記

原洪光寺古剎，巨璫鄭同重修。同，朝鮮人也。寺内圓殿千佛各坐寶蓮，皆極工巧，臺右有姜立綱書碑。游業

〔臣等謹按〕圓殿今存，姜立綱書碑今廢。

原洪光寺徑上指玉華寺，再上指玉皇閣，下指碧雲寺，再下指弘法寺。十有八盤而徑盡，至寺門，香山乃在其下。寺建自鄭常侍同。同生高麗，其國王李裪貢入中國，得侍宣宗。後復使高麗，至金剛山，見千佛繞毗盧之式，歸結圓殿供毗盧，表裏千佛，面背相向，自爲碑文自書之。帝京景物畧

〔臣等謹按〕今碧雲寺之北，普覺寺之南，木蘭陀有玉皇閣。弘法寺址今無考。

原成化四年十二月，遣太監鄭同、崔安册封朝鮮世子李晄爲王。既行，巡按遼東監察御

史侯英奏：同與安俱朝鮮人，墳墓宗族皆在其地，於其國王未免行跪拜之禮，進囑託之辭，殊輕中國之體。乞追寢成命，遣翰林院給事中及行人往使爲便。上是其言，於是賫賞則遣内臣，册封則遣廷臣有學行者。明憲宗實録

原王延陵同張崑崙過洪光寺詩　洪光高閣杳林端，繚繞雙過錦繡鞍。曉日乍開仙闕曙，春雲猶弄上方寒。窗中猿墮青天影，樹裏人行赤玉闌。已分息機甘晏寂，長安風露任漫漫。今雨瑤華

原鄔佐卿洪光寺詩　緑暗深深入，林端梵宇開。晴嵐飛鸛鶴，秋色繡莓苔。磴轉山容變，雲移塔影來。遲回不得住，舍此復塵埃。芳潤齋集

原凌震洪光寺詩　盤旋窮九折，紺殿忽巃嵸。寺正當高處，山都在眼中。翻階花勝雪，委地柳宜風。霑醉歸途裏，春雲處處同。練溪集

原鄧欽文洪光寺懷陳丈詩　寺裏還藏寺，山頭别起山。磴盤千級上，僧占一峯間。秀色杯前墮，孤雲杖底還。元龍負奇好，惆悵不同攀。詩統

原朱正初洪光寺詩　石磴千盤殿角寒，到來松色滿闌干。白雲飛去寺門閉，留得斜陽向客看。長安客話

原朱國祚洪光寺詩　石門幾曲轉丹梯，圓殿僧同㤰鴿棲。指點遊人下山路，酒旗風颭夕陽西。介石齋集

原左光斗洪光寺詩　磴削天全闊，梯盤地轉牢。一亭環積翠，萬里見秋毫。白日入林礙，青天過鳥勞。自從經御蹕，直是五雲高。左忠毅集

原出洪光寺東，數轉爲玉華寺。寺後有池，泉流涓涓不絶。山房跨磵十餘楹，稱玉華别院。越磵折而西北，有小院名慈壽庵。游業

〔臣等謹按〕慈壽庵今無考。

原王嘉謨玉華寺詩　層峯開淨域，十丈控丹梯。坐瞰平湖淺，中分萬嶺低。斜陽傳塔影，飛瀑亂鶯啼。自覺諸天近，香花聚路蹊。薊邱集

原碧雲庵建於元耶律阿勒彌，正德中内監于經拓之爲寺。天啓三年，魏忠賢重修之，土

人呼爲于公寺。巖下有泉，泉旁一柳有大癭，人呼爲癭柳。柳左堂三楹，萬曆御題水天一色。前臨荷沼，沼南修竹成林，巖下一亭曰嘯雲。春明夢餘録

〔臣等謹按〕孫承澤春明夢餘録所稱柳左之堂及嘯雲亭今俱無考。水天一色扁已廢。

原 碧雲寺二元碑，一至順二年立，一元統三年立。帝京景物畧

〔臣等謹按〕元碑今廢。

原 香山碧雲寺，正德中御馬監太監于經所造。經以便給得幸，導上於通州張家灣榷商賈舟車之税，歲入銀八萬之外，即以自飽。斥其餘羨爲寺於香山，而立冢域於寺後。上嘗親幸焉，爲之賜額。嘉靖初，下獄瘐死，籍其家，而寺與墓獨存。湧幢小品

〔臣等謹按〕今寺後冢域已毁。

原 自洪光折而東，取道松杉中二里許，從槐徑入，一谿横之，跨以石梁，爲碧雲寺。壯麗與香山相伯仲。歷數百級，登佛殿，殿前甃石爲池，深丈許，水引自寺後石罅出，噴薄入小渠，人以卓錫名之。寺僧導之過齋廚，遶長廊出殿兩廡，左右折復滙於殿前石池，金鯽千頭，上嘗臨觀焉。長安客話

增 碧雲寺左側有泉屋之，納以方池，吐以螭脣，紅酣緑沉，餌之則爭。帝京景物畧

原 碧雲寺泉從山西壁螭首口中吐出，去渠尺許，微有飛沫。時雨初過，淙淙若琴筑。下

注於渠，渠繞亭後，折而東南，又折而北。渠廣尺餘，越數步設一牐。亭前有沼可一畝，渠水注之，亦由螭口出。迄東南注垣下，過香積廚，又西南注殿前沼。余文敏集

〔臣等謹按〕寺內泉源今從巖罅吐注，非螭首口也。

原 碧雲刹後有泉從石罅出，有聲，石壁色甚古，亭曰聽水佳處。泉繞亭而出，流於小池，種白蓮百本。塘前穉竹嫩緑有致，竹旁有銀杏二株，陰蔭一畝。其左一洞若夏屋，泉復繞之而出，達於廊下。引入殿前爲池，界以石梁，朱魚潑剌，水脈隱見。至寺門迸入於溪。珂雪齋集

〔臣等謹按〕聽水佳處亭今無考，洞屋今存。

原 碧雲寺，金銀宮闕若王者之居，殿前有池，跨以石梁。上移蹕再幸，樂之，設帟飲梁上，觀魚。寺前有泉亭竹樹，留御書額，額曰蒼松古柏，曰水天一色。其西峭壁如城，有石室三，臨澗，石門石竇，盛夏可以避暑，冬則徙卉木藏焉。大復山房集

〔臣等謹按〕蒼松古柏諸額今廢。

原 碧雲寺修除連栱，與香山稱。左緣曲逕，有卓錫泉，環庭際淲淲鳴，中爲廣亭，右壁綴以文石，境之最幽者。長安可游記

原 出香山，策馬東行，轉而西北，即碧雲寺。寺門有石獅二，雕鏤絶工。鐘樓西石刻蛟

形，泉從口湧，泠泠瀉溝中，出寺而納於澗。同上

〔臣等謹按〕碧雲寺前石獅今尚存。

原碧雲寺後有魏忠賢墓，本于經舊墓道，忠賢拓之。翁仲石麟羊虎森列，扶闌皆以白玉石爲之，雕刻精巧。中立二穹碑，合書其銜，忠賢戮屍之後，未嘗葬此。聞係崇禎甲申都城破後，其黨爲之者。明初中官造墳安葬，例給銀五十兩。自正德中多至五百兩矣。其後歲益月增，享堂碑亭制愈僭越。夫山陵之制，亦不過前樹一碑而已，忠賢乃用二碑。黨附小人之無忌憚如此。惜無力士踣而碎之矣。泠然志

增御史張瑗疏：臣巡視西城，查閱至香山碧雲寺。寺後峻宇繚牆，覆壓數里，鬱葱金碧，疑是前王陵寢。詢之土人，乃知爲故明逆璫魏忠賢生壙。墓上有二穹碑屹立，合書欽差總督東廠官旗辦事掌惜薪司内府供用庫尚膳監印務司禮監秉筆總督南海子提督保和等殿完吾魏公忠賢之墓。臣觀覽之下，不勝髮指云云。香祖筆記

補西山碧雲寺，元之碧雲庵也。耶律阿勒彌所建。明正德中内璫于經拓之爲寺，而立冢域於後，土人呼爲于公寺。嘉靖初，于下獄死。天啓三年，内璫魏忠賢重修，亦立冢域其後。崇禎初，魏亦戮屍。二璫皆立冢而皆不得其終，豈名山有靈不爲奸豎藏魄耶！冬夜箋記

補西山佛寺百數，皆建自内官。其最閎麗者曰碧雲寺，因山下上，築臺殿，金碧露松栝之表。其北内官墳墓數十，鐫石爲闌，窮極纖巧。翁仲羊虎夾侍，墓碑林立，其文俱宰輔所製。中立穹碑二，具書總督東廠官旗魏忠賢爵秩。蓋忠賢敗後，其屍已戮，其族已徙，閹寺猶力護其類，樹碑立冢。然後知小人流禍未有酷於閹寺者也。竹垞文類

補碧雲寺有小石幢，本當時賣地券也。演作韻語，末云：賣與中丞阿里吉。吉作平聲，蓋從國語讀。古人游戲翰墨，書券每作韻語，如王褒僮約，石崇奴券，皆然。戴良失父零丁亦用韻語。又見汾州學宮門右有石嵌壁中，乃金郝天挺募建文廟疏，其文伏以之下書絶句一首，即接以謹疏字。此皆辨文體者所未及也。青鞵踏雪志

〔朱昆田原按〕周憲王作元宮詞云：獨木涼亭錫宴時，年年巡幸孟秋歸。紅妝小妓頻催酌，醉倒花前阿刺吉。張光弼塞上謠云：妖姬二八貌如花，留宿不問東西家。醉來拍手趁人舞，口中合唱阿刺刺。皆以元國語叶韻，未免近於填詞。然填詞必準周伯清中原韻，而吉字止作上聲讀，刺字止作去聲讀，無讀平聲者。以中原韻作詩猶且不可，況逸出中原韻之外乎！以之入賣地券，君子無譏焉矣。

原陸深碧雲寺詩　鳥道千盤迴，羊腸一徑斜。年年二三月，紅杏碧桃花。儼山集

原陳沂遊碧雲寺詩　西嶺多金刹，林深到碧雲。山文瑁宇斷，水脈石渠分。魚躍翻蘋見，鶯啼隔竹聞。經營竟誰主？太息倚斜曛。拘虛集

【原】唐順之遊西山碧雲寺詩　端居滯文翰，久與賞心闊。出沐乘休豫，尋幽展懽悦。涉澗俯潺湲，攀巒面巀嶭。邈哉神皋奥，居然靈境別。夷峻疏深池，塞坎搆崇梲。浴室盪湯泉，冰井沸陰穴。躋險惕瞑眩，逃迴欣超軼。密林嬉猿獮，遠峯挂虹霓。宵看朝旭升，書見昏星列。蔀豐光乍熹，崖懸曜先晰。景會萬象昭，跡暌百慮絶。嵓棲庶可希，從兹謝塵轍。荊川集

【原】何御碧雲寺詩　侵晨發廣源，到寺日亭午。回見山下居，頗異闤中土。樹底禽關關，巖間鹿麌麌。鐘鳴出紺林，香靄薄珠宇。薜荔當高垣，蘼蕪雜修楚。入門釋塵襟，僧導轉迴廡。石泉山下行，流杯坐中取。即此慰遐情，何戀圭與組！白湖集

【原】莫如忠碧雲寺詩　香臺何處覓，倚杖躡層巔。出樹凌飛磴，穿階響暗泉。洞陰扃若户，林靄碧於天。到切歸依想，無勞更問禪。崇蘭館集

【原】何棟碧雲寺詩　萬峯圍殿閣，碧色淨如雲。樹影欄前落，泉聲竹裏聞。攀蘿丹磴轉，鑿石翠流分。獨愛空林靜，焚香對鶴羣。太華集

【原】王世貞宿碧雲寺詩　幽人夜無寐，初月銜山閣。不見月出光，但見松影落。弇州山人稿

【原】公鼐碧雲寺詩　西山千百寺，無若碧雲奇。水自環廊出，峯如對塔移。樓齊平樂觀，苑接定昆池。不似人工得，當時作者誰？問次齋稿

【原】姚汝循碧雲寺詩　策馬隨流水，穿林到碧雲。金銀開法界，紫翠藹朝曛。峯自香鑪轉，泉非裂帛分。年來機事息，魚鳥與人羣。錦石齋集

【原】朱國祚碧雲寺詩　銀牓高懸寶地賖，游人只愛寺前花。不知賈舶徵求盡，舊鬼年年哭潞沙。介石齋集

【原】錢楷碧雲寺詩　空王臺殿碧氤氲，藥塢松關啓夕曛。叢篠娟娟圍砌密，細泉汩汩繞廊分。月明梵唄諸天近，雨後鐘聲下界聞。向夕虚堂對寒碧，坐來衣冷欲生雲。萬玉亭集

【原】傅淑訓碧雲寺詩　洞巖倒立石笋，澗水斜流落花。朝雲迷處僧舍，暮山影裏人家。帝京景物畧

【補】陸深碧雲寺觀泉作　堂辭白玉前，寺到碧峯下。石幢插堵波，貝葉翻般若。循除決清泉，此境極瀟灑。琤琮金珮傳，宛轉玉繩瀉。緬懷川上心，臨流歎不舍。曾聞貂璫雄，揮金事游冶。高臺相掩映，松篁雜梧櫝。似識舟壑安，寧知蕉鹿假？止觀等殷鑒，洗酌泛周斝。儼山集　以上各條原在郊坰門，今移改。

欽定日下舊聞考卷八十八

郊坰 東一

增 元京城門東之北曰崇仁，明改崇仁曰東直。大清一統志

（臣等謹按）東直門，明洪武時改，本朝因之。

原 東直門外五里爲春場。場内春亭，萬曆癸巳，府尹謝杰建。帝京景物畧

（臣等謹按）春場在東直門外一里許。明制，順天府府尹迎春，自場入於府，即此地。帝京景物畧云五里，誤也。場内春亭已廢，有碑卧道旁，僅存東關外春亭碑記篆額，碑文字蹟皆漫漶剥落。其建置年月無可考。

增 永樂五年設東直門外牛房倉。明會典

（臣等謹按）東直門外六里許地名牛房。

原 景泰元年七月，築東直門望京村墩臺。明景帝實録

原 望京館在城東北五十里孫侯村，遼建爲南北使臣宿息餞飲之所。宋王曾上遼事曰：出

燕京北門至望京館。即此。（春明夢餘録）

增 幽州東北三十里有望京館。（夢溪筆談）

〔臣等謹按〕今其地名孫河屯，或孫侯村之轉音也，爲古北口孔道。

原 華光寺在東直門外之北，靈惠寺在東直門外之南。（五城坊巷衚衕集）

原 靈惠寺有勑建碑。（明順天府志）

〔臣等謹按〕華光寺今存，有明天順五年六年重修碑二。靈惠寺今圮，正殿前僅存建會造像功德碑一，字蹟剥蝕，勑建碑今無考。

原 兵部主事金鉉墓在東直門外六里屯。（大興新志）

增 張烈金鉉傳畧　金鉉字伯玉，號一篋，大興人。先世居武進剡村。永樂七年，以留守前衛軍籍隨至北京，十世而至鉉。鉉十八歲舉天啓丁卯順天第一，次年成進士，乞教授揚州，進國子監博士、工部主事。時有詔命太監張彝憲總理户工二部，且建署。鉉曰：是將部堂自處，以吾曹爲之屬耶！吾寧不官，奈何爲之類？上疏，不報。已而以試火器不適用，坐鉉罪，除名。是時鉉年二十三，一時人望黄道周、劉宗周、陳龍正等皆願交。鉉乃益肆力學問，研究六經及宋元明儒書，折衷其學，久益有得，歸於切實。後學或問宗旨，正色曰：日用躬行未之有得，何宗旨爲？甲申二月服闋，起兵部主事，巡視皇城。時流賊已長驅向闕，鉉與朱之馮相期致命。俄聞之馮死，率弟輩哭之曰：今與若哭勉齋，復數日若哭我矣。賊入都，鉉拜辭母，屬諸弟，奔赴皇城，投河死，年三十五。弟鏡等衛其母避匿。母不可，投井死。鉉妾王氏及弟鋐皆死。鏡有學行，集鉉詩文、語録、年譜共八卷行世。順治十年十月，世祖章皇帝命禮部右侍郎兼侍讀學士高珩祭鉉，賜謚忠潔。（畿輔通志）

〔臣等謹按〕金鉉墓碣今存。

增 元京城門東之南曰齊化，明改齊化曰朝陽。（大清一統志）

〔臣等謹按〕朝陽門，正統時改，本朝因之。門外石道，雍正七年修，恭勒世宗憲皇帝御製碑文，乾隆二十二年重修，恭勒皇上御製碑文，謹編載卷内。

增世宗御製朝陽門至通州石道碑文　自朝陽門至通州四十里，爲國東門孔道。凡正供輸將，匪頒詔糈，由通州達京師者，悉遵是路。潞河爲萬國朝宗之地，四海九州歲致百貨，千檣萬艘，輻輳雲集。商賈行旅，梯山航海而至者，車轂織絡，相望於道。蓋倉庾之都會，而水陸之衝逵也。雖平治之令以時舉行，而輪蹄經涉，歲月滋久，地勢漸窪。又時雨既降，積雪初融之後，停注泥淖，有一車之蹷需數十人之力以資牽挽者矣。朕心軫念，爰命所司相度鳩工，起窪爲高，建修石路，計長五千五百八十八丈有奇，寬二丈，兩傍土道各寬一丈五尺，長亦如之。其由通州新城舊城至各倉門及東西沿河兩道，亦皆建修石路，共計長一千五十餘丈，廣一丈二尺及一丈五尺不等。費帑金三十四萬三千四百八十四兩有奇。經始於雍正七年八月，至雍正八年五月告竣。有司請爲文以紀其事。嘗稽周禮地官司徒：令野修道，遂師巡其道修。鄭鍔疏曰：道路以通往來之途，使賓至如歸，亦修文德以來遠人之意。禮月令：季春之月，命司空循行國邑，周視原野，開通道路，毋有障塞。典籍所垂，凡體國經野之政至備具也。朕臨御以來，詳求治理，早夜孜孜，惟恐不逮。近而郊圻，遠而郡邑，卽遐陬僻壤之區，其有關於利濟民物者，莫不因地制宜以次修舉。是役也，遠師古聖王之良法美意，而斟酌久遠，一勞永逸，良用欣慰。庶使遵是路者瞻周道之蕩平正直，咸慶同軌之盛治焉。爰誌其歲月而勒諸石云。

增御製重修朝陽門石道碑文 直省漕艘估舶，帆檣數千里，經天津北上，至潞城而止，是爲外河。引玉泉之水，由京師滙大通橋，東流以達於潞，用以轉運者，是爲内河。然外闊而内狹，故自太倉官廩兵糈暨鄽市南北百貨，或舍舟遵陸，徑趨朝陽門。以舟緩而車便，南北之用有不同也。其間輪蹄絡繹，曳挽邪許，讙聲徹昕夕不休，故常以四十里之道備水陸要衝。而舊制初未甃石，往往積涔成窪，經潦作濘，行者弗便焉。雍正七年，我皇考世宗憲皇帝命工始建石道，規方定則，垂利數十載於今，顧神皋理大物博，民用不舍，質之貞者日以刓，理之緻者日以泐。不亟治，將隳前功是懼。爰咨將作都料以聞。朕曰：毋擲帑，毋狹材。帑擲，是重糜帑也，材狹，是重廢材也。時大臣董斯役者揩楕爲平，易礫以整，物備用良，無坎無垤，而石之斥舊佐新者什不存四五矣。計延袤六千六百四十四丈有奇，支户部金二十八萬四千九百有奇。經始於乾隆丁丑十月，越庚辰七月落成。所司請爲之記。朕惟古王者成梁除道，若司空循邑，遂師巡野諸令，匪僅謂國家體制宜爾，蓋深以息人勞，珍物力，使天下潛消夫湫隘耗憊之氣，無歉於書之所云會歸，易之所云往來受福者，而天下肩摩轂擊，轉相忘乎熙熙攘攘，不過如庭斯墄、如徑斯蹝焉耳。則王道之大也，豈煦煦然起一夫之蹶，與一車之柅，若子輿氏所譏濟人爲悦而已哉？是地爲國東門，既食貨交會，而修廢舉墜又立政之常經。故於鐫碣無侈詞，惟申言重修端委所由，且作亭覆之，俾勿壞。

原 永樂十六年九月，設北京壩上、義河、北高岸、石橋、南石渠、黄土、北草場七倉，隸順天府。明成祖實録

原 宣德元年六月，設順天府壩上南北二倉，專掌馬房草料。明宣宗實録

原 正統九年八月，朝陽門外倉成，名大軍倉，隸後軍都督府，以貯操備馬料。明英宗實録

增 光熙門與漕壩相接，當運漕歲儲之時，其人夫綱運者入糧於壩内龍王堂前唱籌。析津志

〔臣等謹按〕元制，東三門左曰光熙，明洪武元年廢。

增 昆吾公廟在宣曜門外官窰場南，其姓氏莫詳焉。析津志

〔臣等謹按〕宣曜門乃金天德中所置，爲東第二門，至元時已廢。析津志所載昆吾公廟，蓋金代所建。廟及官窰場今皆無考。

增 白虎廟在齊化門外橋南。析津志

〔臣等謹按〕白虎廟今無可考。

原 漱芳亭在齊化門外，道士吴全節所建。春明夢餘録

【原】道士張伯雨，號句曲外史，又號貞居，嘗從王溪月真人入京。初，燕地未有梅花，吳閑閑宗師全節時爲嗣師，新從江南移至，護以穹廬，扁曰漱芳亭。伯雨偶造其所，恍若與西湖故人遇，徘徊既久，不覺熟寢於中。真人終日不見伯雨，深以爲憂，意以出外迷失街道也。夢覺，日已暮矣，歸道所由。嗣師笑曰：伯雨素有詩名，宜作詩以贖過。伯雨遂賦長詩，有風沙不憚五千里，將身跳入仙人壺之句。嗣師大喜，送翰林集賢嘗所往來者袁學士伯長、謝博士敬德、馬御史伯庸、吳助教養浩、虞修撰伯生和之。輟耕録

【增】張雨，一名天雨，字伯雨，別號貞居子，錢塘人。棄家爲道士，晚居開元宮，有句曲外史集。句曲外史集

〔臣等謹按〕漱芳亭今無可考。

【原】至元初，姚長者仲實於城東艾村得沃壤千五百餘畝，構堂樹亭，繚以榆柳，環以流泉，藥闌蔬畦，區分井列，日引朋儕觴詠其間，優游四十餘年，泊然無所干於世。雪樓集

【原】弘治十七年二月，有旨，朝陽門外修建延壽塔并殿宇廊廡牆垣，命内閣撰勅，令司禮監太監李榮、内官監太監李興提督監造。大學士劉健等言：佛老之事，無益於世，有損於民。祖宗朝僧道有定員，寺觀有定額。所以治天下者，堯舜周孔之道而已。今寺觀相望，僧道成羣，齋醮不時，賞賚無算。謂其能祈福消災，庇民護國，近年以來，災異迭見，不知其所祈者何福，所消者何災？護國庇民，其功何在？乃造爲延壽之名，上惑聖聽。嘗聞堯舜之壽皆過百歲，當時未有僧道塔寺，不知誰與延之？況塔寺之費動以數萬，若省修建之財爲賑濟之用，卽可以活百萬生靈之命，豈非延壽一大功德哉！伏望陛下收回成命，將前項塔寺卽爲停止，其勅書免令臣等撰擬。上曰：卿等言是，其卽停止

之。明孝宗實録

原正德三年十一月，劉瑾創元真觀於朝陽門外，大學士李東陽爲製碑文。明典彙

〔臣等謹按〕元真觀今圮。

原出朝陽關沿河往南有天妃宫。五城坊巷衚衕集

原天妃林姓，閩王時統軍兵馬使願之女，能乘席渡海，雲游島嶼，人呼曰龍女。宋雍熙四年昇化湄洲。父老相率祠之，名其墩曰聖墩。閩書

原天妃世居莆之湄洲嶼。五代時，閩都巡檢林願之第六女，生於晉天福八年，以雍熙四年二月二十九日昇化。厥後嘗衣朱衣，飛翻海上。里人祠之。宣和癸卯，給事中路允迪使高麗，中流遇風，八舟俱溺，獨路舟神降於檣，無恙。使還奏於朝，特賜廟號曰順濟。紹興己卯，海寇入江，神駕風一掃而遯。加封昭應崇福。乾道己丑，加封善利。淳熙間，加封靈惠。慶元、開禧、景定間，累封助順、顯衛、英烈、協正、善慶等號。元以海漕有功，賜額靈濟。東西洋考

原凡名山大川，忠臣義士在祀典者，所在有司主之，惟南海女神靈惠夫人，至元中以護海運有奇應，加封天妃，神號積至十字，廟曰靈慈。祝文云：年月日皇帝遣某官致祭於護國庇民廣濟福惠明著天妃。元史祭祀志

原洪武初，復有護海運舟之功，五年，封孝順純正孚濟感應聖妃。閩書

原邱濬天妃廟碑　京師舊有天妃廟，在都城之巽隅大通橋之西。景泰辛未，道士邱然源援南京例，請升爲宫。然規制尚存其舊，弗稱宫之名也。成化庚子，然源乃募材鳩工，拓大而一新之，祠神之宫，兹其稱矣。瓊臺會稿

補天妃，宋徽宗宣和間路允迪使高麗，八舟溺其七，見妃朱衣坐桅上，舟藉以安。歸聞於朝，賜祠額名順濟。高宗朝，封崇福靈惠昭應夫人。孝宗朝，以助勦溫台寇，封靈慈昭應崇善福利夫人。光宗朝，以救旱，封靈惠妃。寧宗朝，以救潦，加封助順。又以淮甸退敵，屢加顯衛護國助順嘉應英烈妃。理宗朝，以濟興泉饑，加封協正，又封靈惠助順嘉應慈濟妃，尋以錢塘堤成，加封善慶，既又以顯靈焚寇，進顯濟妃。元世祖封護國明著天妃，進加顯佑。成宗加封輔聖芘民。仁宗加封廣濟。文宗加封靈感助順福惠徽烈，賜額靈慈。皆以漕運危險立見顯應故也。明太祖封昭孝純正孚濟感應聖妃。成祖封護國芘民妙靈昭應弘仁普濟天妃。莊烈帝封天仙聖母青靈普化碧霞元君，已又加靜賢普化慈應碧霞元君。使琉球雜録

〔臣等謹按〕天妃宫今存，其地名大橋北西河沿，邱濬碑文亦存。

增東嶽廟在朝陽門外二里。畿輔通志

〔臣等謹按〕東嶽廟在朝陽門外，本朝康熙三十九年重建，乾隆二十六年復加修葺。正殿額曰靈昭發育，聖祖御書。又額曰嶽宗昭貺。聯曰：木德承天，槖籥陰陽甄品彙；青祇司令，監觀上下仰靈威。寢宫額曰蒼靈贊化。聯曰：作鎮統元，居五岳之長；資生合撰，妙萬物而神。後層玉皇閣額曰碧霄宰化，皆皇上御書。正殿院中恭立聖祖御製碑文及皇上御製碑文。

原東嶽廟刱自前元，規制宏麗，累朝歲時勅修，編廟户守之。長安客話

原朝陽門外有東嶽廟，其塑像，劉鑾手製。墀中豐碑三通：其一爲張天師神道碑，趙文敏孟頫書；其一爲仁聖宫碑，虞文靖集隸書；其一爲昭德殿碑，趙世延書。燕都游覽志

〔臣等謹按〕劉鑾應作劉元，觀後條虞集道園學古録及陶宗儀輟耕録，可證其誤。劉鑾，在元前别是一人，詳見皇城天慶宫所引周篔析津日記條下。廟内趙孟頫書張留孫神道碑今存，虞集書仁聖宫碑、趙世延書昭德殿碑今無考。

原廟在朝陽門外二里，元延祐中建，以祀東嶽天齊仁聖帝。正統中益拓其宇，兩廡設地獄七十二司，後設帝妃行宫，宫中侍者十百，或身乳保，或爲妃治膳奉匜。有二浴盆，

受水數十石。道士贊目疾者入洗。帝妃前懸一金錢。道士贊入者投錢中則得子。人罄所攜錢以出。三月二十八日言是帝誕辰，都人陳鼓樂旌幟，結彩爲亭閣，導帝出遊。觀者塞路取醉松林乃歸。帝京景物畧

增齊化門外有東嶽行宫，此處昔日香燭酒紙最爲利益。江南直沽海道來自通州者，多於城外居止，趨之者如歸。又漕運歲儲多所交易，居民殷實。析津志

原大都南城長春宫都提點馮道頤，始作東嶽廟於宫之東，謀於其徒曰：不得劉正奉名手，無以稱吾祠。且正奉嘗從吾徒游，將無靳乎！卽詣正奉言之，正奉以前勅，未之許也。是時廟未成，民間以靈異禍福相恐動，事未甚顯灼。馮去後，正奉果怳惚若有所感者，病不知人者三日。或爲之禱乃起，謂其門人子孫曰：速爲我御，我且之東嶽廟。至廟，疾良已。會立廟事奏御，正奉祝曰：願親造仁聖帝像。既而疾大安，又進秩二品，益喜，曰：是神之賜也。因又造炳靈公司命君像，而佐侍諸神有弗當其意，悉更之，蓋幾有神助者。仰瞻仁聖帝巍巍乎帝王之度矣，餘皆稱其神之所以名者。初正奉欲造侍臣像，心計久之，未措手也。適閲秘書圖畫，見唐魏徵像，乃矍然曰：得之矣，非若此莫稱爲相臣者。遽走廟中爲之，卽日成正殿仁聖帝兩侍女、兩中侍、四丞相、兩介士，其西炳靈公兩侍女、兩儀臣，其東司命君兩道士、兩仙官、兩武士、兩將軍，皆正奉之

手。善觀者知非他工所可雜其間也。長春之白雲觀金人汾王先生十一曜，奇妙爲世所稱道，今遂配之，畧不可優劣。又上都三皇廟像尤古粹，造意得三聖人之微，亦正奉之所造也。道園學古録

【原】劉元，字秉元，薊之寶坻人。官至昭文館大學士、正奉大夫、秘書監卿。元嘗爲黄冠，師事青州杞道録，傳其藝非一，而獨長於塑，天下無與比。所謂搏換者，漫帛土偶上而髹之，已而去其上髹帛，儼然像也。昔人嘗爲之，至元尤妙。搏換又曰脱活，京師語如此。輟耕録

【原】唐開元十三年十一月壬辰，封泰山神爲天齊王。唐會要

【原】宋大中祥符元年，封禪禮畢，詔加號泰山天齊王爲仁聖天齊王。五年，詔加上東嶽曰天齊仁聖帝。文獻通考

【原】元至元二十八年春，加上東嶽爲天齊大生仁聖帝。元史祭祀志

【原】後唐長興三年，詔以泰山三郎爲威雄將軍。五代會要

【原】大中祥符元年，封禪畢，親幸泰山三郎廟，加封炳靈公。文獻通考

【增】洪武三年，詔定嶽鎮神號，畧曰：爲治之道，必本於禮。嶽鎮之封，起自唐宋。夫英靈之氣，萃而爲神，必受命於上帝，瀆禮不經，莫此爲甚。今依古定制，並去前代所封名號，五嶽稱東嶽泰山之神。明史禮志

【增】京師所祭者九廟，東嶽泰山廟在朝陽門外，祭以三月。同上

【原】正統十二年八月，京師重建東嶽廟成。明英宗實録

【增】聖祖御製東嶽廟碑文 京師朝陽門外向有東嶽廟，自元明迄今，歷有年所。康熙三十七年，居民不戒而燬於火。其明年，朕發廣善庫金，鳩工庀材，命和碩裕親王董其事。不勞一民，不興一役，經始於三十九年三月，訖工於四十一年六月，不三歲而落成。殿閣廊廡，視舊加飭焉。夫五嶽爲名山之長，而泰山尤羣嶽之宗。於時爲春，於德爲仁，而其神之靈又能膚寸成雲，霖雨天下。故諸嶽止祀於其方，而泰山之祠徧宇内。崇德報功，所從來久矣。朕卽位以來，殫心治理，訪求民隱，閱視河工，屢經魯地，皆命專官致祭。凡以爲蒼生祈福祉也。兹朝陽既都城之巽位，而東嶽廟又適在其地，則因其方位之宜，以隆望秩之典，亦禮之可以義起者。然則斯廟之成也，神既得所憑依，而民亦遂其瞻仰。自兹以往，風雨以節，寒暑以時，俾海宇得休養生息，以共樂於豐穰之世，庶於朕四十餘年惠愛黎元之意其稍有慰乎！爰書重建之歲月，以昭示來兹云爾。康熙歲次甲申冬十一月上旬書。

【增】御製東嶽廟重修落成碑記 乾隆辛巳嘉平之望，重葺朝陽門外東嶽廟蕆工，既親莅落成，會獻歲時巡南服，道經岱宗，念往牒用事得失所由，兹於有司請記而闡其義曰：古

祀嶽之文，壝而弗屋，神而弗像，升柴必以其方。故舉典稱望焉。今四嶽各望乎境，而泰山之祠遍天下，豈不以大生之德，揚詡萬彙，食則思報國，與民共之，匪猶夫肆覲告功間時特行者比耶？訟禮者謂廟之肇興，博綜輿志，未有在宋大中祥符前者。其視委巷尸祝，晉公而王，晉王而帝，踵事非制等爾。夫末俗位號崇奉，爲道流襲，故不足論，論天下立廟，則彼佪然岳麓者，已自唐而具五矣。亦豈有虞氏之舊哉？獨怪云云亭亭，蒲輪葅席以來，不七十二代之訾議而惟一廟爲齦齦乎！蓋神人之交非其道，雖登山記封禨而不得謂之稾經。如其道，卽祠饗逮方陬而不得謂之戾。古宋臣蘇軾有言：神在天下如水之在地中，掘井得泉，不得謂水專在是。矧東嶽長羣望，而茲廟直朝陽，以準易之出震齊巽，又誰曰不宜！斯役也，距皇祖四十一年命將作庀事，垂六十載於今，斤甃其剥陊而漆堊其黚昧。三塗重廡，式塏式完，支費壹出内帑，鳩工周一歲以成，皆得備書，且爲迎神送神歌麗諸樂石，俾展時事。榑桑兮升暉，碧霞縵兮承幃，穆將兮天齊。叶富媪兮堪春祺。神膚寸兮導雲旗，迎肸蠁兮如幾。謂茅脊其非芬兮，木禺詎肥？羌奚奓兮封泥。右迎神

狃天門兮四啓，睠奉高兮東阯。昭文像設兮新宫云歸，送將歸兮神歆只。華犧褪褪兮百靈纚纚，旉一元兮翊三始，青畿延喜兮黃圖薦祉。蓀何爲兮縣庋！右送神

增乾隆二十八年御製仲春東嶽廟瞻禮作　搏捖當年祕監稱，震方青帝用禋應。岱宗望秩自虞帝，宰執猶聞似魏徵。有事維新閱年久，廟葺於康熙四十一年，因歲久剥陊，命工出帑興修，乾隆辛巳落成，茲以謁陵途便，復來瞻禮。所希肸蠁佑民蒸。便途瞻禮欽明赫，時若虔祈錫福仍。

原虞集東嶽仁聖宫碑　延祐中，故開府儀同三司上卿玄教大宗師張留孫，買地於大都齊化門外，規以爲宫，奉祀東嶽天齊仁聖帝。仁宗皇帝聞之，給以大農之財。辭不拜，第降詔書護作。方鳩工而留孫殁。後闕年，今特進上卿玄教大宗師吴全節大發累朝賜金，以成其先師之志。至治壬戌作大殿，作大門，殿以祀大生帝，前作露臺以設樂，門有衛神。明年作東西廡。東西廡之間特起如殿者四，以奉其佐神之尊貴者。列廡如官舍，各有職掌，皆肖人而位之。築館於東以居奉祀之士。總名之曰東嶽仁聖宫。泰定乙丑，魯國大長公主自京師歸其食邑之全寧，道出東門，有禱於大生帝，出私錢鉅萬，俾作神寢，象帝與其妃夫人媟侍之容。天曆建元，今皇帝既即大位，遣使迎大長公主於全寧，還及國門，皇后迎母於郊，主禮神拜貺而後即其邸，天子乃賜神寢名曰昭德殿云。宫廣深若干畝，爲屋若干楹，高大宏麗，足以久遠。歲時内廷出香幣致祭。都人有祈禱，咸得至焉。有勑，命臣集撰文，勒諸麗牲之碑。其辭曰：

帝奠九土，辨方秩祀。封嶽維五，咸在天子。有巖岱宗，望之東郊。雨雲來敷，曾不崇朝。有壇有宫，神師攸作。
蒼龍青旗，百神祗若。天子神聖，惠於民人。睠言度思，昭德維新。丹楹朱户，納陛登陟。青青五組，兼幣加璧。
禮有舉之，祗益以因。即祠不違，天子之仁。徂徠有原，新甫有隰。樂具在廷，遠者來輯。庖盈大享，寢陳燕詩。
神具樂康，以惠我私。春日載陽，帝耤於耜。以先農人，祈我穡事。我觀我稼，視邇知遠。爾煦爾澤，自我畿甸。
相彼柔桑，被於沃饒。相彼元鳥，亦集其條。濺濺流水，駕言來祓。受弓載韣，思皇朱芾。出其闉闍，士女車徒。
來尸來宗，壽夭在予。祐我民庶，克修孝弟。以養以賦，以受多祉。兵祲弗驚，災癘弗嬰。熙熙有生，以樂治平。
天子萬年，成功則告。刻文登封，則有貞玉。道園學古録

原趙世延昭德殿碑　古者天子祭天地山川歲徧，稽之虞舜，二月東巡狩，至於岱宗，柴望秩於山川，肆覲東后，歷羣岳如岱禮，至冬乃畢。秦漢以來，時巡之禮或講或輟，鮮紹乎古矣。禮五岳視三公，至唐始封以王爵，司馬承禎又請旁立真君祠，宋因加帝號，岱曰仁聖，自是祠徧郡國。皇元有天下，世祖皇帝歲遣使賚香帛詣祠致祭。至元辛卯，加封大生。於以祈純嘏以永皇圖，迺百嘉以厚民生也。國初城大都，規模宏遠，祖社朝市廟學官署無一不備，獨東嶽廟未建。玄教大宗師張開府留孫於延祐末買地城東，擬建東嶽廟。事既聞，仁宗命政府庀役。開府辭曰：臣願以私錢爲之，儻費國財勞民力，非臣之所以報効也。上益嘉賞，遂勑有司護持，毋得阻撓。方得涓吉鳩工，而開府遽厭世。嗣宗師吴特進念師志未畢，竭心經營，不惜勞費，於至治壬戌春，成大殿，成大門，癸亥春，成四子殿，成東西廡，諸神之像各如其序，而後殿則未遑也。泰定乙丑，徽文懿福貞壽大長公主東歸，過祠有禱，捐緡錢若干

緡，竟其所未竟者。天曆改元，皇上入纂正緒，主來朝，適後殿落成，事徹宸聽，賜名昭德。命大司徒臣香沙奉宣玉音，諭臣世延文諸貞珉，用昭悠久。臣惟五氣流行，木位東方，四時順布，春居歲首。仁者木之德，生者春之用。然則天地發育萬物之功，皆本於東方。故羣岳祀之方域，而岱宗祠徧海宇。雖與禮經稍殊，然推原所以致人心嚮往之深者，其在茲乎！詩曰：泰山巖巖，魯邦所瞻。泰山蓋魯之望也，今主食邑於魯，則諸侯得祭其山川在境內者，以邦君之母有事於望祀，宜乎神之聽之，異於季氏之旅矣。況際聖天子膺天景命，百靈莫不受職，其於默佑顯相宗社億萬年無疆之休者，宜何如哉！是宜爲銘。銘曰：兩儀肇分，元氣流行。方岳奠位，於赫厥靈。巖巖岱宗，惟魯之望。時巡首途，秩祀攸尚。帝出乎震，春育無窮。仁聖大生，代有褒崇。相我國家，熙洽民物。昭明在上，有禱弗咈。貞壽之東，歷祠捐金。五禩來歸，靈宇靖深。帝曰休徵，維天允棐。悃愊全受，若合符軌。含齒戴髮，罔不懽心。天子萬年，式詔來今。曰雨曰暘，毋愆毋忒。有年屢書，報祀無斁。按：香沙，唐古特語肉鼻也，舊作薌山。今譯改。

原 吳澄大都東嶽仁聖宮碑　天子祭天下名山，嶽爲衆山之宗，岱又諸嶽之宗也。東嶽泰山之有祠宜矣，而古今祠祭禮各不同。嶽者地祇也，祭之以壇壝而弗廟。五嶽四瀆立廟，自拓拔氏始。當時惟總立一廟於桑乾水之陰。逮唐乃各立一廟於五岳之麓。若東嶽泰山之廟偏天下，則肇於宋氏之中葉。古者祭五嶽之禮視三公，蓋天者帝也，地者后也，諸神諸祇皆帝后之臣也。天之日月，地之嶽瀆，臣之最貴者三公爲臣之極品，故祭之禮與公齊等，祭之秩次如公，而非以公爵爵之也。唐先天開元間，謂漢以來王亦爵也，位公之右，於是封嶽祇而爵之曰王。宋大中祥符間，致隆嶽祠，猶以王爵爲未崇極，於是尊嶽祇而號之曰帝。意在於尊之而已，禮之可不可有，不暇計。吁咈哉！若神僭竊同天地所以起大賢之慨也。既廟之，又爵之，既爵之，又像之，地祇而肖像若人焉，至於今莫之或改也。我世祖皇帝平一海内，制作之事未遑，尚仍前代之舊。東嶽舊號天齊仁聖，復加新號曰大生，郡縣並如金宋時，有廟以祭東嶽。大都新築，規模宏遠，祖社朝市，廟學宮署，無一不備，獨東嶽廟未建。玄教大宗師張開府留孫職掌禱祀，晨夕親密。欽承上意，買地城東，擬建東嶽廟。事既徹聞，仁宗命政府庀役，開府辭曰：臣願以私錢爲之，倘費國財，勞民力，非臣之所以報効也。上益嘉賞，遂勅有司護持，毋得阻撓。方將涓吉鳩工，而開府遽厭世。嗣宗師吳特進全節深念師志未畢，竭心經營，不惜勞費。於壬戌春，成大殿，成大門，於癸亥春，成四子殿，成東廡西廡，神像各如其序。魯國大長公主捐資構後寢，勅賜廟額曰仁聖宮。特進以書來請記。予觀先開府之報上恩，今特進之繼師志，忠敬出於一誠，其美可書也。而予因及古今祠祭循習之由，以俟議禮者之討論。方今襲累朝積德之餘，際百年興禮之會，明聖在上，仁賢布列，必將追復二帝三王之懿，盡革魏唐金宋之駁。其於東嶽也，禮以地祇而不人其像，尊比三公而不帝其號，兆之如四望而不屋其祠，庋縣於其方嶽而不偏祠於郡縣。夫如是，雖元聖復生，必無曾謂泰山不如林放之歎。乘太平之基，新一代之典，昭示萬世之法程，斯其時矣。何幸吾身親見之哉！吳文正集

原 明英宗碑畧　天下之嶽有五，而泰山居其東。民之所欲莫大於生，而東則生之所從始。故書稱泰山曰岱宗，以其生萬物爲德，爲五嶽之尊也。廟而祀神於都城之東，示欲厚民生也。乃詔有司治故地於朝陽門外，規以爲廟，中作

二殿，前名岱岳，以奉東嶽泰山之神，後名育德，俾作神寢。其前爲門，環以廊廡，分置如官司者八十有一，各有職掌。其間東西左右特起如殿者四，以居其輔神之貴者，皆肖像如其生。又前爲門者二，旁各有祠，以享其翊廟之神，有館以舍其奉神之士。廟之廣深，凡若干畝，爲屋總若干楹，蓋始於正統十二年五月，落成於八月。歲時致以香幣，冀神運生生之機於無窮，亦順民所欲之一也。明英宗實録

原張居正勑修東嶽廟碑畧　天下郡國皆有東嶽廟，而京師則廟朝陽門之東。相傳唐時已有，而國朝正統中益恢崇之。讀睿皇帝所製廟碑，大要歸於厚民生順民欲，明德遠矣。百餘年來，廟寖頽圮。聖母慈聖皇太后捐膏沐資若干，皇上亦出帑儲若干，工始於萬曆乙亥八月，周歲而落成。太岳集

增康熙庚辰三月，朝陽門外東嶽廟災，殿廡皆燼，獨左右道院無恙。廟中仁聖帝、炳靈公、司命君、四丞相皆元時劉元所塑，元最善摶換之法，天下無與比，至是皆燬於火。香祖筆記

補趙志臯勑修東嶽廟記畧　都城朝陽門外里許有東嶽廟。正統中勑建，英宗皇帝御製碑在焉。越百餘年，而我皇上以聖母慈聖皇太后旨拓而新之。惟時萬曆丙子，迄今壬辰，又十七年矣。皇上寤寐靈嶽，敬祀益虔。復出帑儲，命司禮監太監張誠選委内臣陳朝用繕葺藻飾，更於寢殿左右作配殿，繚以樓疏，前樹綽楔，賜額曰宏仁錫福。經始於二月二十六日，落成於次年三月十一日，上命立石廟廷，詔臣志臯爲之記。六虚堂稾

〔臣等謹按〕明英宗碑及張居正、趙志臯二碑俱存，吴澄碑無考。

原元董宇定杏花園在上東門外，植杏千餘株，至順辛未，王用亨與華陰楊廷鎮、高安張質夫、莆陽陳衆仲讌集，是日風氣清美，飛英時至巾袖杯盤上，人皆有詩，虞集爲之記，周伯琦、揭徯斯、歐陽原功和其詩。春明夢餘録

補元東嶽廟有石壇，繞壇皆杏花。道士董宇定、王用亨先後居之，張留孫弟子三十八人之二也。虞道園城東觀杏花詩：明日東城看杏花，丁寧兒子早將車。路從丹鳳樓前過，酒向金魚館裏賒。緑水滿溝生杜若，暖雲將雨少塵沙。絶勝羊傳襄陽道，歸騎西風雜鼓笳。當時同游者歐陽原功、陳衆仲、揭曼碩諸公。果囉洛易之詩，最憶奎章虞閣老，白頭騎馬看花來，是也。又嘗賦風入松詞題之羅帕。詞云：畫堂紅袖倚晴酣。華髮不勝簪。幾回晚直金鑾殿，東風軟，花裏停驂。書詔許傳宫燭，香羅初剪朝衫。御溝冰泮水挼藍。飛燕又呢喃。重重簾幙寒猶在，憑誰寄，金字泥緘？爲報先生歸也，杏花春雨江南。柯敬仲購得之，裝潢作軸。張仲舉爲賦摸魚子詞紀其事云：記蘭臺舊時風景，西樓燈火如畫。嚴城月色依然好，無復綺羅游冶。歡意謝，向客裏相逢，還有思陶寫。金尊翠斝，把錦字新聲，紅牙小拍，分付倦司馬。繁華夢，唤起燕嬌鶯姹。肯教孤負元夜？楚芳玉潤吴蘭媚，一曲夕陽西下。沉醉罷，君試問

人生誰是無情者？先生歸也，但留意江南，杏花春雨，和淚在羅帕。自注：楚芳、吴蘭二妓名。兩公之詞皆極温麗，足爲玉堂嘉話也。詞苑叢譚

補 元時杏花齊化門外最繁，東嶽廟石臺羣公賦詩張讌，極爲盛事。果囉洛易之詩云：上東門外杏花開，千樹紅雲繞石臺。最憶奎章虞閣老，白頭騎馬看花來。至明，城東花事衰，郊西漸盛。萬曆後摩訶庵杏花多至千株。吾鄉朱太傅養醇詩云：摩訶庵外袖吟鞭，繁杏春開十里田。曾與春翁舊相識，看花不費酒家錢。承平之日，翰苑風流，後先一致也。卍齋詩話

增 吴師道城外見杏花詩　曲江二十年前會，回首芳菲似夢中。老去京華度寒食，閒來野水看東風。樹頭絳雪飛還白，花外青天映更紅。聞説琳宫更佳絶，明朝攜酒訪城東。吴禮部集

〔臣等謹按〕杏花園今已無存

增 東嶽廟真人張留孫碑，爲集賢修撰虞集纂，學士承旨趙孟頫書。蓋序真人元教之所由始，自張聞詩而下及其徒陳義高凡八人，皆贈真人。弇州山人稿

原 東嶽廟南數百武卽朝日壇，壇外古松萬株，森沉蔽日，都人所謂黑松林也。長安客話

原 孫茂芝三月晦日遊東郊松林蝶戀花詞　落盡棠梨春已暮。芳草多情，纔過濛鬆雨。柳絮顛狂飛不住。秋千正在濃陰處。廟口神絃初罷舞。畫扇輕衫，隨意城東步。笑逐鈿車歸去路。酒香一桁青松樹。燕都遊覽志

原 東嶽廟東五里許，唐太宗東征高麗，嘗屯兵於此，虛設囷倉以疑敵人，俗因呼其地曰謊糧臺。長安客話

增 謊糧臺在朝陽關六里許，舊傳唐太宗東征高麗，屯兵虛設囷倉以疑敵人。名勝志

原 南北通法寺有勅建碑。明順天府志

〔臣等謹按〕通法寺今圮，碑尚存。

原 朝日壇在朝陽門外，繚以垣牆，嘉靖九年建。西向，爲制一成，以春分之日祭大明之

神。壇方廣五丈，高五尺九寸，壇面用紅琉璃，階九級，俱白石。櫺星門西門外爲燎鑪瘗池，西南爲具服殿，東北爲神庫、神廚、宰牲亭、燈庫、鐘樓，北爲遣官房，外爲天門二座。北天門外爲禮神坊，西天門外迤南爲陪祀齋宿房五十四間。護壇地一百畝。春明夢餘録

原嘉靖九年，禮臣率欽天監正夏祚等，會看得朝陽門外三里迤北錦衣衛指揮蕭譓地，東西闊八十一丈，南北進深八十一丈，堪建朝日壇。從之。明嘉靖祀典

原春分祭大明於朝日壇，間歲親祀，以甲、丙、戊、庚、壬年行事。大明之神位版，金地朱書；其祝文，紅紙版朱書。同上

補馬世奇扈從東郊朝日詩 羲馭輝黄道，鑾輿肅紫宸。嚮離先視夜，出震恰當春。蒼璧王宮近，元端帝座親。朝光開萬景，雲起欲扶輪。澹寧居詩集

增日壇在朝陽門外東郊，制方，西嚮，一成，方五丈，高五尺九寸，面甃金甎，四出陛，皆白石，各九級。圓壝周七十六丈五尺，高八尺一寸，厚二尺三寸。壝正西三門六柱，東南北各一門二柱，柱及楣閾皆白石，扉皆朱櫺。壝西門外燎鑪一，瘞坎一，西北鐘樓一，壝北門外東爲神庫、神廚各三間，宰牲亭、井亭各一，北爲祭器庫、樂器庫、棕薦庫各三間，西北爲具服殿，正殿三間，南嚮，左右配殿各三間。衛以宫牆，宫門三，南嚮。壇垣周二百九十丈五尺，西北各門一，皆三門，北門西角門一，覆均緑色琉

璃。大清會典

增凡甲、丙、戊、庚、壬年，親朝日，餘年均遣官致祭。朝日以卯時，玉用赤璧，禮神制帛一，色赤，牲用太牢，樂七奏，用曦字，舞八佾，祝版純朱紙朱書，祭器豆登簠簋鉶尊均用陶，色赤，祭兼用太羹和羹，祭服御大紅禮服。大清會典則例

〔臣等謹按〕朝日壇祭器係乾隆十三年皇上親加審定，命所司製成，用昭祗敬。

增乾隆七年諭：日壇具服殿舊制建於壇南，臨祭時必經過神路始至殿所，似於誠敬之儀未協。著將具服殿移建壇之西北隅。其西北隅見有奉祀衙署，即移於具服殿地基蓋造。大清會典則例

增乾隆二十三年二月御製朝日壇禮成紀事六韻　朝日東門外，春分陽德雍。躬親應戊歲，祭禮遡天宗。在俎陳騂角，承筐奠赤琮。元端服惟盛，大采意彌恭。三獻酌清齊，旋宮奏夾鐘。翹瞻壇壝煥，歲乙亥勅修壇工至丁丑春月告竣。瑞擁旭光濃。

增乾隆三十九年御製仲春朝日壇禮成述事　天宗三復地宗三，祭典惟崇冠五堪。況已多年執禮闊，適當剛歲寸誠參。榮光燭鼎祥烟鬱，和氣浮卮瑞露湛。臨照炎精仰咫尺，法欽陽德敢徒談？

〔臣等謹按〕乾隆二十三年御筆陳列具服殿内屏風上，三十九年御筆懸殿門内。又殿

後楹御書聯曰：重㢠祥風護；中衡瑞采凝。中楹御書額曰明禋炳曜。聯曰：迎氣肅齋明，光承離照；順時欽敬授，典著寅賓。

〔又按〕東郊日壇之制，自乾隆七年奉諭移建具服殿，嗣於二十年復奉旨增葺壇宇，規模焕赫，斟酌咸宜，於大采祀儀爲尤稱云。

原宣德十年九月，以齊化門外木廠曠地置花園草場，隸後軍都督府。明宣宗實録

原月河梵院，僧道深别院也，池亭幽雅，甲於都邑。春明夢餘録

原月河寺有三亭，歲久皆圮，聚景亭更破。蓋在阜上高出林杪，風雨莫爲障也。破亭下有石琴。美具録

原程敏政月河梵院記　月河梵院在朝陽關南苜蓿園之西。苑後爲一粟軒，曾西墅道士所題。軒前峙以巨石，西闢小門，門隱花石屏，屏北爲聚星亭，四面皆欄檻。亭東石盆高三尺，夏以沉李浮瓜者。亭前後皆石，少西爲石橋，橋西雨花臺上建石鼓三。臺北草舍一楹曰希古。東聚石爲假山，峯四，曰雲根，曰蒼雪，曰小金山，曰璧峯。下爲石池，接竹引泉，水涓涓自峯頂下，池南入小牖爲槐屋。屋南小亭中庋鸜鵒石，重二百斤，色淨緑，石之似玉者。凡亭屋臺池悉編竹爲藩，詰屈相通。自一粟軒折而南，東爲老圃，圃之門曰曦先，其北藏花之窖。窖東春意亭，四周皆榆柳。穿小徑以行，東有板橋，橋東爲彈琴處，中置石琴，上刻曰蒼雪山人作。少北爲獨木橋，折而西爲蒼雪亭。亭下爲擊壤處，有小石浮屠。循坡陁東上爲灰堆山，山有聚景亭，望宮闕歷歷可指。亭東曰竹塢，下山少南門曰看清，結松爲亭，踰松亭爲觀瀾處。遠望月河水自城北逶迤而來，觸斷岸潺潺有聲，别爲短牆，以障風雨，曰考槃榭。路旋而北，門曰野芳，少南爲蝸居，東爲北山晚翠樓。苑僧道深通儒書，宣德中住西山蒼雪庵，賜號圓融顯密宗師。後歸老乃營此自娱，自稱蒼雪山人。篁墩集

原李傑徐源陳璚吴寬趙寬周庚六月望日月河寺聯句　勝游不易得，李　交朋豈前期？夏雨適初霽，徐　晨光良以熙。浩然發遐想，陳　決矣來無疑。久負社中約，吴　徒勞林下思。幸從長者後，趙　肯爲明時遺？聯鑣出南郭，周　載酒臨東菑。天空游氣净，李　磵曲流泉漪。鳴蟬翼自振，徐　浴鷺羣相隨。長沙披斷岸，陳　茂樹緣清池。盤礴衣未解，吴　起坐杯深持。登高豁望眼，趙　披爽掀吟髭。遥岑青作供，周　芳郊碧含滋。右顧城闕壯，李　下瞰川原卑。梟盧恣謔飲，徐　藏獲

欣狂嬉。聚景此亭古，陳 歷塊我馬遲。悠悠晚日下，吳 漠漠涼風吹。仄行避叢棘，趙 窮入披荒茨。樾蔭夾修谷，周 苔花蝕殘碑。人喧鳥聲寂，李 樹偃石丈支。細路渺微白，徐 暮雲堆重黳。宴席苦留戀，陳 旋途載謀咨。盤中雜野蔌，吳 鉢內分園葵。賞心惜短景，趙 撫迹傷多岐。追歡匪難再，周 折簡君無辭。李 美具録

原蕭奎徐源李傑陳璲周庚趙寬吳寬七月一日重遊月河寺聯句 新秋雨初霽，蕭 涼颸入林細。徐 散坐紛簪裾，李 清吟繞簷砌。陳 人如竹林賢，周 飲比河朔例。趙 與衆樂兩忘，吳 慚予志相契。蕭 高雲冠遥岑，徐 爽氣掃炎墆。李 樹杪出驚蟬，陳 潭心響游鱖。周 萬籟俄寂寥，趙 重城豈迢遞？吳 平原縱遐瞻，蕭 古刹肆頻詣。徐 解帶懸橫枝，李 尋幽履荒薺。陳 紀游得舊題，周 詠物嘉古製。趙 吹竹憐老伶，吳 跳丸歎浮世。蕭 羣芳蓊鬱過，徐 遠翠稜層翳。李 晚色恐歸人，陳 田苗喜甿隸。周 聯鑣路溪長，趙 餘韻吾當贅。吳 同上

〔臣等謹按〕月河寺古名寶藏寺，今尚存。至明程敏政記文所稱一粟軒、聚星亭諸蹟，已圮廢矣。

原長慶寺、隆壽寺俱有勅建碑，在朝陽門外。明順天府志

〔臣等謹按〕長慶寺今圮，隆壽寺今存，并有碑云。

原至正二十七年六月，長慶寺有龍纏繞槐樹飛去，樹皮皆剥。元史順帝紀

增東郭草亭在大興縣東南，明興濟伯楊善別業。畿輔通志

〔臣等謹按〕亭今廢。

增楊溥東郭草亭燕集詩 芝蘭本同氣，桃李自成蹊。感彼歲易邁，肯與心賞違？迢迢禁城東，桑麥連重畦。聯轡縱遐覽，我懷浩無涯。惠風煦澄景，微雨浥芳姿。人生有至樂，舉觴歌於斯。明詩綜

增苗衷東郭草亭燕集詩 芳春倏云暮，暇日鳴玉鞘。羣公夙有約，駕言適東郊。冷鄉遠相近，會此文字交。開筵俯亭沼，次第陳觴肴。疏花粲簷前，好鳥鳴樹梢。睠兹百物遂，樂飲恣歌嘲。同上

補通州至京城，中途有高米店，或呼高碑店。按宋洪忠宣皓松漠紀聞云：潞縣三十里至

交亭，三十里至燕。今之高米店疑卽古之交亭，交、高，音譌也。潞沙筆綴

原金盞兒淀在州北二十五里，廣袤三頃。水上有花如金盞，因名。或云卽古夏謙澤。方輿紀要

原靈應寺、最勝寺俱有勅建碑，在鄭村壩。順天府志

原正德二年五月，命户部查給最勝寺前馬房草場地十頃與寺作香火，且贍護太監錢喜、錢福、錢能墳營。劉瑾所乞也。明武宗實録

原御馬苑在京城外鄭村壩，牧養御馬大小二十所，相距各四三里，皆繚以周垣。垣中有廐，垣外地甚平曠。羣馬畜牧其間，生有蕃息。明一統志

〔臣等謹按〕鄭村壩卽東壩，又名壩上。

原景泰三年二月，造駝房三十間於鄭村壩。明景泰帝實録

原天順四年閏月，駕幸鄭村壩閲仗馬。明英宗實録

原通州北二十里地名壩上，成祖靖難，與南兵戰失利，追兵甚逼，前阻大溝。成祖惶遽無措，祝所騎青驄馬曰：汝能超此溝以脱吾戹不？遂策馬連超三溝，力盡遂死。後建馬神廟於壩上，塑馬廟中，與神同祭之。歲久成怪，常夜出蹂踐禾黍，居民苦之，潛毁其像，遂不復塑。燕山叢録

原京師諸祭皆領於祠官，惟壩上馬房别自建祠，以元旦、冬至、聖節遣内侍主祭，光禄寺具品物，不領於祠官。湧幢小品

欽定日下舊聞考卷八十九

郊坰二

原出東便門有大通橋，水從玉河中出，波流演迤，帆檣往來，可達通州。二三園亭依凋臨水，小舠從几案前過，林間桔槔相續，大類山莊。燕都遊覽志

原至元二十八年，郭公守敬上言：大都運糧河不用一畝泉舊源，別引北山白浮泉水，西折而南，經甕山泊，自西水門入城，環匯於積水潭。復東折而南，出南水門，合入舊運糧河。每十里一置牐，皆至通州。凡爲牐七，距牐里許，上重置斗門，互爲提閼，以過舟止水。上覽奏，喜曰：當速行之。於是復置都水監，俾公領之。首事於二十九年之春，告成於三十年之秋，賜名曰通惠。公又欲於澄清牐稍東引水與北壩河接，立牐麗正門西，令舟楫得環城往來，不就而罷。元名臣事畧

〔臣等謹按〕一畝泉有二，一出昌平州西南新屯，一出南苑，此條及後條元史河渠志、元一統志諸書所述，皆指昌平之一畝泉，與南苑一畝泉無涉，謹識於此。

原高源遷都水監，開通惠河，由文明門東七十里與會通河接，置牐七，橋十二，人蒙其利。元史本傳

原至元二十八年，都水使者請鑿渠西導白浮諸水，經都城中，東入潞河，則江淮之舟既達廣濟渠，直泊於都城之匯。上亟欲其成，又不欲役及細民，勑四集賽人及諸府人與鑿，刻日使畢。太師淇陽忠武王率其屬著役者服，操畚鍤，趨者如雲，依刻而渠成，賜名通惠河。上語近臣曰：是渠非伊徹察喇身率衆手，成不亟也。元名臣事畧 按：伊徹，滿洲語新也；察喇，注酒器也，舊作月赤察兒。今譯改。

原通惠河，其源出於白浮、甕山諸泉水。世祖至元二十八年，都水監郭守敬奉詔興舉水利，因建言疏鑿通州至都河，改引渾水溉田，於舊牐河蹤跡導清水，上自昌平縣白浮村引神山泉，西折南轉，過雙塔、榆河、一畝、玉泉諸水至西門，入都城南，匯爲積水潭，東南出文明門東至通州高麗莊入白河，總長一百六十四里一百四步，塞清水口一十二處，共長三百一十步，壩牐一十處，共二十座，節水以通漕運，誠爲便益。從之。首事於至元二十九年之春，告成於三十年之秋，賜名曰通惠。先時通州至大都五十里，陸輓官糧，歲若干萬，民不勝其悴，至是皆罷之。元史河渠志

原延祐六年十月，濬通惠河。元史文宗紀

原天曆二年八月，發諸衛軍濬通惠河。元史文宗紀

增通惠河之源自昌平縣白浮村開導神山泉，西南轉循山麓，與一畝泉、榆河、玉泉諸水合，自西水門入都，經積水潭爲停淵，南出文明，東過通州，至高麗莊入白河，上下二百里，凡置牐二十有四。護國仁王寺西廣源牐二，西水門外會川牐二，萬億庫前朝宗牐二，海子東澄清牐三，南水門外文明牐二，魏村惠和牐二，籍田東慶豐牐二，郊亭北平津牐三，牛店溥濟牐二，通州通流牐二，高麗莊廣利牐二。按新開通惠河碑至元二十九年八月興工，三十年八月工畢。平章政事吉勒展專董其事，世祖聖德神功文武皇帝嘉其有成，賜名通惠。倡端建言圖上方略者，昭文館大學士、中奉大夫、知太史院、領都水監、提調通惠河道漕運事郭守敬也。元一統志　按：吉勒展，滿洲語恕也，舊作皎貞。今譯改。

增武宗至大元年正月，以通惠河千户劉粲所領運糧軍凡百二十人，屬萬户沁特穆爾兵籍。元史兵志　按：沁，唐古特語大也。特穆爾義見前，舊作赤因帖木兒，今改正。

原成化七年冬十月，户部尚書楊鼎、工部侍郎喬毅上濬通惠河舊道事宜。先是，漕運總兵官都督楊茂奏：每歲漕運自張家灣舍舟陸運，看得通州至京城四十餘里，古有通惠河故道，石牐尚存。永樂間曾於此河般運大木；以此度之，船亦可行。先年曾奏欲於此河積水船運，又有議欲於三里河從張家灣烟墩橋以西疏挑二十里灣泊糧船以避水患者，二

事俱未施行。今此河道通流，其水約深二尺，不勞疏挑，惟用閘蓄水，令運糧衛所每船二十五隻造一剥船，自備米袋，挨次剥運，如此則運士得省脚費矣。事下工部侍郎王復同太傅會昌侯孫繼宗、吏部尚書姚夔等議，謂通惠河道閘座若得開通，誠有益於國計。但地形水勢高下并合用軍夫物料俱難約度，請命户工二部堂上官各一员，會漕運參將袁佑率識達水利官匠前往相度。上以命鼎毅，遂同參將袁佑等親詣昌平縣元人引水去處及宛平大興通州地方三里河道，將行船故蹟逐一踏勘，及元史并各牐見樹碑文所載事蹟稽考，回奏云：牐河原有舊牐三十四座以通水道。但元時水在宫牆外，船得進入城内海子灣泊，今水從皇城中金水河流出，難循故道行船，須用便宜改圖。除元人舊引昌平東南山白浮泉水往西逆流，經過祖宗山陵，恐於地理不宜，及一畝泉水經過白羊山溝，雨水衝截，俱難導引。其城南三里河至張家灣運河口，袤延六十餘里，舊無河源。正統年間因修城濠作壩蓄水，慮恐雨多水溢，故於楊橋東南低窪處開正通濠口以泄其水，始有三里河名。自濠口三里至八里莊，始接渾河舊渠，兩岸多人家廬舍墳墓。流自十里迤南，全接舊河，流入張家灣白河。其水深處止有二三尺，淺處一尺餘，闊處僅丈餘，窄處未及一丈。今若用此河行船，河身窄狹淤淺，必用開濬，人家房垣墳墓必須拆毁。且以今寬處一丈計之，水深二尺，若散於五丈之寬，止深四寸。況春夏天旱，泉脈易乾，流水更少，糧船剥船俱難行使。兼且沿河堤岸高者必須剷削，低者缺者必須增築填塞。又有走沙急湍，俱要創牐，倘水淺少又須增引别處水來相濟，若引西湖之水，則自河口迤西直至西湖堤岸，未免添置牐座。若引草橋之水必須於大祀壇邊一路剷鑿溝渠，亦恐有礙。況其源又止出彰義門外玉匠局等處馬跑等地，泉亦不深。大抵此河天旱則淤壅淺澀，雨潦則漫散衝突，徒勞人力，卒難成功，決不可開。況元人開此河，曾用金口之水，其勢洶湧，衝没民舍，船不能行，卒爲廢河，此乃不可行之明驗也。今會勘得玉泉、龍泉及月兒、柳沙等泉諸水，其源皆出於西北一帶山麓，堪以導引，匯於西湖。見今大半流出清河，若從西湖源頭將分水青龍牐閉住，引至玉泉諸水，從高梁河量其分數，一半仍從皇城金水河流出，其餘從都城外濠流轉通會，流於正陽門東城濠，再將泄入三里河水閘住，併流入大通橋。牐河隨時開閉，天旱水小，則閉牐瀦水，短運剥船；雨潦水大，則開牐泄水，放行大舟。況河道牐座見成，不用增造；官吏牐夫見有，不須添設。臣等勘時曾將慶豐、平津、通流等牐下板七葉，剥船日驗可行，若板下至官定水則，大船亦可通行。止是牐座河渠間有缺壞，淤淺處須加修濬，較之三里河工程甚省。況前元開創此河，漕運七八十年，公私交便。今若復興，則舟楫得以環城灣泊，糧儲得以近倉上納，在内食糧官軍得以就近關給，通州該上糧儲又得運來都城。與夫天下百官

之朝覲，四方之貢獻，皆得直抵都城下，足以壯京師萬年太平氣象矣。疏入，命下於所司。（明憲宗實録）

【原】十二年八月，濬通惠河，自都城東大通橋至張家灣津河口六十里，興卒七千人，費城甎二十萬，石灰一百五十萬斤，牐板椿木四萬餘，麻鐵銅油炭各數萬計，濬泉三，增牐四，凡十月而畢。漕舟稍通，都人聚觀。是河之源在元時引昌平縣之三泉，俱不深廣。今三泉俱有故難引，獨引西湖一泉，又僅分其半，河制窄狹，漕舟首尾相銜，僅數十艘而已。舟無停泊處，河多沙水易淤，不踰二載而淺澀如舊，舟不復通。（同上）

【原】白浮泉今入清河，一畝泉在甕山後已塞，甕山下玉龍、雙龍、青龍等泉入西湖，經高梁橋，注皇城濠。一自西流入內，一自東會入通惠，四里至慶豐，慶豐十一里至平津，慶豐地形高平津一丈許，水陸絶，故平津開，則慶豐河身立見矣。（病逸漫記）

【原】大通河發源於昌平之白浮村神山泉，西南會一畝、馬眼、玉泉，繞出甕山後，匯爲七里泊，東入都城西水門，貫積水潭，又稍東由月橋入內府，環繞宮殿，南出玉河橋水門，東行會南北城河二流，由大通橋東下通州高麗莊，凡一百六十餘里。元世祖至元二十九年，郭守敬鑿開此河，每十里一閘，蓄水通舟，以濟漕運，賜名通惠。國初，牐與官夫多有存者，而河幾湮塞。成化十二年，始命平江伯陳鋭疏通之，漕舟曾至大通橋下。後

射利之徒妄假黑眚之説，事竟阻壞。正德二年復疏之，功不就。水部備考

原 嘉靖六年十月，巡倉御史吴仲言：通州運河元郭守敬創建已有明驗，今通流等八牐遺蹟尚存，原設官夫具在，因而成之，爲力甚易。而勢家罔利，從中撓之，或倡風水之説，或欲絶灣民之利，皆不足信。夫漢唐宋漕皆從汴渭直達京師，未有貯國儲於五十里之外者。請以臣言下户工二部，定議修濬運糧河，徑達京倉，此興無窮之利而杜不測之虞，於計便。上命户部侍郎王軏、工部侍郎何詔及仲董其事。軏等上言地形從大通橋至白河高可六尺，若大興工濬之，深至七丈，通引白河，則漕船可直達京城，諸閘可以盡罷，此永久之利，然未易議也。爲今之計，惟應修濬河牐。然從通流牐經二水門，南浦、上橋、廣利三牐皆衢市闤闠中，不便轉運，從温泥河濱舊小河廢堰西不一里至堰水小壩，誠修築之，令通普濟牐，則徑易可省四牐兩關轉般之難。上命卽以來春興工。十一月，禮部尚書桂蕚上疏稱修通惠河不便，請改修三里河。明世宗實録

原 大通橋河源出自昌平州神山泉，南會一畝、馬眼二泉，繞出甕山，復滙七里濼，卽今之西湖，東入都城西水門，貫積水潭，卽今之海子，又東至月橋入内府，南出都城東水門，過大通橋，又東五十餘里，至通州入白河。此河元郭守敬由古水道開濬，非自守敬創始。蓋西山諸水由皇城東出，每當山水泛漲，由此而洩引之入白河以濟漕運，故置牐

以時啓閉，初非爲行舟設也。成化十二年，平江伯陳鋭不察其故，建言修復。憲宗皇帝命户部左侍郎翁世資、工部左侍郎王詔挑濬，仍濬西湖諸泉以益水勢，可放運船千餘直抵大通橋下。既而水急岸狹，水不可泊，未幾即耗，船退幾不能全，遂不復行。正德七八年，亦嘗挑濬，竟無成功。蓋京師之地西北高峻，自大通橋下視通州，勢若建瓴，而强爲之，未免有害，非徒無益而已。（桂文襄集）

原 上以桂萼疏示大學士楊一清、張璁。一清言：通惠河因舊閘行轉般之法，可以省運軍之力，宜斷行之。璁亦言：通州河道經元郭守敬修濬，今牐壩具存。臣聞京城至通州五十里，地形高下纔五十尺，以五十里之遠近攤五十尺之高下，無所不可。濬甕山濼以蓄西山諸水，引神山泉以合下流之歸，紆迴以順其地形，因時以謹其濬治，此一勞而永逸計也。成化十二年平江伯陳鋭建議開修北河，憲宗皇帝命大臣督理，而河道已通，運船已至城外，適有黑眚之異，惑於訛言遂止，識者恨之。今欲開修北河，因仍舊道，誠易易耳。況一舟之運，約當十車。每年運船已到，則令剥運新糧；未到，則令剥運通州積糧。庶京師充實，永無意外之患矣。上深然璁言，至七年十二月，通惠河成，糧運既至者一百九十九萬三千八百有奇，省脚價銀十一萬三千三百餘兩，當扣除入户部。吴仲以運軍罷敝，請暫給三分之一，俟一二年後并減歲運加耗以寬窮民，庶軍民兩受其惠。户

部覆請報可。明世宗實録

原嘉靖丁亥，御史吴仲請修通惠河，三月告成功。上登舟觀之。大學士張璁等聯句以聞。上喜，給光禄饌，又分御膳賜焉。帝京景物畧

原通惠河工完，吴仲出知處州府事，進通惠河志，被旨送史館，采入會典，仍令刊行。水部備考

增吴仲報河成，因疏五事，言：大通橋至通州石壩地勢高四丈，流沙易淤，宜時加濬治。管河主事宜專委任，毋令兼他務。官吏閘夫以罷運裁減，宜復舊額。慶豐上閘、平津中牐今已不用，宜改建通州西水關外。帝以仲等四閲月工成，詔予賞，悉從所請。仲又請留督工部郎中何棟專理其事，爲經久計。從之。九年，擢棟右通政，仍管通惠河道。自此漕艘直達京師，人思仲德，建祠通州祀之。明史

原天啓元年閏二月，巡按直隸御史張新詔言：通惠河卽元郭守敬所修故道，平江伯陳鋭疏通之，運船直達大通橋下，時爲勢豪所阻，後因御史吴仲之言，乃命郎中何棟、吴嗣忠仍濬裏河，計費纔七千兩，而所省脚價十二萬。若由大通橋至朝陽門三里，其地平衍閒曠，倘導玉河之水稍溯而北，至朝陽門，量建牐座，運糧徑至門下，每歲可省銀二萬六千，以三十年之通計之，得七八十萬矣。詔部議覆。明熹宗實録

【補】崇禎己卯二月，太監曹化淳議京城外開河以通漕糧。自是年三月十九日起，至辛巳六月，所開河自廣渠門起至大通橋運糧河北岸，挑河長三千八百六十二丈，又東直門外關帝廟挑月河長二百七十丈，關虎營至關帝廟大石橋挑河長三千一百五十一丈，命内監干躍爲河工總理，而以兵部司官輪督班軍，共用班軍二百三萬二千餘工，五城兩縣募夫二萬九百餘名。兵部侍郎吴甡視工，以爲勞費無益，且傷地脈，抗疏止之。春明夢餘録

【原】大通橋東至通州入白河開渠置牐，而漕舟不行，自大通橋起至通州石壩四十里，地勢高下四丈，中間設慶豐等五牐以出水，每牐各設官吏，編夫一百八十名，造剥船三百隻。通漕類編

【增】大通河舊名通惠河，元郭守敬所鑿，俗亦名裏漕河。本朝康熙三十五年，濬大通河，加築堤岸，建滚水壩以洩水。三十六年，濬護城河，引大通橋運艘達朝陽、東直等門。今東直門、齊化門皆有水關，通惠河水所由入也。乾隆二十三、二十五兩年，再加疏濬，漕艘之分運京倉者實利賴焉。大清一統志

〔臣等謹按〕大通河爲京運水道所集，關繫甚鉅。本朝康熙年間特加疏濬，復濬護城河，增設水關於朝陽、東直兩門，輕舠剥運，利濟攸宜，立法實爲盡善。乾隆二十三、二十五年屢奉命濬治，河流益加深廣，轉輸稱便矣。

原嘉靖中，陶仲文、邵真以祈禱用事，請拆毀寺院，沙汰僧尼，焚佛骨於大通橋下。穀城山房筆麈

原歐陽原功中書右丞相領通惠河都水監事政績碑　中書右丞相喀喇鼎珠公，自居平章首席，既而陞左相，又陞右相，被命領都水監事。至正癸卯之正月，迄今數年之中，濬治舊規，抑塞新弊，水政大修。都水監長貳賓佐共具實蹟，請於翰林歐陽元，文其事於石，以貽後世。元曰：丞相上佐天子，下理百官，日綜萬幾，朝野政務莫非相業所經綸也。奚獨於水政紀述乎？其長貳賓佐進曰：我國家之置都水也，始於至元之辛卯，丞相旺扎勒實倡其端。當時聖君賢相，爲慮甚周，爲制甚密。導昌平白浮之水西流，循西山之麓，會馬眼諸泉瀦爲七里，東流入自城西水門，滙積水潭，又東並宮牆，環大内之左，合金水河南流東出。自城東水門，又潞水之陽，南會白河，又南會直沽入海，凡二百里，是爲通惠河。置牐二十有四。跨諸牐之上，通京師内外經行之道，置橋百五十有六。牐以制蓄洩，橋以惠往來。乃卽運糧提舉司車户千四百五十有一，隸監專治其事。牐與橋初置於延祐中，易木以石，次第而械之。命牐户學爲石工，木鐵煉堊皆習其技，歲械牐工與費若干，有司會其凡而籍之，歲以爲常，約歲若干。諸牐皆石，一切工役取具牐户，不擾而集，國計之不匱，民用之不乏，皆利賴焉。近年有司擅以牐户抑配各驛以給驛，至元延祐以來，祖宗之良法美意日就蠹壞。今右丞相以聞。有旨，復還若干户，餘州縣之侵軼牐户者悉禁絶之。他户有避徭役之類及因而亡者，咸復其舊。故得水利不隳，漕法不滯，有關國計民用甚重也。且通惠河之將入海也，衛漳貫之，泝漳西南，涉瀛博之野，南至於臨清堂邑之壖，過壖而南爲會通河，盡豫兖青徐四州境上之水，入海絶淮，至大江而止。二河相通，其爲水利溥矣。有如京城西之金口，下視都邑，水勢如建瓴，一蟻穴之漏，則横潰莫制。守堤吏與牐户晝夜分番邏視，不贍，則借兵士於樞密，所係尤重。故水政之修，牐户之復，丞相有功於斯甚大，可無紀述乎？元聞其言，乃考古而徵。今都水在唐虞爲澤虞，在成周爲川衡。西漢太常、大司農、少府、内史、主爵都尉皆置都水長貳，武帝置水衡都尉，成帝置左右都水使者。東漢改置河堤謁者。晉改都水臺，又置前後中左右五水衡以五使領之。劉宋置水衡令。蕭梁改爲大舟卿。宇文置都水中大夫。隋置都水臺使者，尋復置監少監，又改令少令。唐沿革不一，或稱都水局，或稱司津監，或稱水衡監，或置使者，或置都尉。趙宋爲都水監，置判監、判及丞主簿等員。大抵掌川澤津梁渠堰陂池之政，兼總舟航桴筏之筭，就司其政以充用。故漢太常諸卿各有水衡，盡徵其入，給俸禄，所稱水衡錢是也。聖代捐國家之厚費，以利天下，而秋毫不徵其資，視古之都水有不可同年語者矣。但歷代建都，秦漢唐多都雍州，隔關隘之險，漕運極艱，用水極少。其後有都洛陽大梁，不過濬洛入汴，瀹汝蔡入淮而已。我元東至於海，西暨於河，南盡於江，北至大漠，水涓滴以上皆爲我國家用。東南之粟，歲漕數百萬石，由海而至者，道通惠河以達。東南貢賦，凡百上供之物，歲億萬計，絶江淮河而至，道通惠河以達。商貨懋遷，與夫民生日用之所須，不可悉數。二河泝沿南北，物貨或入或出，徧天下者，猶不在是數。又自崑崙西南水入海者，繞出南詔之後，歷交趾、闍婆、真臘、占城、百粤之國，東南過琉球、日本，東至三韓，遠人之名珍異寶，神馬奇産，航海而至，或踰年之程，皆由漕河以至闕下。斯又古今載籍之所未有者也。水政之重，可不以重臣領之乎？昔者舜舉十六相共治海内，禹治水土，益治川澤。今之水政，禹益蓋嘗司之。然則重臣之典水政，唐虞以來之遺事也

歟！元職在太史，紀載爲宜。右丞相喀喇，鼎珠其名，乃祖乃父，三世宿德，逮事列聖，篤於忠貞，數從王師，戰金入隣，多積功伐，不妄俘戮，不希寵榮，有陰德餘慶施於後人。丞相踵之，歇歷臺閣三十餘年，清愼如一，熟知國家典故。及居台揆，雅量鎮浮，坐決大政，不徵辭色，百度自貞，有古大臣之風。來求文以紀其蹟者，都水伊遜岱爾、段達繖，少監鄂勒哲特穆爾、泰費音納、色徹圖，監丞索諾木巴勒、策布哈、實喇卜藏布、穆爾濟延，經歷沙克珊，知事祁思道。爰系以詩曰：國治水官，象天元冥。都水有政，治國大經。於穆皇元，龍興朔方。秉令天一，並牧八荒。迺據析津，迺建神州。囊括萬派，衡從其流。東濬白浮，遵彼西山。卽是天津，流畢昴間。西挹紫宮，南出皇畿。又東注海，萬派攸歸。東溟天池，若爲我瀦。給我漕輓，徑達宸居。河濟淮江，陳若指掌。我鑿二渠，利盡穹壤。雖云盡利，我則不征。捐利利民，治水水平。維今右相，自董水政。舉措不凡，户籍先正。昔命牐户，習鍛習礪。鋌木膠堊，各程其藝。制水有牐，通道有梁。息耗有則，啓閉有常。夫何牐户，俾役驛廐。是求善書，俾掣之肘。相君既告，牐户内復。每歲鳩工，羣匠來族。水政既舉，國計以滋。都人日用，源委莫知。彼水在國，血脈在身。百體輪精，五官嗇神。相爲股肱，水利實興。榮衛不疑，股肱宣能。維相君量，彭蠡大野。汪洋淵渟，安静整暇。維相君力，砥柱龍門。捍彼衝潰，國之樊垣。有力斯定，有量斯寬。變調雍容，水溢旱乾。重華在位，禹益作相。庶工底績，百川是障。世皇濬渠，相曰完澤。身先水官，相彼原隰。洵美相君，海内稱賢。罔俾哲輔，專美於前。六府三事，治先乎水。九敘維作，歌者太史。太史作歌，載以龜趺。君臣都俞，永作民郛。圭齋集

按：喀喇鼎珠舊作康里定住，喀喇義見前，鼎珠舊作鼎住，係對音譯改。伊遜，蒙古語九數也，岱爾，牡鹿也，舊作埜素達爾。段達繖舊作段定僧。達繖，滿洲語政也。泰費音，滿洲語太平也。納，地也，舊作太平奴。色徹圖，蒙古語聰明也，舊作薛徹篤。索諾木，唐古特語福也，巴勒義見前，舊作鎖南滿。策，唐古特語壽也，布哈義見前，舊作慈普化，實喇卜藏布，唐古特語好智慧也，舊作沙喇贊卜。穆爾，蒙古語蹤跡也，濟延，命也，舊作馬兒吉顏。沙克珊，滿洲語狡猾人也，舊作山山。今俱譯改。

〔臣等謹按〕歐陽原功碑文尚未審於河流之分合，推其文義，一似漳水曾入通惠河，而會通河又似曾與通惠合流者。今按水經，漳水由平舒縣南東入海。胡渭禹貢錐指曰：平舒在今大城縣界，漳水北至天津，注於勃海，卽古徒駭河之故道也。蓋漳水獨流入海，不與他河合。至本朝順治二年，滹沱始由束鹿南入冀州，與漳合，爲前此所未有。原功乃云貫通惠者，誤也。又按明史河渠志：通惠河由大通橋東下抵通

州高麗莊，與白河合，至直沽會衛河入海。衛河即通惠河也。二河不過同至直沽入海耳，若論其地，則通惠河在直沽北，會通河在直沽南，中間並無合流經行之處，亦不得謂之相通。原功於水道未甚分晰，故言之舛訛乃爾，謹辨正之。

〔又按〕朱彝尊原書所引原文脱落末二句，今據析津志增入。

原張璁楊一清同翟鑾侍駕汎通惠河聯句　落日秋風好放舟，已過三牐順安流。璁恩沾賜宴流瓊液，老愧忘機問白鷗。一清遠餉由來歸水國，上游從此重神州。鑾觀風不是耽盤樂，莫訝今年兩度游。璁張文忠集

原徐階夏日游通惠河詩　頗憶三江遠，乘流意若何？水深秋氣入，樹密雨聲多。熟果當尊落，驚禽拂棹過。柳陰催繫纜，欹枕聽漁歌。世經堂集

補蒲道源祭通惠河神文　維神主司靈源，不溢不竭。安其波濤，利我舟楫。何以報之，牲酒肥潔。神其鑒茲，永永無斁。閑居叢稿

原元壩牐之名曰廣源牐。西城牐二，上牐在和義門外西北一里，下牐在和義水門西三步。海子牐在都城內。文明牐二，上牐在麗正門外水門東南，下牐在文明門西南一里。魏村牐二，上牐在文明門東南一里，下牐西至上牐一里。籍東牐二，在都城東南王家莊。郊亭牐二，在都城東南二十五里銀王莊。通州牐二，上牐在通州西門外，下牐在通州南門外。楊尹牐二，在都城東南三十里。朝宗牐二，上牐在萬億庫南百步，下牐去上牐百步。成宗元貞元年七月，西城牐改名會川，海子牐改名澄清，文明牐仍用舊名，魏村牐改名惠和，籍東牐改名慶豐，郊亭牐改名平津，通州牐改名通流，河門牐改名廣利，楊尹牐改名溥濟。武宗至大四年六月，省臣言：通州至大都運糧河牐始務速成，故

皆用木，歲久木朽，一旦俱敗，然後致力，將見不勝其勞。今欲爲永固計，宜用磚石，以次修治。從之。後至泰定四年始修完焉。元史河渠志

原 宋褧都水監改修慶豐石牐記 牐於字爲閉城門具，或曰以板有所蔽，近代水工用之，以時蓄洩水行船。世祖皇帝至元二十九年，可昭文館大學士知太史院領都水監事臣郭守敬圖水爲渠，曰通惠河，貫京城，迤邐出南水門，過通州，抵高麗莊之壩，爲里二百。視地形創牐，附崖壁及底皆用木，凡二十四，慶豐其一也。後二十年，當至大四年，諸牐浸腐，宰相請以石易，爲萬世利。且請度緩急後先作，則工不迫，工不迫則周且固。仁廟勅準有司以次第舉，由是至順元年始及慶豐之役。都水少監王温臣率其屬，分督程作，日役士卒及土木金石之工千有五百五十，輸木萬章，鐵以鈞計凡八百有奇，石材三千一百，瓴甓灰藁他物無算。築基縱長百有二十尺，三分長之二爲衡，廣高二丈，間容二丈二尺。經始於是年三月之望，粤六月十有五日告成。繩楶中度，完好緻密，公私善之。明年春，監丞阿禮張宗顏狀是役之爲日久近，牐之高深長廣幾何，縻費物如干，創始改作之緒，庀工之勤，成功之利之美，求識以文。予復之曰：世祖開物成務，羣策畢舉，仁廟克承先烈，措注宏遠，功不百倍不改作也。臣下奉行惟謹，事理之著者也。記是誠宜。然予疑是牐之始命名爲何人，與創始之歲果豐與歉，或示微意於後世歟！惜莫可得而知也。牐非侈靡游觀之所，國計民庸仰以給者，猶必待歲豐而後作，矧他役乎！斯果作於豐年，則是役不敢妄興，民不敢苟勞，財不敢徒用，章章矣。因其役并原其名，是爲記。燕石集

增 河牐之源，即昌平西山諸水入城滙於海子，乃由萬寧橋循東而南出文明門外，又東過通州，以入於白潞河，上下幾二百里。凡置牐二十有四，其在宛平縣境内爲廣源、會川、朝宗，牐各二，其在大興縣境内海子東爲澄清牐三，出南水門外爲文明、惠和、慶豐牐各二，及郊亭北、平津牐三，自此以下至通州境内爲溥濟、通濟、廣利牐各二。元至元二十九年，始由都水少監郭守敬建定創開此河，平章政事吉勒展董其役，賜名通惠。今舟運止由通州，通流、溥濟至大興縣平津、慶豐、惠和凡五牐，皆近時發軍民修理以通漕運者。其城内外舊有會川、朝宗、澄清、文明等牐，今皆存而不用。圖經志書

原永樂五年五月，工部言：北京文明河至通州五牐，每牐合設船二十艘，從之。六年四月，設北京通州惠和、慶豐、平津、澄清、通流、溥濟六牐，每牐置官一員。十年五月，浚北京通流等四牐河道共一萬七百三十丈。明成祖實録

原正統三年五月，造大通橋牐成，行在工部請撥丁夫監守，且以隸附近慶豐牐官。從之。明英宗實録

原慶豐牐在都城東王家莊，至大通橋八里。至元二十九年建。有上下二木牐，名籍東，至順元年易以石，改名慶豐。嘉靖七年，併二牐爲一。水部備考

原慶豐牐主事一員，管通州以上牐務，設自成化間，三年更代，至嘉靖七年，通州置郎中，遂裁此員，而其事併之郎中矣。同上

原平津上牐西至慶豐牐十五里，平津下牐西距上牐七里，俱至元二十九年建。舊係木牐，名郊亭，延祐後易以石，改名平津。同上

原宣德七年正月，重建大興縣平津牐。明宣宗實録

原正統四年十月，修大興縣平津牐。十三年三月，修大興縣平津大中小三牐。明英宗實録

原初，永樂間欲通漕舟直至京城，自文明門至通州置六牐，俱設官吏，徵取江西、湖廣、河南民二千三百餘人爲牐夫。其後漕舟竟不能至，而牐夫逃亡過半。宣德十年，吏

部侍郎趙新言：牐夫逃避，所司逮捕，累及無辜。事下工部，覆奏，止將在役者存留，其老疾者放還，逃亡者勿追。文明、惠和二牐既展入城中，宜罷官吏。從之。明宣宗實録

增慶豐牐在東便門外王家店，至大通橋八里，元至元二十九年建。上下二木牐，名籍東。至順初易以石，改名慶豐。明嘉靖七年，並二牐爲一。又裁主事，於通州置郎中兼領。今有牐官。又康熙中於上流增建一牐曰新建。大清一統志

增平津牐在大興縣東，有上下二牐，上牐西至慶豐牐十五里，下牐距上牐七里，俱元至元二十九年建。初爲木牐，名郊亭。延祐後易以石，改名平津。明宣德七年重建。同上

增大通橋牐在東便門外大通橋下。又朝陽、東直二門外橋下俱有牐，其下又有迴龍牐，皆本朝康熙中建。同上

〔臣等謹按〕京城大通橋地勢較通州高四十尺，全資牐壩蓄洩河水以濟運，慶豐、平津諸牐創自有元，明代因之弗改。本朝康熙年間復增設新建迴龍等牐，規畫益臻盡善矣。

原雙清亭，都水張經歷幕府名。燕石集

原宋褧雙清亭春日獨坐作 帝城何處不紅塵，小海危亭獨可人。笭箵舟航浮上牐，笙歌池館接西津。恩波浴鷺連洲暖，宮樹啼鶯隔岸春。不用鞭笞了官事，笑談容得幕中賓。同上

增雙清亭在大興縣東南通惠河上，相傳元都水張經歷園也。畿輔通志

增宋褧春暮雙清亭小酌懷張孟功詩 吏退公庭雁鶩行，持杯暫對水雲鄉。山開罨畫涵清影，花落胭脂漾晚香。酒幟隔津標柳陌，漁舟避浪向蒲塘。懷人不得同相賞，空賦停雲第二章。燕石集

〔臣等謹按〕雙清亭今廢。

原壩河亦名阜通七壩，深溝壩九處，王村壩二處，鄭村壩一處，西陽壩三處，郭村壩三處，千斯壩一處。元史河渠志

原羅璧除都水監，改正奉大夫。通州多水患，鑿二渠以分水勢，又浚阜通河而廣之，歲增漕六十餘萬石。元史本傳

原至元五年八月，勑京師瀕河立十倉。元史世祖紀

原京師二十二倉：萬斯北倉、萬斯南倉、千斯倉、永平倉、永濟倉、惟億倉、既盈倉、大有倉、屢豐倉、積貯倉、豐穰倉、廣濟倉、廣衍倉、大積倉、既積倉、盈衍倉、相因倉、順濟倉、通濟倉、慶貯倉、豐潤倉、豐實倉。元史百官志

增世祖至元二十五年十一月，以軍守都城外倉。元史兵志

〔臣等謹按〕自元迄明，京庾之建置不一，本朝儲偫盈衍，於京城舊制八倉外增設廒座，錫以嘉名，益廣積貯，詳見官署門，茲不具録。

原虞集京畿都漕運使善政記 國初運外郡之粟以實京師，數日以廣。大江以南，浮海而至者，歲以數百萬石計。公府之儲偫，官府之廩稍，宿衛之共億，以及京城游食之民，其用至夥，而所係甚重者也。舟車之輪載，士卒之任負，數經轉輸而至於京師者，則有京畿都漕運使司以總之。所領倉凡三十二。一倉之官或五人或四人三人，槩僅百員。役於倉而食禄於官者又若干人。自流選而來爲是官者，出納之事稍弗加謹，折閱陷失，有傾家辱身而不足以補之者。

是故朝廷常優之，始授則增其秩，終更則減其資，蓋念其重難也。然而使之無失而得善去者，則槩系於司漕者之得人矣。至順二年秋，千斯倉使汪壎等來言於史官，求文以頌運使扎薩克公、程公日新，與今運使劉公子闕之德，其言曰：扎薩克公之爲人也，出令曰：凡倉之守吏日守其局以謹出納，非運司必有徵召之事，毋敢至運司。又曰：凡運司之胥吏皂隸，不得輒至倉所。其負米於壩而入倉也，關防有法，役夫無所容弊，故其米皆完好而不雜。其出納也，務爲均平收支之數，有所勘會，止從本司揭帖圖帳申報，無煩文也。蓋倉庾之所患者，收支已不得其精鑿，其支也又疲於供應，而皂隸百色之需挾上官而來干者，紛然終日，則不得不竊贏餘以應需求。日久月深，忽焉而其耗多矣。今運官絕公吏之擾，簡奔走之勞，善出納之法，列官於是者，始得以效其奉公之實而無曠官之罪焉。扎薩克公斷以定見，程公善相之，劉公善繼之，此某等數十百人所以感激不忘，願刻石記善，且以垂其法於後，使來者之永克有濟也。噫！朝廷之法詳且善矣，其有不至者，則奉行者之過也。今京畿漕運之事而三公克拯其弊，纔數事耳，而倉庾之受賜已如此。其經營之密，調度之大，屬吏有不得盡知者尚多矣乎！夫萬仞之堤或潰於螻蟻，千石之水或涸於漏巵。諸公之政乃得禁皂隸之侵漁，此謂所損者小而所益者大也。爲政者尚鑒此而慎之乎！扎薩克公蒙古人，自宿衛內廷，除直省舍人歷中政院同僉判中政院事，積官中大夫，除隆祥總管府同知。程公闕　人，今自運使除右司郎中，又除淮東道肅政廉訪使。劉公青州人，今在任。餘官則別立於碑陰云。道園學古録　按：扎薩克，蒙古語政也，舊作扎撒。今譯改。

【原】大通橋東有鹿園，方廣十餘里，地平如掌，古樹偃仰與高冢相錯，傳是金章宗時故址。長安客話

【原】鹿園，金章宗故園也，今曰藍靛廠。帝京景物畧

〔臣等謹按〕藍靛廠凡二處，一在西直門外，今西頂廣仁宮卽其地。一在東直門外，卽此條所稱鹿園遺蹟也。

【原】距鹿園东一里爲三忠祠，祀漢諸葛武侯、宋岳武穆王、文信公。長安客話

【原】三忠廟在城東，都人周珍買地以建者。匏翁家藏集

【原】祠後有濯纓亭，亭卽河之畔。帝京景物畧

原 三忠祠在大通橋東里許，地名槐村。義士周珍購地創建，廟宇殘缺，僅蔽風雨。大興縣志

原 李夢陽三忠祠詩 憶昔漢孔明，龍起答三顧。志決竟星隕，嘔血爲軍務。鄂國與信國，屹屹兩砥柱。殺身不救國，寃憤水東注。往事勒鐘鼎，新廟傍官路。慘慘冠劍並，凜凜生魂聚。懷歎各不申，翩然向烟霧。我來肅展謁，繫馬門前樹。香臺野蕨生，羅幔秋蟲蛀。烈士爲呑聲，清風激頑懦。空同集

原 何景明題三忠祠詩 三忠祠在帝城東，檜柏陰陰沙院風。朝暮衣冠頻下馬，春秋香火一開宮。中原涕淚江山遠，異代精靈廟宇同。漢業崩摧如宋業，古今南北恨無窮。大復山人集

〔臣等謹按〕三忠祠今存。

增 碧霞元君廟在東直門外者曰東頂。天府廣記

〔臣等謹按〕東頂碧霞元君廟今存。

原 廣惠寺有勅建碑。順天府志

原 程敏政勅賜廣惠寺記 崇文關之東十里而近曰深溝，實都城孔道。凡中外官僚之出入與計偕之士輸貢之吏，兵民之漕輓，商旅之走集，往來之所必經。顧其地卑下，霖暑不時則泥淖轉甚，行者苦之。道傍古刹曰觀音庵，莫知所從起。天順初，有釋宗喜來葺茅居之，浚井以濟人渴，節縮所有，具畚鍤以崇其基，二十年矣。司禮太監黄公、司設太監覃公過焉，壯其志而憫其成之艱也，乃各捐金拓其地，鳩工庀材，而遣人董其役。中爲大雄殿八楹，後爲大士殿八楹，左右爲伽藍祖師之堂十有六楹，前爲天王殿鐘鼓樓各四楹，輔以長廊，繞以大墉。爲山門三，爲石梁二。凡位像之設，經幢之飾，香燈之供，法所宜有者，咸備罔缺。不踰時而得偉觀於荒墟灌莽之間，於是覃公具其事以聞。憲宗皇帝賜名廣惠寺，俾宗喜爲住持。又以釋宏義爲僧録司右覺義兼住持，實成化丁酉春二月八日也。黄公名賜，延平人，終於西京守備。覃公名文，廣右人，今掌御藥房兼惜薪司，仍督上林苑及南海子。宗喜嘗居西山，有戒行，得附書。篁墩集

原 皇甫沖廣惠寺留別于約詩 歲晏苦徂征，倏焉青春暮。矯志希鴻圖，陳書乃多誤。悵念南山扉，聊以反吾故。煩君具尊酒，送我卽長路。惻愴江上萍，徙倚庭中樹。攬物悲別離，華髮忽已素。願託采芝行，或與至人遇。華

原瓠瓜亭在府南一十里，元趙參謀别墅。明一統志

〔臣等謹按〕瓠瓜亭已莫詳其址。據析津志，在燕之陽春門外十里。陽春門，金元皆爲城東門。又稱於城東村構是亭，言之確鑿。風庭掃葉録亦稱元時園亭，惟此亭在城東，并引王惲詩爲證，則其在郊東無疑。明一統志謂在府南十里，特未深考耳。

增瓠瓜亭在燕之陽春門外，去城十里。亭之大不過尋丈。又瓠瓜乃野人籬落間物，非珍奇可玩之景；然而士大夫競爲歌詩，吟咏嘆賞，長篇短章，累千百萬言猶未已。析津志

增趙禹卿，先世宋之汲縣人。靖康之亂，始徙於燕。禹卿名鼎，蔭父職爲員外郎，陞斷事府參謀，於城東村有别墅，構亭曰瓠瓜，故人稱曰趙參謀瓠瓜亭。有王鶚記文、王磐敘文，一時大老之什咸贊德云。上同

補元大都園亭多在城之西南，惟趙參謀禹卿瓠瓜亭在城東，故曰東皋。王秋澗詩云，陽春門外望東皋是也。禹卿種瓠以致飲具，當時目曰趙瓠瓜。故秋澗詩又云，君家瓠瓜盡樽彝。及禹卿既逝，秋澗弔其墓，復有瓠瓜散落之句。其園中景自亭而外，有幸齋、東臯村、耘軒、遐觀臺、清斯池、流憩園、歸雲臺，秋澗，亦各有詩，載其集中。明一統志謂在城南十里，蓋循元志之舊爾。風庭掃葉録

原劉因詩　瓠瓜隕自天，中涵太虛氣。造物全其真，世人苦其味。雖得終天年，惜哉無用器。伊誰窮混沌，太樸分爲二。一供顔淵樂，一爲許由棄。顔有聖人依，許逢堯舜治。天下非其責，行藏適自遂。秋色高箕山，春風滿洙泗。後來鼎鐺徒，誰知兩瓢貴。寥寥天地間，復隨無用地。神物終有歸，至人可重值。偉哉子趙子，獨兼許顔義。瓠瓜集大成，高亭挹空翠。感君亭上名，發我思聖喟。人知聖人言，孰有聖人志？聖人心如天，何時無生意！時無不可爲，人無不可致。吾道苟寸施，吾民猶寸庇。堅白自有持，磨涅豈吾累？非不欲無言，恐與瓠瓜類。仲子誠少野，强直無再思。聖人進退間，歷歷生私議。請觀欲往心，豈與乘桴異？我生學聖人，栖栖形寤寐。窮年憂道喪，漫自

中腸沸。君子尚有爲，自以無用置。我才尚無用，自以有爲覬。物性雖有殊，我心良可愧。願君志我志，才志庶相利。使君名我名，名實亦相位。留彼匏中酒，供我浩歌醉。行當取其種，移來易州植。靜修集

補王惲題趙禹卿東皐林亭六首之三　物我同天壤，流年遞代更。高臺方畏景，喬木已秋聲。默騐興衰理，都忘悔吝情。只須多釀酒，時與故人傾。築臺連野色，架木繫匏瓜。舍外開三徑，壺中自一家。愛吟歌白苧，釃酒脱烏紗。更喜南窗下，秋風菊半華。野迥門開早，心閒起自慵。林香翳社甕，山暝倚吟笻。半醉留佳客，深耕愛老農。晚眠誰復覺？牆外月明春。秋澗集

增外城門東曰廣渠。大清一統志

〔臣等謹按〕廣渠門明嘉靖時建，本朝因之。

增神木廠在廣渠門外二里許，有大木偃側於地，高可隱一人一騎，明初構宮殿遺材也。相傳其木有神。大清一統志

〔臣等謹按〕神木廠神木今存。皇上御製神木謡，恭載卷内。

補京師神木廠所積大木，皆永樂時物。其中最巨者曰樟扁頭，圍二丈外，卧四丈餘，騎而過其下，高可隱身。歲久風雨淋漓，已漸朽矣。春明夢餘録

補北京神木廠大木，俱刻字爲記，其上有王二姐、張點頭、嫌河窄、混江龍之名。皮爛心存，對面猶不相見。暖姝由筆

增乾隆二十三年御製神木謡　都城東有巨木焉，其長六十餘尺，卧於地，騎者隔木立，弗相見也。相傳前明時所置，以應甲乙生氣云。作神木謡。天三巽一含精腴，深山大澤連林扶。壽突靈椿忘榮枯，所樂不存屣棄渠。遠辭南海來燕都，甲乙青氣鎮權輿。是稱神木衆木殊，春明舊蹟久聞予。便中一覽城東隅，長六丈餘卧通衢。圍乃不可規矩模，巋然騎者能蔽諸。四百春秋一瞬夫，雨淋日炙風吹敷。枝幹剥落摧皮膚，隙孔

瞋菌鬱繆紆。爲想懷材昔奧區，凌雲概日垂扶疏。翩集不脛曰人乎，天也將以爲貞符。試看虚中巨查如，堯年貫月歷刼餘，生育盛德釐皇圖。

原 巡撫都御史朱之馮墓在廣渠門外。順天府志

原 蒯徹墓在廣渠門外八里莊、古埠高可四尺，墓前有井。燕都游覽志

〔朱彝尊原按〕于欽齊乘：蒯徹墓在臨淄東三里。漢書：徹，范陽人。高祖曰：徹齊辨士。故卒葬此。未審孰是。

增 晉張華墓在大興縣東南六十里。大清一統志

欽定日下舊聞考卷九十

郊坰 南

增嘉靖三十二年十月，京師外城成。正陽外門名永定，崇文外門名左安，宣武外門名右安。春明夢餘録

〔臣等謹按〕永定、左安、右安三門外皆郊南地。今謹依此三門方位所值及朱彝尊原書次第，分晰編載。至現在城坊所轄，間有數處參入廣渠、廣寧二門外地者，則另編入郊東、西卷內，以清界限。庶幾四至瞭然，可按帙而稽矣。

〔又按〕朱彝尊原書內載南海子各條，其地爲今南苑，已恭載苑囿門，茲編次郊南，例不複敍。

原大定四年十月，命都門外夾道重行植柳各百里。金史地理志 此條原在宮室門，今移改。

增燕墩在永定門外半里許，官道西，恭立御碑臺，恭勒御製帝都篇、皇都篇。其制，甃甎爲方臺，高二丈許。北面西偏門一，以石爲之。由門歷階而上數十級，至臺頂，繚以

周垣。碑立正中，形方而長，下刻諸神像，頂刻龍紋，面北恭鐫御製帝都篇，面南恭鐫御製皇都篇，均清漢書。五城冊

增 乾隆十八年御製帝都篇有序 帝都者，唐虞以前都有地而名不著，夏商以後始各有所稱，如夏邑周京之類是也。王畿乃四方之本，居重馭輕，當以形勢爲要。則伊古以來建都之地，無如今之燕京矣。然在德不在險，則又鞏金甌之要道也。故序大凡於篇。天下宜帝都者四，其餘偏隘無足稱。軒轅以前率荒畧，至今涿鹿傳遺城。豐鎬頗得據扼勢，不均方貢洛乃營。天中八達非四塞，建康一塹何堪憑？惟此冀方曰天府，唐虞建極信可徵。右擁太行左滄海，南襟河濟北居庸。叶會通帶内遼海外，雲帆可轉東吴杭。幅員本朝大無外，丕基式廓建兩京。北京順天府，盛京奉天府。我有嘉賓歲來集，無煩控御聯歡情。金湯百二要在德，兢兢永勗其欽承。

增 乾隆十八年御製皇都篇有序 皇都者，據今都會而爲言，約形勢則若彼，詳沿革則若此。蓋不如研京十年，練都一紀，鴻篇巨作，纂組雕龍。若夫文皇傳十首之吟；賓王構一篇之藻。節之中和，固所景仰；歸於睽遇，亦用興懷。俊逸清新，古人蔑以加矣；還淳返樸，斯篇三致意焉。惟彼陶唐此冀方，上應帝車曰開陽。軒轅臺榭雖莫詳，職方有幽無徐梁。要之幅員長且廣，叶山河襟帶具大綱。列國據此士馬强，可以雄視諸南

邦。遼金以來始稱京，叶閱今千載峩天閶。地靈信比長安長。玉帛奔走來梯航，儲胥紅朽餘太倉。天衢十二九軌容，叶八旗居處安界疆。朱樓甲第多侯王，槐市陸海無不藏。富乎盛矣日中央，是予所懼心彷徨。

原 世祖中統十二年，於麗正門東南七里建祭臺，設昊天上帝、皇地祇位，自是國有大典禮皆卽南郊告謝。成宗卽位，始爲壇於都城南七里。自世祖混一六合，至文宗，凡七世，而南郊親祀之禮始克舉焉。元史祭祀志

〔臣等謹按〕據元史，元郊壇在麗正門東南七里，其地當在今永定門外。

原 至元二十四年，田忠良請建郊壇於國南。元史本傳　以上二條原在元宮室門，今移改。

增 涼水河通南海子，乃所以宣洩海子所出之水。大興縣志

〔臣等謹按〕良鄉縣南亦有涼水河，水經謂之樂水，與都城外之涼水河異派。此河源出右安門外西南鳳泉，東流經萬泉寺，分爲二支，一南經草橋，一北經廣恩寺，俱東注永勝橋，復合爲一，東南流至小紅門之西，入南苑，滙一畝泉及三海子諸水，由五空橋出，經馬駒橋東流至張家灣，入潞河。乾隆三十八年，奉命疏濬，共修河道八千餘丈。恭繹御製涼水河詩詳注原委及疏濬事宜，謹載卷內。

〔又按〕馬駒橋亦稱宏仁橋，乾隆三十八年修建橋牐，御製重修碑文并橋記，具紀水

道分合所自，因其地隸通州，謹編入京畿通州條下。

增涼水河在宛平縣南，由水頭莊泉發源，東流入南苑內，經馬駒橋，又東逕通州南，曰南新河，至張家灣城南入白河。大清一統志

增乾隆三十九年御製涼水河作　涼水出鳳泉，玉泉各別路。源出京西南，分流東南注。涼水河出右安門西南鳳泉，東流經萬泉寺，分爲二支。一自南經草橋曲折東注，一自北經廣恩寺曲折東注，至永勝橋復滙爲一，東南流，循南苑繚垣而東，至小紅門之西，入苑牆，東南流經沙底橋，折而南，歷頭牐至二牐，一畝泉之水自西來滙之。又南而東至鹿圈村，三海子以上之水自西南來注之，又東南流至五空橋，出苑牆，經馬駒橋，迤東行至張家灣入潞河。此涼水河之經流，與玉泉之貫繞京城入通惠河者各不相涉也。歲久未疏剔，率多成沮洳。漫溢阻道途，往來頗致誤。自右安門至永定門，地勢窪下，每遇霖潦，輒漫溢阻旅途。歲久未治，積成沮洳。邇年以來，清釐水道，出內帑，簡大臣董其事。自鳳泉至南苑，進水栅二，濬河三千餘丈，又自栅口至馬駒橋，濬河五千餘丈，修建橋牐凡九，新建牐五，以資節宣。於是涼水河之水乃得安流無患。其濬河之土，則於右安門外培築甬道一千餘丈，以便行人。河兩岸舊有稻田數十頃，又新闢稻田九頃餘，均資灌溉之利。或云其地似江鄉風景者，不知予之意期於農旅俱受其益，並非藉此爲點綴也。王政之一端，未可置弗顧。邇年治水利，次第修斯處。建牐蓄其微，通渠瀉其怒。有節復有宣，遂得成川巨。川傍墾稻田，更賴資稼務。南苑紅門外，歷覽欣始遇。或云似江鄉，寧飾江鄉趣？興農利旅然，永言識其故。

〔臣等謹按〕涼水河御製詩，恭立石於南苑大紅門外。

原邵經邦經涼水河作　涼水河邊路，依稀似故鄉。野亭穿徑窄，溪柳夾川長。隔岸聞新曲，回車露淺妝。乘春且隨意，莫負碧霞觴。宏藝録　原在城市門，今移改。

增南苑大紅門外有碧霞元君廟。京城寺院册

〔臣等謹按〕大紅門外碧霞元君廟，土人呼爲南頂。乾隆三十八年發帑重修。前殿奉碧霞元君，額曰神燭碧虚。中殿奉東嶽，額曰神功出震。後殿奉斗姥，額曰妙握璿杓。門外二坊，左曰廣生，曰長養，右曰羣育，曰蕃滋，俱皇上御書。

原 崇寧觀在府南一十里。明一統志

〔臣等謹按〕崇寧觀今無考。

原 駙馬都尉鞏永固墓在永定門外。大興縣志

〔臣等謹按〕鞏永固於順治十年賜謚忠烈，墓今無考。

補 零陵陳公純德，以御史殉甲申之難，楚人瘞之湖南會館側。京山貧士秦嘉系訓蒙京師，積館穀三十餘金，買地於永定門外葬之，立石表其墓。薊邱雜抄

〔臣等謹按〕陳純德於乾隆四十一年賜謚節愍，墓今無考。

原 韋公寺在左安門二里，武宗朝内侍韋霦建，貲竭不能竟，詔水衡佐焉。賜額宏善寺。寺東行一折有堂，堂三折有亭，亭後假山，亭前深溪，溪里許，蘆荻滿其中。寺南觀音閣，蘋婆一株，高五六丈。寺内西府海棠二株，左右列。寺後有柰子樹，花時人多負几案，携酒肴，飲樹下，暮則就宿於寺。帝京景物畧

〔臣等謹按〕宏善寺在左安門外迤東魏村社，正德中，太監韋霦建，俗呼韋公莊。今

園亭已圮，海棠、蘋婆、柰子俱無存，惟假山深溪在耳。寺後有静觀堂五楹，尚修潔。西壁有康熙初禹之鼎畫雙鶴圖，東壁有陳奕禧書徐渭畫鶴賦。

原 韋公莊寺館俱新整，而臨流一亭尤爲游屐所湊。隔里許有柰子古樹，婆娑數畝，春時花開，望之如雪。三夏，葉特繁密，列坐其下，烈日不到。公安袁宏道嘗謂戒壇老松、顯靈宫柏、城南柰子，可稱卉木中三絶云。長安客話

原 韋氏别業，四圍多水，荻花蘆葉，寒雁秋風，令人作江鄉之想。燕都游覽志

增 宏善寺在左安門外，所謂韋公寺也。正德中内侍韋霦建。寺後有西府海棠二株，高二尋，每開，爛如堆繡，香氣滿亭。昔人恨海棠無香，誤也。寺東臨池一亭，亭後假山，極其幽勝。天府廣記

原 王世貞集韋氏水亭詩 偶成春服始，挾侣問幽蹤。芳草近寒食，空林聞午鐘。驚波雙鳥出，迷路一僧逢。欲竟名園賞，停杯感慨重。弇州山人稿

增 馬之駿八月九日集韋公寺詩 籬落荒能樸，庭除爽自閒。碧疏辭葉樹，青削映波山。砌冷蟲多語，天空雁獨還。黄花虚採擷，猶未破秋顔。馬仲良集

原 區大相游城南韋氏園詩 暄風蕩嘉卉，膏露沐時芳。休假出南園，衆友與我行。方塘溜清渠，珍木秀通莊。谷禽選樹鳴，水族近人翔。素柰呈雪姿，綺棠絢霞妝。俯仰茂對育，羈累爲之忘。嘉彼中園有，坐歎此流光。取快直時物，歡樂寧詎央？寤言幽澗側，彼子獨褰裳。海目集

原 陶望齡夏日過韋園作 清池不濡軌，時有幽鷺浴。臨流微風來，端坐意已足。歇庵集

增 李攀龍韋氏池亭同元美子與子相賦 貰酒新豐解佩刀，相逢意氣爲君豪。孤亭晝敞杉松色，亂石青含薜荔高。自向風塵偏勝蹟，豈令湖海傲吾曹？從他桂樹山中發，招隱何勞更反騷。滄溟集

增謝榛春日同李于麟王元美集韋氏水亭 都門聯轡出，此地訪烟蘿。共酌清尊酒，還成白苧歌。春雲花外度，幽鳥水邊多。更擬池亭上，田田採芰荷。我來憑水檻，坐久夕陽斜。聊復袪塵事，相將攬物華。河山百戰地，桑柘幾人家。總有明春約，還看何處花？四溟山人集

增金井在府南魏村社，永樂間嘗駐蹕於此，飲而甘之，遂命甃焉。天府廣記

〔臣等謹按〕魏村社金井今湮廢，無考。

原海會寺，穆宗受釐之地，萬曆增修，極其閎麗，今則零落無存矣。行國録 原在南城，今移改。

〔臣等謹按〕海會寺在左安門外迤西馬家村，明嘉靖間建，萬曆間增。本朝順治年間重修，乾隆二十二年復加繕葺。正殿恭懸皇上御書額曰覺海津梁，殿前恭勤御製詩碑。寺內明萬曆二年碑，大學士張居正撰，又有本朝順治十七年宏覺禪師道忞所撰碑。

增乾隆二十二年御製海會寺詩 城南佛宇道東陲，慶落重看綽楔碑。寺建於明神宗時，有張居正碑文。歲久頹圮，因勅重修。時甫落成，因往南苑之便，一臨瞻禮。見説神宗受釐處，更思張相迓衡時。往來久是惜零落，此寺爲南苑往來必經之路，少年時即見其零落矣。近以帝京觀瞻所繫，凡傾圮不堪者或歸併淨除，或量加修葺，所司適告工竣。構築無過葺廢頹。帝里觀瞻法輪奐，寧闕修福六檀施？

原張居正重修海會寺碑 海會寺在都城之南，創於嘉靖乙未，穆宗皇帝常受釐於此。皇上即位之二年，聖母慈聖皇太后出内帑銀，即其地更建焉。會游僧有笵成銅像一軀，無所庇覆，司禮監太監馮保請移置其地，復出内儲大木以爲殿材。中爲殿三，皆三楹，方丈一，凡五楹，鐘鼓樓二，配殿十二，禪堂十，僧房四十有奇。前爲山門，繚以周垣，又於其外拓地六頃，以爲焚修供具之資。太岳集 原在南城，今移改。

〔臣等謹按〕笵銅佛像今在寺之正殿。

增僧道忞重修海會寺碑畧　都城之南有寺曰海會者，剏於嘉靖乙未之歲，世、穆二廟咸命僧代度於此，至萬曆元年，慈聖太后復發帑金，命内臣撤其圮壞，相度而增修之。江陵張相國爲文記其事，詳且悉矣。今上受天眷命，撫有萬方。維時順治丙申，歲久寺頽，都人士謀欲鼎新，乃削牘命本寺僧走江淮，請今憨璞聰公住持是刹。首創濟宗，禪衆川趨，宗風大振。丁酉，上狩南苑，因幸寺延見聰，屢召入禁庭，問佛法大意。奏對稱旨。日昨上謂忞曰：朕初雖尊崇象教，而未知有宗門耆舊。知有宗門耆舊，則自憨璞，固有造於祖庭者也。聰公住海會凡五載，殿宇廊廡與鐘鼓樓閣山門之屬，焕然一新，丐予言記之，以昭示後人使永爲十方常住，不墜宗風焉。順治十七年孟秋立。

原弘治十四年五月，内官監太監李興請建僧寺一所於大興縣東皐村，以僧録司左覺義定錡住持，仍乞賜寺額、護勅。又以寺西有官路不便，乞以其私地易路東苜蓿官地。得旨，陞定錡爲右講經兼本寺住持，賜寺額曰隆禧。禮科都給事中甯舉劾之，謂陛下卽位以來，未聞修建寺院，亦未聞輕賜寺額，濫陞僧官，今興乃恃恩陳請，作俑建寺，罪一。自知私創非宜，奏乞寺額，又請護勅，使天下後世譏議陛下，罪二。興猶恐朝廷不信，以祝延聖壽爲辭，夫内官修建寺觀，不過自爲身後香火之供，其於聖壽何預？詞屬欺誑，罪三。且無故乞陞僧官，致姦僧得志，有濫恩典，罪四。又苜蓿之地，乃祖宗用以牧馬之所，今以其私便輒欲易之，恐自今貴戚之臣但其莊所接壤官地，皆援此例兑易，變亂成法，罪五。伏望斷自宸衷，毁所建寺，罷寺額護勅，不許兑易苜蓿地，仍褫定錡職，治以死，以爲姦僧交通内臣壞法者戒。奏入，命所司看詳以聞。禮部覆奏：請如舉言。上置勿論。既而户部又奏：苜蓿地宜改正還官。從之。明孝宗實録

〔臣等謹按〕隆禧寺在左安門外迤西東皐村，有弘治十四年禮部尚書張昇碑，萬曆二十三年住持僧正先重修，亦有碑。

增張昇隆禧寺碑畧　都城南不十里，循郊牆折而東，有寺鼎新，壯麗殊甚。乃太監李興創造也。肇工於弘治十三年七月，訖工於次年五月。上聞而嘉之，賜額隆禧，命僧録司右講經定錡主之。弘治十四年十一月立。

增采育乃古安次縣采魏里也，明初爲上林苑，改名蕃育署，而人仍呼采育，合新舊而名之也。去都城七十里。春明夢餘録

〔臣等謹按〕采育在左安門外五十五里，居民數千家，爲畿輔首鎮。本朝分設巡檢一員，專駐其地。明時蕃育署今已廢，僅存遺址。

增 永樂五年，設上林苑監蕃育署，典署一人，署丞一人，録事一人。洪熙中以良牧、川衡二署併蕃育。明史

原 蕃育署首良牧、林衡、嘉蔬，所謂外光禄也，統於上林苑。署卽皇莊，不隸京府，乃勝國時沙漠地。永樂二年，移山東西民塡之，有恒産，無恒賦，但以三畜爲賦，計營五十八，舊有鵝鴨城。耳譚

〔臣等謹按〕鵝鴨城今無考。

原 永樂初設上林苑監於京師，取山西平陽澤潞之民充之，使蕃育樹藝，以供上用。時止設文官。後增設内臣九員，至弘治間漸增至一十八員。正德間添設總督、僉書、監工等名至九十九員。於是科擾百出，節年通計誅求至銀三十五萬餘兩，逼死人命數多。上登極，詔汰革之，止存一十九員，民始稱便。明世宗實録

原 義犬庵在蕃育署，萬曆中庵中犬搏鄰鷄，鄰以訴主僧宗住。宗住執犬佛前撻之。他日復犯，宗住縛置，將以就屠，犬撑住作乞憐狀。宗住曰：汝能悛，尚可宥也。因架石作穽，高不踰尺，置犬其中，犬自是蟠跼穽中，不出食，避葷腥。一日，到佛前伸兩足，伏首作頂禮狀。宗住知其且化去，爲誦涅槃經送之，始化。庵以此得名。耳譚

〔臣等謹按〕義犬庵今無考。

原 采育東南二十里有阜，高一丈，廣三四十丈，曰聚燕臺。歲秋社燕辭巢日，必各將其雛數十百聚此臺，呢喃一二日，然後分翔而去。帝京景物畧

〔臣等謹按〕采育東南十里許卽屬東安縣境，聚燕臺今無考。

增乾隆三十六年御製采育里詩 京南富庶村，厥名采育里。輕輿村外過，老幼路旁跪。去歲此被潦，謂當艱窘矣。審視無菜色，衣暖面多喜。急賑及大賑，加賑二月裏。有司善推行，想皆實澤被。叶然未經見者，正復不少耳。

〔臣等謹按〕卷中御製詩，恭載初見之什，餘不備録。

增明李元宏聚燕臺詩 燕來各有巢，燕歸云有國。秋風吹古臺，社散燕來卽。嘈雜萬聲中，去住兩心逼。曰予巢此都，歲見雛蓄息。巢也無盛衰，居者易興革。畫藻去年如，故人覓不得。昨過棘籬邊，故人瘁顏色。舊德勝新巢，移共汝惻惻。豈無新鮮泥？愛惜舊心力。帝京景物畧

增廣恩寺在菜户營。五城寺院册

〔臣等謹按〕廣恩寺在右安門外西三里菜户營，舊名清勝寺，俗呼周橋寺。寺有燕山府清勝寺慈慧大師塔幢一，宋宣和七年建。按宋史，宣和五年金以燕京及涿易等六州還宋。至七年十月，宋郭藥師始以燕山叛降金。此幢是宣和七年二月所立，彼時地猶屬宋，故幢内以宣和紀年耳。

增沙門圓成等燕山府清勝寺故講經律論提點慈慧大師實德記畧 師諱惠忍，俗姓和氏，本燕人也。父授龍門縣令。五歲依止大興教寺山主上人爲師。九歲受具。自前朝時大崇佛教，帝重釋門，師乃三十，因巡參訪，雲水閒游，屆長春州講演，約被徒衆千人，改爲詮秘大德。時年四十有九，兼樞密大王先祖墳山持課，講經律論，三載不闕。特奉上命，授宣密大師。又至天慶年間，便住清勝一藍，兩街僧録，高上師流，無不舉唱。又改授慈慧大師。七衆咸欽，二乘歸仰。超遠公於廬山，越羅什於秦代。歸義聞之，堅請師之住止。方今時歲晏清，天下一統。師因屆小藍，閒居白業，忽然罄捨，分寸不畜。知聖時遥，色身趣寂。至二月二十七日歸真，俗年八十一，僧夏七十二。門徒七

人，依師遺囑，白氎火化，焚於靈骨。感頭之不壞，舌之不灰，牙齒盡變曼陀之花，香櫬皆作蓮花之狀。始建法幢，上鐫觀音菩薩，并刻尊勝陀羅尼，附葬於塋石之前，門資沙門圓成、圓念、圓通、圓智、圓才、圓惠、圓果，宣和七年二月十三日巽時建。

【增】南清勝寺在舊城，請潤公長老住持，有曰：十分好月，誰家池沼不能來；一片閒雲，是處巖巒皆可住。圖經志書

【原】崇禎丙子，帝以宮中累朝所奉佛像盡發僧寺。戊寅，詔武清侯助軍餉百萬。侯時家產已落，以甲第及海淀別業售於人；不足，扇珥珮帨之屬悉鬻諸市。及悼靈王病篤，帝臨視之。王指九蓮菩薩示現空中，數帝之罪，言訖而薨。帝大悔，命建佛寺於草橋之北，額曰九蓮慈蔭寺。時崇禎十五年也。寺基舊屬嘉蔬署，周圍地一頃有餘，内官監太監王德化疏請歸寺徵租，督工者中官于輸曜也。入山門爲佛殿，殿後建閣以奉九蓮菩薩，宮中出繡佛旛徧掛於殿壁。寺之西數十步即碧霞元君廟，土人號爲中頂者是也。寄園寄所寄録

〔臣等謹按〕九蓮慈蔭寺在右安門外三里，前爲天王殿，中爲萬德殿，後爲地藏殿，而無閣。正殿之兩廡曰敏慧殿、善法殿，其右廡有悼靈王像。

【原】右安門外南十里草橋，唐時有萬福寺，寺廢而橋存。天啓間建碧霞元君廟其北，土近泉宜花，居人以種花爲業。冬則蘊火暄之，十月中旬牡丹已進御矣。橋去豐臺十里，中多亭館。元廉右丞之萬柳堂，趙參謀之匏瓜亭，栗院使之玩芳亭，要在彌望間，然莫詳其處矣。帝京景物畧

〔臣等謹按〕草橋在右安門外。碧霞元君廟在橋北數十武，土人呼爲中頂。乾隆三十六年發帑重修。前殿奉碧霞元君，額曰資生溥化，中殿奉東嶽，額曰大德曰生，俱皇上御書。廟有康熙中大學士王熙、李天馥二碑。

〔又按〕匏瓜亭詳郊坰東卷内，萬柳堂、玩芳亭詳本卷。

原 草橋衆水所歸，種水田者資以爲利。十里居民皆蒔花爲業。有蓮池，香聞數里。牡丹、芍藥，栽如稻麻。然諸花悉備，獨不能養蘭。惟萬明寺有蘭數本。燕都遊覽志

〔臣等謹按〕萬明寺在阜成門關外，詳見郊坰西。

原 燕地苦寒，江南羣芳不易得，即有攜種至者，僅可置盆盎中爲几席玩。其有進御者，皆爲火迫而發，日月朝夕之艷，無經歲計也。長安可游記

增 土以泉故宜花，居人遂以花爲業。都人賣花擔，每辰千百，散入都門。凡花歷三時者，長春也，紫薇也，夾竹桃也。香歷花時開謝者，玫瑰也。非花而花之者，無花果也。草橋惟冬花盡三季之種，坏土窨藏之，蘊火坑晅之，十月中旬牡丹已進御矣。元旦進椿芽、黃瓜，其法自漢已有之。漢世大官園冬種葱韭菜茹，覆以屋廡，晝夜[illegible]熅，菜得温氣皆生。帝京景物略

原 馬之駿秋日草橋作　白屋村村度，青帘面面迎。野溪殘雨入，側樹早陰生。梨棗過橋色，鷄豚近市聲。未論邱與壑，出郭已多情。馬仲良詩集

【增】管紹寧集草橋莊詩　官閒更喜調相同，把手郊園興不窮。一曲水環魚藻綠，幾肩花過石橋紅。柳陰落日帘斜出，荷氣微風香暗通。池上客逢藜火夜，霜星應曜尾箕中。帝京景物畧

【原】萬柳堂在府南。紀纂淵海

【原】萬柳堂在府南，元廉希憲別墅。明一統志

〔臣等謹按〕萬柳堂，朱彝尊原書因遺址無考，故入城市存疑條下。今按劉侗帝京景物畧稱在草橋豐臺之間，謹移入郊南以識其事，而舊蹟無可訪矣。

【原】廉希憲園名花幾萬本，號爲京城第一。清容居士集

【原】時營繕東宮，工部官請曰：牡丹名品惟相公家，乞移植數本，太子知出公家矣。公曰：若出特命，園雖先業，一無所靳。我早事聖主，備位宰相，未嘗曲丐恩澤，方爾病退，顧以花求媚耶？請者愧止。元名臣事畧

【原】野雲廉公於都城外萬柳堂張筵，邀疏齋、松雪兩學士。歌姬劉，名解語花，左手折荷花持獻，右手舉杯，歌驟雨打新荷之曲。松雪喜而賦詩曰：萬樹堂前數畝池，平鋪雲錦蓋漣漪。主人自有滄州趣，游女仍歌白雪詞。手把荷花來勸酒，步隨芳草去尋詩。誰知咫尺京城外，便有無窮千里思。樂全堂廣客譚

【原】京師城外萬柳堂亦一宴游處也。野雲廉公一日置酒招疏齋盧公、松雪趙公同飲，命歌兒解語花歌小聖樂行酒。小聖樂乃小石調曲，元遺山先生好問所製名，姬多歌之，俗以

爲驟雨打新荷者是也。輟耕録

【原】野雲廉公未老休致，其城南別墅當時稱爲廉園。花園村之名起此。内有清露堂扁，至大戊申八月，其甥疏仙萬户後更號酸齋，與許參政有壬同游。主人命二人分賦長短句。有壬得清字，卽席成章，調寄木蘭花慢。主人喜甚，榜之堂上。長安客話

【原】貢奎集廉園詩　宿雨洗炎燠，聯車越城闉。廣廛隘深潦，飛棟栖連闤。行經水石勝，稍見花竹環。陰静息影跡，窈窕紛華丹。兢兢是非責，侃侃賓友閒。蔬食嘗苦飢，世榮竟何攀？學仙本無術，卽此超塵寰。雲林集

【補】王惲秋日宴廉園詩　何處新秋樂事嘉？相君絲竹宴芳華。高雲錦席翻涼吹，翠蓋紅妝簇藕花。照眼東山人未老，舉頭西日手頻遮。賓筵醉裏聞佳語，喜動金柈五色瓜。秋澗集

【原】許有壬木蘭花慢詞　渺西風天地，拂吟袖，出重城。正秋滿閒園，松枯石潤，竹瘦霜清。扁舟采菱歌斷，但一泓寒碧畫橋平。放眼奇觀臺上，太行飛入簾楹。主人聲利一毫輕。愛客見高情。便芡剥驪珠，蓮分水繭，酒注金瓶。風流故家文獻，况登高作賦有諸甥。清露堂前好月，多情照我題名。圭塘小藁

【原】玩芳亭在府南，元粟院使別墅。明一統志

〔臣等謹按〕玩芳亭，朱彝尊原書入存疑條下，今依劉侗帝京景物畧謹移入郊南，而舊蹟已失其處矣。

【增】玩芳亭在燕京東營内，乃粟院使之別墅，一時文彥品題甚富。析津志

【原】馬祖常都城粟氏玩芳亭詩　歲序催人老，韶華逐酒濃。開尊應數數，閉户豈重重？花朵山猿折，齋池竹笋供。京塵衣不染，猶得媚春容。石田集

【原】又城南絶句　粟侯亭前花一園，客來日日費金錢。明朝碧樹看城合，恨不江東問酒船。同上

【原】王士熙題玩芳亭詩　每憶城南路，曾來好畫亭。闌花經雨白，野竹入雲青。波影浮春砌，山光撲水扃。褰衣對蘿薜，涼月照人醒。何處春來好？城南尺五天。地幽迷曉樹，花重壓春烟。上客抛羅袂，佳人舞畫筵。曉來清興熟，

移坐曲池邊。留客青春過，題詩碧霧寒。亂鶯穿舞障，輕蝶立迴闌。白日閒斟酒，清時早掛冠。主人多雅興，不覺玉巵乾。拂拭亭前石，東風屋角生。淺雲浮水動，遲日傍花明。春去青林合，人來白鳥迎。暮塵回首處，此地可忘情。美酒朝朝熟，佳賓日日來。玉巵擎雨露，翠袖拂塵埃。預恐春城閉，先教晚騎迴。只今行樂地，飛絮落莓苔。皇元風雅

【原】薛元卿燕栗總管玩芳亭詩　栗氏林亭好，南鄰借馬游。藥欄當户密，花徑近城幽。未許朝參懶，聊因逸興留。使君行樂處，風物爲春柔。文翰題選

【增】遂初堂，元詹事張九思別業，繞堂花竹水石之勝，甲於都城。天府廣記

〔臣等謹按〕張九思遂初堂，孫承澤天府廣記亦系之草橋河各條下，然其蹟已無可考。

【增】予游祖氏園，中有古池臺，云是元人舊蹟，然無從考其爲何氏園也。天府廣記

〔臣等謹按〕祖氏園遺址今廢。

【增】金太祖武元皇帝平遼碑在南城豐宜門外，史臣韓昉撰文，宇文虛中書。金臺集

〔臣等謹按〕金制，南郊壇在豐宜門外，方丘在通元門外，蓋豐宜乃正南門，通元乃正北門也。王惲玉堂嘉話又云，燕城西南門曰端禮，則東南門爲景風可知。以四德智禮相對衡之，則西北門爲崇智，東北門爲會城，亦可知也。

【原】韓昉，字公美，燕京人。天慶二年中進士第一，累遷禮部尚書翰林學士兼太常卿，加開府儀同三司，封鄆國公。善屬文，最長於詔册，作太祖睿德神功碑，當世稱之。金史文藝傳

【原】宇文虛中，字叔通，蜀人。建炎二年爲祈請使被留。天眷間，累官翰林學士知制誥，兼太常卿，封河內郡開國公，書太祖睿德神功碑，進階金紫光禄大夫。金史本傳

【原】循宜泉橋北少東，園內有金太祖武元皇帝碑，扃守嚴秘。園後有小亭，四旁卉木成列，峙二靈壁石於巽坤隅。燕石集　以上三條原在宮室門，今移改。

〔臣等謹按〕宜泉橋今無考。

原 郝經戊午清明日大城南讀金太祖睿德神功碑詩 雜花裝樹燕草緑，珠翠重重擁燕玉。踏青車騎各一簇，巉天一碑杳梢出。鞸肩垂袖立馬看，穹龜交龍勢屈蟠。四面渾鑄堆字山，填金剜盡黑獺斑。冒頭遷史學舜典，序字班書雜文選。銘章生民麗且婉，太祖帝紀都一卷。初賄肅慎兆已陳，日出之國生聖人。周雖舊邦命維新，不事殺戮義與仁。海青一翅海西落，兩國君臣俱不覺。鷁鴣聲裏降王縛，漢民不失生聚樂。平地突起金天龍，面如紫玉真英雄。化行江漢服羌戎，百年以來詩俊功。參用遼宋爲帝制，文采風流幾學士。磊磊高文辭稱事，卓冠一代誰復似？汴亡文物委地壞不收，獨有此碑岌嶪在幽州。荒烟莽蒼無人讀，使我掩面涕泗流。鄭王已自磨甘露，故隴移來立新墓。小民世情多忌諱，更欲去除誰愛護？不久拽仆野火焚，後人不復見此文。攀花再讀傾一樽，朗詠直過宣陽門。陵川集

原 果囉洛納延詩 十丈豐碑勢倚空，風雲猶憶下遼東。百年功業秦皇帝，一代文章太史公。石斷龍鱗秋雨後，苔封鰲背夕陽中。行人立馬空惆悵，禾黍離離滿故宮。金臺集

原 拜郊臺在府西南七里，金大定間拜天於此。明一統志

〔臣等謹按〕拜郊臺今無考，朱彝尊於豐臺按下以爲疑即拜郊臺，亦係約畧言之，初無確證也。

原 金因遼舊俗，以重五、中元、重九日行拜天之禮，重五於鞠場，中元於内殿，重九於都城外。金史禮志

增 郊天臺在京城之南五里，有壝，設郊祀署主之。累朝故事，至治三年冬上親祀，至正十五年冬至日上再祀。金大定十一年拜郊所建，國朝因之，事實備載太常。析津志

原 今右安門外西南，泉源湧出，爲草橋河，接連豐臺，爲京師養花之所。元人園亭皆在於此。春明夢餘録

〔臣等謹按〕豐臺在右安門外八里，居民尚以藝花爲業。

原芍藥之盛，舊數揚州，劉貢父譜三十一品，孔常父譜三十三品，王通叟譜三十九品，亦云瑰麗之觀矣。今揚州遺種絶少，而京師豐臺連畦接畛，倚擔市者日萬餘莖。惜無好事者圖而譜之。豐臺之名，不知所始，詢之土人，並無臺也。析津日記

〔朱彝尊原按〕金時郊臺在南城外，豐宜門者金之南門也。豐臺疑卽拜郊臺，因門曰豐宜，故目爲豐臺云爾。

增豐臺在宛平縣西草橋南，接連豐臺，爲近郊養花之所。元人園亭皆在此。今每逢春時，爲都人游觀之地。自柳村、俞家村、樂吉橋一帶有水田，橋東有園，其南有荷花池，牆外俱水田種稻，至蔣家街，爲故大學士王熙別業。向時亭臺極盛，今亦荒蕪矣。其季家廟、張家路口、樊家村之西北地畝，半種花卉，半種瓜蔬。劉村西南爲禮部官地，種植禾黍豆麥。京師花賈比比，於此培養花木，四時不絶，而春時芍藥尤甲天下。泉脈從水頭莊來，向西北流，約八九里，轉東南入南苑北紅門，歸張灣。水清土肥，故種植滋茂，春芳秋實，鮮秀如畫。京城古蹟考

增乾隆三十九年御製豐臺作　豐臺仍是舊名呼，接畛連畦種植俱。點綴韶光寧可少？偷移天巧得曾無？幻開頃刻欺殷七，下策火攻學阿奴。日下南門精數典，謂當花事祝蕃

廡。日下舊聞引析津日記，謂豐臺之名不知所始。朱彝尊按，以豐臺疑卽拜郊臺，因南門曰豐宜，故目爲豐臺云云。其解未確。考豐臺爲京師養花之所，元人園亭多在其地。豐蓋取蕃廡之義；臺則指亭臺而言耳。

增乾隆四十一年御製豐臺行　廣甸迤邐臨豐臺，豐臺村景殊他哉。郭駝遺風雜樹種，殷七妙術繁花開。花開樹種今復古，豐臺植花木，自勝朝已然，見日下舊聞。村人世業如商賈。何不治田爲農夫？惜矣墾植斯膏土。更思敷治在順民，百萬億分斯一分。豐臺種花樹之地，在京縣內不過億萬分之一耳。所失或多得或少，如禁其種花樹而令種田，則失業者或反致多耳。法令禁制徒紛紜。冬雪春霖今歲好，嫣紅姹紫看夾道。黃筌畫中五里行，李賀詩囊益不少。勝朝酬唱多雅人，飲酒挾妓遨游頻。百年來却鮮繼者，亦足以見風俗淳。

增王士禎豐臺看芍藥詩　回首旗亭畫壁時，重來已是十年遲。應劉逝後風流盡，只有恒河照鬢絲。宮錦千絲費剪裁，泥他婪尾殿春杯。老顛臢欲相料理，乞取齊奴步障來。雨雨風風態自殊，花花葉葉不曾孤。更添練鵲和蟬蝶，便是徐熙六幅圖。霑濕春衣更不嫌，花枝婭姹雨廉纖。鬢絲禪榻心情改，閒看兒郎插帽簷。漁洋詩集

增陳維崧豐臺看花歌　南人爲園種花蕊，北花只在野田裏。園裏栽花愛惜多，花時其奈狂風何！田裏栽花不如草，偏到開時花倍好。燕市風光穀雨餘，豐臺芍藥弄晴初。絕憐紫艷紅香隊，不在高樓小院居。疇醉曲欄供掩映，誰添軟幔助扶疏？空村細雨行人摘，破廟斜陽野叟鋤。今年偶向花間走，狼藉嬌香一回首。人世遭逢亦復然，沈吟且進杯中酒。更憶睢陽看牡丹，鞓紅歐碧望中寬。我憐青帝千堆錦，人作神農百草看。刈去宋清簾底買，捆歸扁鵲市中攤。將花持比南中菜，菜亦南中有人愛。君不見四月東吳賞菜花，千園繡幄爛朝霞。此間芍藥如泥賤，苦蕒瓜蔓共一車。湖海樓詩集

增沈德潛豐臺看芍藥詩　豐臺遠近並栽花，拄杖敲門野老家。隨意殿春搴一朵，狂來欲插帽簷斜。柔枝穠態若爲情，客裏看花眼倍明。畧似少陵臨水見，五家合隊麗人行。文窗雕砌付蒼烟，開到名花轉可憐。猶有園丁閒把耒，逢人還訴舊平泉。載酒閒園賦折枝，風流七子憶南皮。廿年鳥影匆匆過，互對名花看鬢絲。歸愚詩鈔

補豐宜門外西南行四五里，有鄉曰宜遷。地偏而囂遠，土腴而氣淑。郊邱帶乎左，橫岡

亘其前。中得井地三九之一十，築耕稼，植花木，鑿池沼，覆簣池旁，架屋臺上，隸其榜曰遠風，以爲歲時賓客宴游之所者，韓氏之昆仲總管通甫判府君美也。秋澗集

〔朱昆田原按〕今之豐臺，疑卽遠風臺之遺址。

〔臣等謹按〕前條豐臺下朱彝尊按語云，疑因門曰豐宜，目爲豐臺。昆田又云，疑爲遠風臺。似俱涉傅會矣。

增 韓御史，先世禹城人，城南遠風臺爲別墅，諸老有詩。析津志

補 王惲寒食日韓氏南莊讌集詩　重城鞍馬壓紅塵，春草池塘發興新。自擬嘯歌知道在，不分賓主更情親。青山似喜談時事，白髮空慚滿領巾。默數向來投轄飲，不應驚坐獨陳遵。秋澗集

〔朱昆田原按〕韓氏南莊卽遠風臺。

〔臣等謹按〕韓氏遠風臺今無考。

增 葆臺在南城之南，去城三十里，故老相傳明昌時李妃避暑之臺，無碑志。有寺甚壯麗，乃故京藥師院之支院也。析津志

〔臣等謹按〕葆臺及寺今俱無考。

原 百泉溪在府西南一十里麗澤關，平地有泉十餘穴，滙而成溪，東南流入柳村河。明一統志

原 百泉地卑，泥濘四時不乾。一僧誓填之，功未就旋壞，已數年矣。燕石集

原 宋褧南城俚歌　柳村南路百泉涌，陷車躓馬沮洳深。熒熒一僧力負土，治道不成徒苦心。同上

欽定日下舊聞考卷九十一

郊坰 一西

原彰義金之正西門，新城築於明嘉靖中，其西門曰廣寧，而都人至今以彰義呼之。析津日記

〔臣等謹按〕今廣寧門俗稱彰義，特沿金源以來舊名耳。其實金之彰義當在今廣寧門外之西南，距右安門外地稍遠，於方位始合。何以明其然也？金之内城正南門曰宣陽，門外橋曰龍津橋，外門曰豐宜。周煇北轅録、范成大石湖集紀述甚明，爲今右安門外地。其豐宜之西南當爲景風門，再西當爲麗澤門。凡經兩門然後及正西彰義門。今雖不能據右安門外之豐宜實指金之彰義爲何處，而右安與廣寧相去甚近，其非金彰義之舊，鑿然無疑也。

增世宗御製廣寧門新修石道碑文 周禮，地官小司徒令野修道，遂師巡其道修，秋官野廬氏掌達國道路，至於四畿。禮，月令季春之月命司空循行國邑，周視原野，修利堤防，道達溝瀆，開通道路，毋有障塞。是知古先聖王經國理民之方，纖悉備具。至於道

塗之間，咸所加意焉。京師爲四方會歸，萬國朝宗之地。我國家幅員廣大，文軌所同，廓於無外。梯山航海者聯鑣接軫，絡繹而交馳。廣寧門其必由之路。門外通逵，輪蹄所踐，歲月滋久，漸至深窪。時雨既降，潦水停注，則行旅經涉，淹蹇泥淖之中，朕甚憫之。乃命奉宸苑相度修治，自廣寧門至小井村，長一千五百丈，皆填窪爲高，砌以巨石，其廣二丈。凡費户部帑金八萬兩。工既竣，司役之臣請紀其事。朕宵衣旰食，勤求治理，凡可以濟人利物者，惟恐智慮之未周，而施行之不力。念兹國門之外，輻輳之衢，稽於經籍，王政所重，宜以時修治，且期堅固永久，使仕宦商旅，車馬往來，胥遊於蕩平正直之路，朕心慰焉。爰濡筆而紀之。詩曰：周道如砥，其直如矢。以是達之天下，庶冀經國理民之方莫不備舉云爾。

增皇上御製重修廣寧門石道碑文 廣寧門在京城西南隅，爲外郛七門之一。然天下十八省所隸以朝覲、謁選、計偕、工賈來者，莫不遵路於兹。又當國家戎索益恢，悉荒徼別部數萬里輻輳内屬，其北路則徑達安定、德勝諸門，而迤西接軔聯鑣，率由緣邊腹地會涿郡渡盧溝而來，則是門爲中外孔道，尤不與他等。乾隆丁丑十月，勅所司重修石道以利行者，至庚辰七月乃竣。於是上溯我皇考命工創建時，逮今三十年矣。兹役也，因舊阯修築者一千九百八十四丈有奇，又新道增築者四百七十七丈有奇，凡支帑金十三萬八千一百有奇。崇先制，詔後來，不可以無紀也。系之辭曰：閶闔之門，天垣所直。揭以杓攜，言歸有極。聖者法象，度地經涂。詎惟同軌，在闥孰喻。睠時垓埏，日就星拱。巍闕中亘，層闉外鞏。西南坤位，利用安貞。魚鑰曙開，蕩蕩由庚。總總摶銜，班班叱馭。嘉此康馗，敍其鼛互。赤畿望緊，放乎溢陬。冠帶畢徠，顚面纏頭。記功伊始，歲屆辛亥。譬塗塈茨，逮茲卅載。石不可轉，亦劘而刓。冬皸沍凍，夏齧潢汙。大井之村，盧溝是屬。捄之鑿之，爲經緣督。萬指蕆事，帖妥弗敧。廣則由舊，而修益之。其修幾何？匪作緊述。其益幾何！居五之一。里鼓中頓，堠亭前遮。胥爾逖聽，若轃厥家。予臨天下，道在無頗。夐哉壤歌，何有於我？

〔臣等謹按〕廣寧門外小井村恭建世宗御製碑亭，大井村西恭建皇上御製碑亭，皆在石道北，南嚮。

增乾隆五年御製彰儀門詩 彰儀門外城牆下，土壘背城面平野。上留方孔下孔圓，不知此是何爲者。旁有老翁指點言，傳聞詎識實與假。明代堵築防流賊，孔以施礮壘拒馬。少時見壘已傾頹，荆榛櫛比知者寡。我聞此語興咨嗟，感懷欲置不能捨。勝國君臣守禦嚴，卽今胡爲屋其社？由來守德勝守險，地利不如人和也。長歌一曲非誇强，周鑒在殷殷鑒夏。

〔臣等謹按〕彰義門御製詩，恭載首見之篇，餘不備録。

〔又按〕彰義門亦稱彰儀，恭繹御製詩題曰彰儀，蓋從其通稱也。

【原】陳文燭都門送別詩　落日青絲騎，西風白苧詞。廣寧門外柳，折盡向南枝。二酉園集

【原】隋仁壽間，幽州宏業寺建塔藏舍利。神州塔傳

【原】隋文帝遇阿羅漢，授舍利一囊，與法師曇遷數之，莫定多少。乃以七寶函致雍岐等三十州，州建一塔；天寧寺塔其一也。塔高十三尋，四周綴鐸萬計，風定風作，音無斷時。寺僧云音斂則光現，塔前一幢，書體遒美，亦開皇中立。帝京景物畧

【原】釋寶巖，幽州人，住京下仁覺寺，守道自娱。仁壽下勑召送舍利於本州宏業寺，卽元魏孝文之所造也。舊號光林，依峯帶澗，面勢高敞。自開皇末，舍利到前，山恒傾摇未曾休止。及安塔竟，山動自息。又仁壽初歲，天降剃刀三十三枚，用甚銛利，而形制殊別。今僧常用以剃剪也。又初造石函，明如水鏡，文同瑪瑙，光似琉璃，内外照徹，紫燄光起，函外生紋，如菩薩像，及似衆仙、禽獸、獅子、林樹，雜相非一，四月三日夜放大光明照天地，有目皆見。續高僧傳

【原】仁壽二年正月，分布舍利五十一州建立靈塔。幽州表云：三月二十六日於宏業寺安置舍利石函，始磨兩面，以水洗之，明如水鏡，内外相通，紫光焰起。其石斑駁，又類瑪

瑙，潤澤炫耀，光似琉璃。至四月一日起齋行道，至三日亥時，舍利前焚香供養，燈光照庭，衆星夜朗，有素光舒卷在佛輿之上。至八日，舍利入函，自旦及辰，函石現文，彷彿象有菩薩，光采紛藻，又似衆仙，其間鳥獸林木諸狀，不惑者衆，實難詳審。其有文理照顯分明，今畫圖奉進。廣宏明集

原 隋宏業寺，唐開元中改額天王寺。長安客話

原 金大定二十一年，改宏業寺爲大萬安禪寺。湛然居士集

原 至寧元年八月，赫舍哩執中作亂，入自通元門。是日變起倉卒，中外不知所爲。善延實庫乃往天王寺召大漢軍五百人赴難，與執中戰於東華門外。金史本傳 按：善延，滿洲語白色也；實庫，撒袋内襯格也。舊作鄯陽石古。今譯改。

原 寺當元末，兵火蕩盡，文皇在潛邸，命所司重修。姚廣孝退自慶壽，曾居焉。宣德間敕更今名。長安客話

〔臣等謹按〕本朝乾隆二十一年重修，殿前恭立御製重修天寧寺碑。殿内御書額曰常清淨法。聯曰：金界莊嚴，鈴語鐘聲流淨梵；連臺馣靄，香雲寶相現慈因。接引佛殿内御書額曰覺路慈緣。聯曰：發歡喜心，慧光通寶筏；施方便力，法界轉金輪。塔垣東南碑一，康熙十一年尚書龔鼎孶撰，集明董其昌書。寺西北有別院，額曰宗師府，寺僧謂卽廣孝所居。

原嘉靖壬寅五月，天寧寺塔發烟三日。石河小說

原嘉靖二十五年，給事中李文進言：邇年宣武門外天寧寺中，廣聚僧徒，輒建壇場，受戒説法，擁以蓋輿，動以鼓吹。四方緇衣，集至萬人，瞻拜伏聽，晝聚夜散，男女混淆。甚有逋罪黥徒，髡髮隱匿，因緣爲奸。故四月以來，京師内外盜賊竊發。輦轂之下，豈應有此？乞捕爲首者按治其罪。詔下錦衣衛捕繫鞫問。明典彙

增嘉靖庚戌三月廿八夕，王司寇世貞宿天寧寺，微雨蔌蔌，塔鐸忽歛，他聲作於下，耔耔然類蛩鼓翼者。視相輪表，青白光晶熒大於五斗甕，上下閃欻，間一射人衣，亦青白色，可炊黍時乃定，則鐸聲發，他耔耔聲息也。帝京景物畧

原京師天寧寺塔，殿門闔處觀之，其影倒懸，人以爲異。然沈存中筆談謂凡影入窗隙皆倒懸，乃其常理。如陽燧照物皆倒，中間有礙故也。紙鳶飛空中，其影隨鳶而移，或中間爲窗隙所束，則影與鳶遂相違，鳶東則影西，鳶西則影東。樓塔之影中間爲窗所束，亦皆倒垂，與陽燧一也。太岳集

增天寧寺塔倒影在大士殿，日方中，闔殿中門，日入門罅，塔全影倒現石上。昔人云，影從罅入，空中物則旁礙，礙則影東，影東則倒。段成式云，海水倒翻故爾。然是舍利珠影也。珠光上聚，攝入塔影，影入隙光，光則倒受，倒者光中塔影，非此塔影也。帝京景物畧

〔臣等謹按〕倒影之説，帝京景物畧所言較諸説爲明顯。今塔頂無珠，塔後無大士殿，倒影之蹟蓋不可得而考矣。

原天寧寺塔高二十七丈五尺五寸。艮齋筆記

補天王寺之更名天寧也，宣德十年事也。今塔下有碑勒更名勅，碑陰則正統十年刊行藏經勅也。碑後有尊勝陀羅尼石幢，遼重熙十七年五月立。陝志

〔臣等謹按〕遼重熙年石幢、明宣德更寺名勅碑，今皆無存。

原寺在元魏爲光林，在隋爲宏業，在唐爲天王，在金爲大萬安，宣德中修之曰天寧，正統中修之曰萬壽戒壇，名凡數易。訪其碑記，開皇石幢已失所在，即金元舊碣亦無片石矣。蓋此寺本名宏業，而王元美謂幽州無宏業寺，劉同人謂天寧之先不爲宏業，皆考之不審也。析津日記

補北京天寧寺有一磬，傳是漢明帝時物。每誦一經，書其經名貼於上，則磬自鳴，經完乃止。耳新

〔臣等謹按〕天寧寺漢磬今已無存。所存者明嘉靖中銅磬，在接引佛殿。又鐵磬一，在塔東南隅，萬曆年製，其石座爲八觚。以後文泠然志之説考之，蓋與鐵鼎同時鑄造者也。

補京師天寧寺塔建於隋開皇末，規制特異，實其中，無階級可上。蓋專以安佛舍利，非登覽之地也。其址爲方臺，廣袤各十二丈，高可六尺，繚以周垣。南北有門，鐍之。臺上爲八觚壇，高可四尺，象如黄琮，塔建其上，觚如壇之數。塔之址畧如佛座，雕刻錦文華葩鬼物之形，上爲扶闌，闌四周架鐵燈三層，凡三百六十盞。每月八日注油然之，闌之内起八柱，纏以交龍，牆連於柱，四正琢爲門，夾立天王像，四隅琢爲牖，夾立菩薩像，皆陶甓爲之。仰望者疑爲燕山奪玉石也。自塔址至柱楣爲第一層，其高約全塔三分之一。自是以上，飛檐叠栱，又十二層。每椽之首綴一鈴，八觚交角之處又綴一大鈴，通計大小鈴三千四百有奇。風作時，鈴齊鳴，若編鐘編磬之相和焉。最上一層，其南有碑，不知何年所立。修塔時寺僧有搨本，索之不可得也。又上露盤相輪鎏金火珠以鎮其頂，塔下壇八面各安一鐵鼎，高丈餘，腹按八方畫八卦。明萬曆年所鑄。塔前一石幢，上刻尊勝陀羅尼咒，遼重熙十七年立。帝京景物畧謂是隋開皇年物，誤矣。幢前有碑，覆以亭。蓋寺舊名天王，宣德十年始改今名，碑即勒改題寺名勅也。塔後第二殿匾曰大覺，再後爲廣善戒壇。亭午日射右扉，倒影落石上，作雙椽燭形，蓋扉下偶有二隙，光緣此而分也。泠然志

〔臣等謹按〕天寧寺塔制，泠然志述之詳矣。椽首鈴今僅存其繫觚角者百有八；塔頂

之珠輪、塔下之鐵鼎皆無存。惟接引佛殿屏後懸寶塔圖，書華嚴經，塔高一丈五尺五寸，計六十萬四十三字。康熙辛未虞山許悳寫，大興闞秀同室人劉氏施。

增御製重修天寧寺碑　京師廣寧門外有招提曰天寧寺，中矗起浮圖，高十餘丈。考圖志，隋時建，寺曰宏業，有僧藏舍利塔中。入唐，改名天王。明成祖分藩，特擴崇構。宣德中改名天寧，正統乙丑更名廣善戒壇。設宗師十人，歲以四月下旬集緇流聽度，謂之圓戒。嗣後乃復今名。一修於正統乙亥，再修於嘉靖甲申，皆內官監爲之，越今又二百餘年矣。堅者瑕，新者敝，弗治且圮，爰命增葺之。凡門廡殿宇齋堂丈室規制一新。南苑迴蹕之便，常一過焉。役竣，有司以刻文請。自象教流傳，都會之地多建琳宮梵宇，爲遠近壯觀。蓋當時承平，物力殷阜，恒出其餘以廣福田利益。故洛陽伽藍記以覘時盛衰，而其歷世久遠，則又因其蹟所在護持之俾弗替。此亦世諦因緣之不容已者也。茲寺自隋至今，垂千餘年，其間兵燹所摧蕩，名園、別墅、高臺傾而曲池平者，不知凡幾。寺獨以古刹巍然至今，一燈迢遥，法輪無恙。釋典言四禪地爲三災所不能及，是非佛力廣大默相攝於鐘魚梵唄間，虛空中常有吉雲擁護，其何以熄龍漢之火，迴金藏之水，障毘嵐之風，刧塵莫之能壞，功德不可思議一至是耶？夫名勝遺留愈久，愈動人流連慨慕。魯靈光殿之獨存也，好古者猶賦而傳之。而況近在都邑，集善因而修淨業者乎？

顧前代修葺，如正統以後大都出於閹寺者流，以城社蠹餘爲莊嚴，以苞苴長物爲布施。雖號稱極盛，厄莫甚於彼時者，今爲滌除其蹟，易腐摧朽，宏此偉觀。香臺寶界，皆從善緣中湧出。是則自有茲寺千百年來遭逢之最，又不僅留勝蹟於無窮已也。

原王紱游天王寺次王時彦韻　古寺幽尋竟夕暉，敗垣芳草路依微。鳥啼空院僧何在？樹老閒庭鶴自歸。静對方池移石坐，高臨孤塔看雲飛。平生自信心無礙，不是衰年始息機。王舍人集

原南大吉天寧寺行　城西野寺名天寧，遥遥大道臨郊坰。多士驪駒停玉策，諸天魚鑰啟金扃。金扃窈窕通華殿，桂栱璇題皆可見。雕楹紫蓋覆珍輪，獸吐青蓮承寶薦。寶薦明珠照四隅，修廊廣室紛盤紆。參差鐵鳳翔高閣，琅璫金鐸湧浮圖。浮圖萬丈凌遥碧，嘉樹陰森連廣陌。丹青不道千黄金，土木寧論雙白璧？此都此寺真無比，誰其建者中常侍。可憐海内蒼生心，只得上方經行地。君不見年年四月天，傾城車馬紛聯翩。蘭若上人登寶座，沙門弟子坐青氈。此時公侯亦羅拜，神鐘大磬鳴天外。螓首佳人解誦經，朱袍公子能受戒。受戒誦經敞繡筵，左廊右室曲相連。如陵之肉萬銅錢，如澠之酒金杯傳。金杯象箸何狼藉？蔓草叢蘭同一澤。薊門艷舞留飛錫，燕市名謳調上客。吁嗟乎！中黄門。食禄千鍾近至尊，胡爲崇此盂蘭盆！瑞泉集

原沈淵集天寧寺詩　千秋祇苑鳳城西，烟樹蒼蒼路轉迷。縹緲龍宫分色相，岧嶢雁塔逼雲霓。齋空盡日聞鐘梵，坐久深林自鳥啼。信是諸天超物外，好從此處學幽栖。海岳靈秀集

原章適天寧寺餞別李伯承詩　帝城西畔湧浮圖，詞客相將興不孤。法界彩烟飛五鳳，梵天珠樹下雙鳧。論交幾駐青絲騎，惜別還傾白玉壺。江漢才名多秀士，一時文采似君無。詩統

原區大相九日集天寧寺詩　帝京重九日，朋舊共開尊。地遠城西寺，臺高薊北門。雲光移塔影，山勢斷河源。忽覩南飛雁，令予思故園。海目集

原朱國祚晚過天寧寺詩　郭外秋山百里晴，日斜深院晚涼生。十三層塔半扉影，一鳥不來風鐸鳴。介石齋集

補李夢陽天寧寺觀塔碑作　舊瞻天寧塔，今覽天寧寺。兹塔多鬼怪，光芒夜夜至。不知何時殿，結構今頹棄。剔蘚讀其碑，識是隋文季。蝌蚪半剥落，蛟龍猶奰屭。我來值時暮，攬游發潛喟。修陸抗趙代，長山衛燕薊。蒼然野眺合，一灑楊朱淚。空同集

補宏化寺在天寧寺東南，惟餘一殿存，并寺額佛像俱亡之矣。殿後百餘步有塔不甚高，

然亦重簷七層，其第一層有石陷壁間，刻曰僧録司左善世大慈仁寺開山第一代住持傳曹洞宗師大機老人塔。寺西北隅林木中冢纍纍，遺碑尚存，大璫徐澄、王朝等所瘞也。行國録

〔臣等謹按〕宏化寺遺址去天寧寺東南不半里。殿今廢，諸璫碑亦無有，大機老人塔今尚存。

補廣寧門外御菜園觀音寺一稱海會禪林，亦白紙坊地也。成化中上林苑監覃盈建。以北有玉河鄉觀音寺，土人目爲南觀音寺。殿右一碑，直文淵閣中書舍人永嘉姜立綱所書也。碑建於成化五年正月。隩志

〔臣等謹按〕大慈觀音寺又名海會禪林，俗名南觀音寺，在廣寧門外西南一里。寺樓恭懸聖祖御書額曰寄興高遠。雍正十一年發帑重修。殿内恭懸世宗御書額曰慈雲甘露。殿前恭立世宗御製碑。寺中碑二：一明成化五年碑，吏部郎中劉文撰；一康熙四十二年碑，大學士陳廷敬撰。

增世宗御製大慈觀音寺碑　蓋聞觀音大士從聞思修獲證真實圓通，得二殊勝。一者上同諸佛慈力，二者下同衆生悲仰。其上同慈力也，當無一衆生不可度，其下同悲仰也，亦無一諸佛不可感。雖曰諸佛，實非諸佛。雖曰衆生，實非衆生。非衆生即無衆生相，非諸佛亦無諸佛相。斯所謂無相道場，大士實於此道場中，興慈運悲，無相示相，隨類應

身，靡刹不現，成就世間出世間一切衆生種種事業。所以世人無不承事供養，繇來尚矣。京師廣寧門外孔道之南，有大慈觀音寺，創自金時。明中葉有僧無爲駐錫於此，大宏經典，繼者亦講演不絶，遂爲京畿講院之冠。我聖祖仁皇帝駕臨其地，覽野曠天空，塍連畛接，親灑天筆，書寄興高遠四字額諸殿。朕宏思聖澤光昭之勝地，普門像教之寶坊，頒帑金修治，特建樓殿左，藏御書。八月肇工，不百日而告竣。仍命教觀沙門住持講演諸經，開導四衆。朝而鐘，暮而鼓，無非清淨之圓音；鴉之鳴，鵲之噪，悉演般若之實相。雖然，同是聲也，大士從之卽得寂滅現前。同是聞也，衆生從之不免循聲流轉。何哉？蓋迷悟之界祇在能返聞聞自性性與否耳。經云：返聞聞自性，性成無上道。不用絲毫之功，不移尺寸之步，豈不人人觀世音門門盡慈氏也哉？爰書爲記，用勒貞珉。

增陳廷敬重修南觀音寺碑畧 南觀音寺創於金朝，明初廢爲嘉蔬署。成化間重修，萬曆初又重修，歷明至今，此寺復圮。甲辰秋，樂修法師主此刹，百廢具興，稱爲名刹。丙寅春，聖駕臨幸賜扁，隨命樂修住西山聖感寺，因敍此寺廢興本末，立一石以傳後。康熙四十二年仲秋立。

原十里村見元人何太虚詩，當在彰義門外，今莫知其處矣。析津日記

原何中宿十里村詩 朝出順承門，暮宿十里村。臂鷹獵騎歸，積雪明郊原。居人喜客來，汲井鄰牆温。羹湯稍暖熟，餅餌亦燒燔。此夕羈旅意，深知路人恩。重林隱城堞，望此勞心魂。知非堂集

欽定日下舊聞考卷九十二

郊坰 二西

增京師廣寧門外有普濟堂一所，以處夫貧而無所歸者。普濟堂册

〔臣等謹按〕普濟堂在廣寧門外迤西二里，其初居民王廷獻醵金爲義舉，康熙四十四年，順天府尹錢晉錫以其事上聞，聖祖仁皇帝御書膏澤回春額以賜，又御製碑記建亭勒石，禮部侍郎孫岳頒奉勅書。世宗憲皇帝龍潛藩邸，歲賜銀一千兩，迄今奉爲定額，歲於宣課司支給。雍正元年特頒諭旨嘉獎；尋賞給孤貧額餘銀米，並著爲例。十三年十二月，復蒙皇上頒賜銀五百兩。乾隆八年又特頒賑米二百石。蓋自帑金定額之外，頻沐優施，聖朝之矜恤窮黎者，洵有加無已矣。

增聖祖御製普濟堂碑記 京師廣寧門外有普濟堂焉，門臨孔道，地接神區。萃萬國之梯航，普兆民之樂利。熙來攘往之衆，胥慶春臺；肩摩轂擊之倫，咸登壽域。然而川塗跋涉，易興趼足之嗟；風雨晦明，難遂棲身之願。或徘徊岐路，最急資糧；或偃蹇孱軀，

尤需醫藥。於是都人尚義，上户輸金。託此三乘之津梁，用濟四生之疾苦。慈雲法雨，資佛力以醒羣迷；夕唄晨鐘，贊王化以宏大澤。寒得衣而饑得食，羈旅如歸；病有託而療有方，疲癃立起。既安全之甚衆，且存没之皆寧。有司以聞，深爲嘉悦。夫好義輕施，乃良民之美行；恤災拯患，實盛世之休風。喜見我民，還敦古道。咸能體朕憂民之念，推朕救民之心。創建雖肇乎都城，效法期及乎寰宇。成比户可封之俗，慰一夫不獲之懷。書傳從欲於四方，詩詠徧德於百姓。此則朕之志也。爰賜之額曰膏澤回春，而爲之記。

原真空寺在廣寧門外，明景泰中建，正德年圮。世宗入繼大統，羣臣迎於郊外，帳殿駐於寺之西。太監李某捐金修之，大學士張治撰碑。寺後有古松二，其一已枯。析津日記

〔臣等謹按〕真空寺在廣寧門外迤西五里，寺中張治碑今存，碑署銜尚是其爲庶吉士時也。外又有嘉靖四十二年工部尚書張文憲兩碑，寺已圮，僅存殿數楹，二松俱無存矣。

原萬曆六年六月，大學士張居正抵京，上賜宴於真空寺。明神宗實録

增張治真空寺碑畧　都城宣武關西真空寺，景泰初年司禮監太監興安之所建也。迨今七十餘年，傾頽圮壞。正德十六年夏四月，聖天子自封藩入繼大統，駐蹕於寺之西行殿。百官迎覲，一時從龍近臣隨侍左右。御用監太監李端分憇於住持僧舍。顧殿宇僧房，惻然思所以修葺之。逾歲，卽上嘉靖元年，李公以上所賜金經營工作，凡九十餘日告完。自後殿及僧房，煥然一新，不增其所無，不減其所有。是爲記。嘉靖元年秋八月立。

原陸可教夏日出郊憩真空寺詩 古刹閒相過，西郊日未曛。一燈僧自定，諸界鳥空聞。松影禪房合，烟光驛道分。更憐歸路晚，馬足有殘雲。金華詩萃

原高道素題真空寺壁詩 真空寺後雙松樹，曾見先皇駐蹕初。三讓豈宜臨便殿？百年猶共識遺墟。離筵慣聽悲歌續，佛火偏存浩劫餘。高坐道人無恙在，願聞第一義何如。景元堂集

原義井庵在天寧寺西十里，復十里至盧溝橋。義井或曰蜜井，相傳文皇駐蹕，甘其泉，故名。庵爲中涓所修，初刱寶閣，高入雲漢，中笵丈六金身，稱之。長安客話

〔臣等謹按〕義井庵在廣寧門外迤西十里，明萬曆中額曰萬佛延壽寺。後有大悲閣，中奉大士，高三丈六尺。閣前爲明神宗勅諭碑，正殿前有崇禎十三年碑，河南右布政使周鏘撰。井在廟門外，今其地名大井村。

〔又按〕大井村石道衢建木牌坊一座，乾隆四十年命改建石工，恭鐫御書額，東面曰經環同軌，西面曰蕩平歸極。

增明神宗勅諭義井萬佛延壽寺碑畧 朕發誠心，印造大藏經，頒施在京及天下名山寺院供奉，經首護勅已諭其由，爾住持及僧衆人等務要虔潔供安，朝夕禮誦，祈無疆壽福，民安國泰，天下太平，俾四海八方同歸仁慈善教焉。

增周鏘萬佛延壽寺碑畧 昔佛住世，雪山修行，何意於人世？然而給孤長者，金甎布地，祇陀太子，施樹及園。大都有一代之大修行人，卽有一代之王公大人供奉而侍養之。法界大師飛錫義井，茅屋施茶，有轉大法輪之願，未竟厥施而師先圓寂。先是，一僧募造大士金身，高三丈六尺，功垂成而僧竟不知所往。後李中貴之父繼募成造，內翰孫公成奏聞，神祖發帑金若干，欽命義井供奉，賜額名延壽寺。繼法界而受成者，則無窮大師拮据之功不小。一時善信，指不勝屈。殿宇樓閣方丈香廚無一不備。嗣無窮大師而克勝其任者，則瓊峯大師，以守而兼創，冬湯夏茶，四時不絕，恐其世遠徵亡，亟圖鐫石，屬予搦管。崇禎十三年孟夏立。

原㶟水卽桑乾河，至馬陘山爲落馬河，出山謂之清泉河，亦曰干泉，至雍奴入笥溝，謂之合口。隋圖經

原灅水出雁門陰館縣東北，過代郡桑乾縣南，又東過涿鹿縣北，又東南出山過廣陽薊縣北。水經注

原桑乾泉卽溹涫水也，其水潛承太原汾陽縣北燕京山之大池。古老相傳，有人乘車於池側，忽遇大風，飄之於水。有人獲其輪於桑乾泉，故知二水潛流通注矣。桑乾水自源東南流，右會馬邑川水，東南流合灅水。桑乾水、灅水，並受通稱矣。同上

原盧溝河亦謂黑水河，河色最濁，其急如箭。北轅録

〔臣等謹按〕盧溝河舊自宛平縣東，經大興縣南，至東安、武清入白河，卽桑乾故道也。元時自宛平分流爲二。後舊渠堙塞，其南出者明永樂間改西南流。嘉靖初，徙固安北，東入永清，經霸州東北，達信安入海。萬曆中，徙固安西十餘里，尋復徙城南，泛溢固安、永清之境。後又徙固安北。本朝順治十一年，改流縣西，與清水合，南入新城，至霸州城南溢爲巨浸。康熙三十七年聖祖命撫臣于成龍等疏濬，起良鄉之張各莊，至東安之郎城河，別開一渠引河使東行，由固安、永清之北，出柳岔口三角淀，達於西沽，並築長堤捍之，賜名永定河，設分司管理。雍正四年世宗命於郭家務開渠七十里，其下流之長洵河，開濬三十餘里，導河逕王慶坨東北入三角淀，並築堤自柳岔口至韓家村凡三十餘里，以防其衝。改永定分司爲道員，專司修

濬。由是渾河下流不復南注清河，沿河州縣咸受其利。乾隆十六年皇上命移河之下口自南岸上七工秉教村流經永清、霸州、東安、武清界，至天津安光村入葉淀歸海。嗣因地勢稍狹，未能勻沙蓄水。二十年春，上親臨閱視，指授方畧，開北岸之六工爲下口，流經永清、東安，至武清東沙家淀入鳳河，達天津歸海。二十八年，復挑濬永清、東安、武清舊河孫家坨、惠家莊諸處，於是盧溝下流益暢，永慶安恬矣。

原盧溝去燕山三十五里，宋敏求謂之蘆菰河，卽桑乾河也。石湖集

原大定十年，議決盧溝以通京師漕運，上欣然曰：如此則諸路之物可逕達京師，利孰大焉！命計之，當役千里内民夫。上命免被災之地，以百官從人助役。已而勅宰臣曰：山東歲饑，工役興則妨農作，能無怨乎！開河本欲利民而反取怨，不可。其姑罷之。十一年十二月，省臣奏復開之。自金口疏導至京城北入濠而東，至通州之北入潞水，計工可八十日。十二年三月，上令人覆按，還奏止可五十日。上召宰臣責曰：所餘三十日，徒妨農費工，卿等何爲慮不及此？及渠成，以地勢高峻，水性渾濁，峻則奔流善崩，濁則淤淖成淺，不能勝舟。其後上謂宰臣曰：分盧溝爲漕渠，竟未見功。若果能行，南路諸貨皆至京師矣。平章政事駙馬元忠曰：請求識河道者按視其地。竟不能行而罷。金史河渠志

原盧溝河其源出於代地，名曰小黄河，以流濁故也。自奉聖州界流入宛平縣境，至都城四十里東麻谷分二派。元史河渠志

原明洪熙元年七月，水決盧溝橋東狼窩口岸一百餘丈，命行後軍都督府行部發軍民修築。明仁宗實録

原宣德三年六月，渾河水溢，衝決盧溝河堤百餘丈。行在工部奏聞。上命併力用工。二月，修盧溝橋凌水所決河口。四年四月，命侍郎羅汝敬往督。九年六月，水決渾河東岸，自狼窩口至小屯廠。行在工部請修治。從之，命都督鄭銘董其役。明宣宗實録

〔臣等謹按〕盧溝橋東五里地名小屯，又橋北十餘里地名小屯村。

原成化七年二月，撥官軍五千，以少監高通、都督鮑政、工部侍郎李顒修築盧溝橋堤岸。明憲宗實録

原嘉靖四十一年八月，盧溝西南堤壞，命工部尚書雷禮往視。禮還，上修築事宜。謂盧溝橋東南有大河，從麗國莊入直沽下海，沙泥淤塞十餘里。稍東有岔河，從固安入直沽下海，地勢稍高。宜先疏濬大河，令水歸故道，然後繕築長堤。其次口地理土浮水深流急，人力難施。而西岸有故堤約長八百丈，宜接遺址繕築。仍委幹局官九人分爲九區，并力責成。又言：橋東西岸甃石不堅，當俟決堤工完之日加工繕治。報可。明世宗實録

原盧溝河發於太原之天池，伏流至朔州馬邑，從雷山之陽發爲渾泉，而爲桑乾河，雁門、雲中諸水皆會焉。過懷來，行兩山間，拘束齟齬不得肆。至京城西四十里石徑山之東，地勢平而土脈疏，衝激震蕩，遷徙弗常。永樂、正統間，狼窩口大決，爲京師患，屢嘗修築。弘治二年，發軍民夫治之。至嘉靖三十年以後，東岸堤決幾二十處。於是以三十五年興工，次年橋工告成。是河安流者數歲。四十一年，西南又決，復行修理，堤岸始堅。水部備考

〔臣等謹按〕石徑山亦名石經山，又曰石景，曰濕經。詳見後卷許用賓碑畧。

原盧溝河出太原天池，伏流至朔州馬邑，從雷山陽湧爲金龍池，迤邐東下曰桑乾河，雁門、雲中諸水皆會，由大同古定橋抵宣府保安州，通懷來，行兩山間。至京城西四十里石徑山之東，地平土疏，衝激遷徙不常。至看丹口分爲二，一東流至通州高麗莊入白河，是爲渾河，一南流至霸州合易水，又南至丁字沽入運河。吴文恪集

原桑乾水發源於渾源州，經保安之境，則自懷來夾山而下。至盧溝橋狼窩地方，衝溢爲患，漫至彰義門。先朝屢經修築，爲費不貲。今保安境上聞有用土牛逼水成田者，若督責有人，多方招募，使桑乾上流皆引水成田，則豈惟保安之田恃以無患，而懷來以下水患亦殺矣。潞水客談

原盧溝而下，舟楫時有之，盧溝而上，直達宣府之保安州，故元運道也。自大同縣古定橋起至盧溝橋務里村止，約八百餘里内，可以舟行者七百二十七里。驢駝般運者八十八里。水部備考

原蘇軾詩曰：北渡桑乾冰欲結，心畏穹廬三尺雪。南渡桑乾風始和，冰開易水應生波。蓋桑乾下流爲盧溝，以其濁故呼渾河，以其黑故呼盧溝。燕人以黑爲盧，水本一也。燕都游覽志

原嘉靖十年，命工部郎中陸時雍修盧溝河，以支流導入於海。三十四年，命修盧溝河，從柳林通雞鵝房，導入大河。四十一年，命工部尚書雷禮修盧溝河，先濬大河，令垡河水歸故道，從麗莊園入直沽下海，凡三易治，而世宗朝盧溝無患也。明水利考

原大業七年，征高麗。煬帝遣諸將於薊城南桑乾河上築社稷二壇，帝齋於臨朔宮懷荒殿。通典

〔臣等謹按〕隋大業間社稷二壇今無考。

原裴行方檢校幽州都督，引盧溝水廣開稻田數千頃，百姓賴以豐給。册府元龜

原過盧溝河，伴使云恐乘橋危，以車渡極安而速濟，不曉其法。使遼録

補甲戌夏四月，金主南遷，留太子守中都。金主行距涿，遼軍在後，至良鄉，金主疑

之，欲奪其元給鎧馬還官，遼軍驚，遂殺主帥索琿而叛。共推扎達巴咱爾扎拉爾爲帥而還中都。福興聞變，遣軍阻盧溝，使勿得渡，扎達等使其裨將貝實勒帥輕騎千人潛渡水，腹背擊守橋衆，大破之。盡奪衣甲器械牧馬之近橋者。聖武親征記 按：索琿，滿洲語姜黃色也，舊作素温。扎達，蒙古語石也，舊作斫荅。巴咱爾，梵語金剛也，舊作巴薩爾。扎拉爾，蒙古語纓絡也，舊作扎剌兒。貝實勒，唐古特語琥珀也，舊作比涉兒。今俱譯改。

原 元太祖將兵南下，中都降。王檝進議：田野久荒而兵後無牛，宜差官盧溝橋索軍回所驅牛，十取其一，給農民。用其説，得數千頭，分給近縣，民大悦，復業者衆。元史本傳

原 延祐四年，盧溝橋、澤畔店、琉璃河並置巡檢司。元史百官志

原 至正十四年四月，造過街塔於盧溝橋。元史順帝紀

〔臣等謹按〕過街塔在西直門外迤西四十里，距盧溝橋十餘里，今尚存。

原 天啓元年十二月，御史李日宣議於都門抵良鄉界五十里，如長店、大井、柳巷、五里店、太平堝等處，每五里築墩堡，宿兵十名，遇有竊發，協力出救。又盧溝橋至趙村十里，趙村至良鄉二十里，僅有盧溝橋巡檢弓兵二十人，難以策應，宜一體設備以遏亂源。得旨卽行。明熹宗實録

〔臣等謹按〕柳巷在廣寧門迤西五里，大井在廣寧門西十里，五里店在盧溝橋東五里，長店當卽今長新店，在盧溝橋西五里。太平堝無考，趙村隸良鄉縣境。

之，欲奪其元給鎧馬還官，遼軍驚，遂殺主帥索琿而叛。共推扎達巴咱爾扎拉爾爲帥而還中都。福興聞變，遣軍阻盧溝，使勿得渡，扎達等使其裨將貝實勒帥輕騎千人潛渡水，腹背擊守橋衆，大破之。盡奪衣甲器械牧馬之近橋者。聖武親征記　按：索琿，滿洲語姜黄色也，舊作素温。扎達，蒙古語石也，舊作斫荅。巴咱爾，梵語金剛也，舊作巴薩爾。扎拉爾，蒙古語纓絡也，舊作扎剌兒。貝實勒，唐古特語琥珀也，舊作比涉兒。今俱譯改。

原 元太祖將兵南下，中都降。王檝進議：田野久荒而兵後無牛，宜差官盧溝橋索軍回所驅牛，十取其一，給農民。用其説，得數千頭，分給近縣，民大悦，復業者衆。元史本傳

原 延祐四年，盧溝橋、澤畔店、琉璃河並置巡檢司。元史百官志

原 至正十四年四月，造過街塔於盧溝橋。元史順帝紀

〔臣等謹按〕過街塔在西直門外迤西四十里，距盧溝橋十餘里，今尚存。

原 天啓元年十二月，御史李日宣議於都門抵良鄉界五十里，如長店、大井、柳巷、五里店、太平堝等處，每五里築墩堡，宿兵十名，遇有竊發，協力出救。又盧溝橋至趙村十里，趙村至良鄉二十里，僅有盧溝橋巡檢弓兵二十人，難以策應，宜一體設備以遏亂源。得旨卽行。明熹宗實録

〔臣等謹按〕柳巷在廣寧門迤西五里，大井在廣寧門西十里，五里店在盧溝橋東五里，長店當卽今長新店，在盧溝橋西五里。太平堝無考，趙村隸良鄉縣境。

之。金史河渠志

〔朱彝尊原按〕二十五年五月世宗紀作二十六年。

補 大定二十九年六月，作盧溝石橋。明昌三年三月癸未，盧溝石橋成。金史章宗紀

〔臣等謹按〕金史，六月作盧溝石橋，原書誤作閏月，是年閏乃五月，今改正。

增 盧溝橋在京南三十里。水源出金口，即渾河，水至盧溝，波濤洶湧，狂瀾叠出，石齒相角，上架石梁，有獅子闌楯。析津志

原 弘治三年五月，修築盧溝橋成，内官監太監李興乞陞文思院副使潘俊等官。吏部尚書王恕謂官匠營造乃其職分，自成化初年以前，修河築堤，並無陞官事例。比者營先帝山陵，所役軍匠至四萬人，亦未有陞職者。此役較之山陵不及三之一，顧欲妄濫陞官，甚失輕重之序。上從其言，命給賞有差。明孝宗實録

原 盧溝橋金明昌初建，正統間重修，長二百餘步，左右石欄刻獅子數百枚，情態各異。長安客話

補 朱存器爲修内司使，嘗夜行盧溝橋，獲金一囊，坐而待其主以付之。其人請中分，存器笑而遣之。元史列傳

原 盧溝河水極湍激，每候水淺深，置小橋以渡，歲以爲常。近年於此河兩岸造浮梁，建龍祠，彷彿如黎陽三山制度。奉使行程録

欽定日下舊聞考卷九十三

郊坰 三西

原大定十九年，有司言盧溝橋河水勢泛决，嚙民田，乞官爲封册神號。禮官以祀典不載，難之。已而特封安平侯，建廟。二十七年，奉旨，每歲委本縣長官春秋致祭如令。金史禮志

原初，盧溝河决久不能塞，加封安平侯，久之，水復故道。上曰：鬼神雖不可窺測，即獲感應如此。圖克坦克寧奏曰：神之所佑者正也，人事乖則勿享矣。報應之來，皆由人事。上曰：卿言是也。金史本傳

原至元十六年五月，進封桑乾河洪濟公爲顯應洪濟公。元史世祖紀

原正統元年七月，命行在工部左侍郎李庸修狼窩口等處堤。二年二月，李庸請建龍神廟於堤上，且令宛平縣復民二十户，自石徑山至盧溝橋往來巡視。從之。四年六月，小屯廠西堤决，詔發附近丁夫修築。七年十一月，築渾河口。九年三月，修盧溝橋。明英宗實録

增南惠濟廟在盧溝橋之南，拱極城東半里許。五城寺院册

〔臣等謹按〕盧溝河神廟，金大定中建，封安平侯。元至元中，封顯應洪濟公。明正統中，建龍神廟於堤上。本朝康熙三十七年，聖祖仁皇帝發帑重建，勅封永定河神。乾隆十六年，皇上發帑重修，勅加封安流廣惠永定河神。乾隆三十九年又修，廟有康熙三十七年聖祖御製碑文，乾隆十六年皇上御製碑文，乾隆四十一年皇上御製詩，俱恭勒於石。大殿恭懸聖祖御書額曰安流潤物。皇上御書聯曰：鞏固藉昭靈，惠同解阜；馨香憑報祀，濟普安恬。後殿恭懸皇上御書額曰永佑安瀾。廟額曰南惠濟者，以河之上流石景山有北惠濟廟也。石景山廟詳後卷。

增聖祖御製碑文　朕勞心萬民，於農田水利諸務常切講求。大要仿古之決河濬川而因勢利導，度有可行，期於必濟。惟勤丕應，樂觀厥成。念茲永定河，其初也無定。蓋緣河所從來遠，發太原之天池，經朔州馬邑，會雁雲諸水，過懷來夾山而下，至都城南，土疏衝激，數徙善潰，頗壞田廬，爲吾民患苦，朕甚愍之。蠲賑雖頻，告災如故。永圖捍禦之策，咨度疏濬之方。特命撫臣于成龍董司厥事。庀役量材，發帑諏日，具告禱於神，乃率作方興，庶民子來，畚鍤雲集，湯湯之水，湍波有歸，橫流遂偃。嘉此新河，既瀦既平。計地自宛平之盧溝橋至永清之朱家莊，滙郎城河注西沽以入於海，計里延袤

二百有餘，廣十有五丈。計工始於康熙三十七年三月辛丑，卽工於五月己亥。自今蓄洩交資，高卑並序，民居安集，亦克有秋。夫豈惟人力是爲，抑亦神庥是賴。宜永有秩於茲土，以福吾民，用是錫河名曰永定，封爲河神。新廟奕奕，丹雘崇飾，更頒翰墨，大書扁額，以答靈貺。豈特於祈報之禮有加，尚俾知水利有必可興，水患有必當去，而勤於民事，神必相之，以勸我長吏。凡一渠一堰，咸所當盡心。爰揭諸碑，紀茲實事，監於後人，視永定河所自始。

增御製安流廣惠永定河神廟碑文 國家懷柔百神，嶽瀆海鎮而外，名山大川之祭，視歷代爲加隆。矧郊圻近甸，洪流巨浸，經行迄於千里，利賴存於萬姓，昭德報功，曷敢弗欽崇厥祀？永定河，古桑乾河也。發源天池，洑流馬邑，滙雲中、雁門諸水，穿西山而注盧溝，亦曰盧溝河。西山而上，岡巒夾峙，無衝激之患。盧溝下地平土疏，波激湍悍，或分或合，遷徙弗常，而固安、霸州之間，輒至潰溢。我皇祖聖祖仁皇帝親臨指示，大修堤堰，肇錫佳名。我皇考世宗憲皇帝興舉水利，疏濬兼施。蓋自康熙三十七年至今，水慶安瀾，民資作乂，平成底定之績，邁越前古，而神庥協應，靈貺屢彰，已五十年於茲矣。康熙、雍正年間，盧溝、石景均建有龍王之廟，而神宇之嘉稱未定。朕纘膺鴻緒，躬閱河防，仰惟謨烈之顯承，敬念明神之孚佑。深籌捍禦之宜，備舉尊崇之典。爰勅督臣，式輪式奐，新定斯名。平野臨其前，長河繞其側，堂基爽塏，棟宇閎深。禮臣請勒文貞珉，以紀歲月。朕惟詩曰：允猶翕河。又曰：世德作求，永言配命。惟永定河之順軌，經兩朝之方略，翕猶之功既著，世德之盛彌昭。今茲廟貌維新，以妥以侑。朕既薦明德之馨，彌深紹庭之念。神其益懋豐功，降康兆庶，俾三輔之内，廬井恬熙，咸安作息，以慰朕懷保萬民之意，以宏我國家無疆之慶，將億萬斯年實嘉賴焉。

乾隆十六年歲次辛未十一月十一日。

增乾隆九年御製正月二十五日過盧溝橋詩　滑笏新波泛薄淩，春山蓊鬱有雲興。無邊詩景盧溝道，半拂吟鞭憶我曾。憑輿歷歷好韶光，麥浪青青柳欲黃。只有憂懷同渴壤，幾時一例沃天漿。

〔臣等謹按〕盧溝河水勢湍悍，下流又距運河諸堤不遠。其濬治之道，洵有因時異宜者。皇上周咨水利，區畫萬全，每當鑾蹕經行，憑覽殷懷，著於篇什。恭繹聖製，義蘊淵深，形勢隱括，實可爲萬世治河法。茲卷既恭載御集初見之章，復於各體中關繫河務者，敬謹臚載，以徵順軌安瀾之有自。至盧溝曉月御製詩，恭載形勝門，例不複綴。

增乾隆十五年御製過盧溝橋詩　石橋跨渾波，堅久誰所製？過此爲桑乾，古以不治治。

築堤詎得已。皇祖爲民計。經世未疏濬，疏濬勞不易。加以沙性淤，騎牆行必致。今春清苑迴，臨堤一親視。叶東手苦乏策，無已示大意。入夏霖雨溢，遂告堤云潰。南望彌蹙憂，阡陌成棄置。賑恤豈有吝？排築籌次第。秋分潦勢殺，狂瀾庶由地。徒懷瓠子歌，實遜塗山義。

增乾隆十八年御製盧溝橋詩　石梁黑水此鳴鞭，前度迴思頓隔年。西指橋山程四日，繫予心在嶺雲邊。驚蟄初臨凌汛過，層冰浦溆積嵯峨。俯欄識得渾流猛，行水思量究若何。閱堤前歲歎行牆，瓠子隨歌惄若傷。（庚午春，閱永定河堤，知其每歲加高，河底淤填，如以牆束水，是夏渾水決溢，因命改濬下口。）南徙尾閭賴稍定，亦惟茭土慎修防。無定何如永定乎？千秋疏治仰神謨。便將紆轡觀輪尾，稽事民生總要圖。

增乾隆二十年御製過盧溝橋詩　盧溝橋北無河患，盧溝橋南河患頻。橋北堤防本不事，橋南築堤高嶙峋。堤長（上聲，下同。）河亦隨之長，行水牆上徒勞人。我欲棄地使讓水，安得餘地置彼民？或云地亦不必讓，但棄堤防水自循。言之似易行不易，今古異宜難具論。

增乾隆二十三年御製過盧溝橋詩　拱極城西度石橋，春風客路故相撩。謁陵指日知程近，程近吾心越覺遥。汛過桃花漲影退，上流猶自易堤防。北南下口屢遷就，慚愧終無永逸方。桑乾節近斂洪波，沙積川中兀已多。大抵有源要求尾，小黄河劇大黄河。

增乾隆二十八年御製過盧溝橋書懷詩　微波春水漲沙灘，詎啻春微桑且乾？祇以渾流非一往，每防夏汛有千難。作堤已逮騎牆勢，輸尾惟圖措火安。下口運河爲之阻，渾流既不可入運，惟使蕩漾於淀池及窪地，自乾隆元年以來，已三易其處矣。今之下口，據方觀承以爲可行，二十餘年知其非長策，而實無計可圖也。博覽從來治河策，不寧斯矣爲長歎。

增乾隆二十九年御製過盧溝橋詠冰解詩　水黑爲盧冰亦然，隆冬凍合澤腹堅。東風一夜入長川，解之祇在須臾間。青氣鼓動橐籥宣，元英不得施其權。層疊黝玉巨如山，纍而置之河兩邊。其高峩峩長連延，黃流在中瀉激湍。方當初解奇可傳，磪硠砰磕聲喧闐。快馬斫陣鷙擊鳶，似神而非三似焉。亦不衝蕩石橋堧，信非人力斯由天。襟帶皇州億萬年。

增乾隆三十一年御製過盧溝橋道中即事詩　拱極城邊度石橋，橋亭碑記仰神堯。錫名永定垂千古，敢不修防廑旰宵？一道黃流宛在中，金堤夾輔峙猶崇。桃花水送層冰下，下口新河宛轉通。渾河下口屢易，自乙亥年方觀承奏請改由北岸大堤之外下注沙淀、葉淀，十餘年來，河水安流，兩堤鞏固，頗資新河宣洩之力。過橋村店號長新，旅館居停比接隣。試問於中投宿者，阿誰不是利名人？柳陌風前金縷縷，麥塍雨後緑芊芊。見耕犁者教傳問，云近清明種大田。

增乾隆三十三年御製過盧溝橋詩　盧溝來往過多年，蝃蝀卧波鎮鞏然。上接遥源資束刷，永定河自石景山以上，兩岸並有岡巒夾峙，迨過橋則皆漫流平沙，是橋實爲上游鎖鑰。下成巨壑事防宣。春迴凍解沙猶弱，東去河横運恐穿。永定河下游爲運河横亘所隔，不能直達於海，無已，開寬下口，資其蕩漾澄清，然後歸鳳河，由直沽入海。所以避運一帶工程最關緊要。無奈漾流籌下口，一勞永逸正難焉。

【增】乾隆四十一年御製永定河惠濟祠瞻禮作　廟宇維新恒賴後，神靈妥佑久經前。落成此日瞻苞茂，肅拜一時致敬虔。鞏固玉鱗堤護甸，安恬金鏡浪歸川。嘉名永定貽皇祖，惠濟畿封億萬年。

〔臣等謹按〕祠内御製文碑左側恭鐫乾隆四十一年御製詩。

【原】袁煒重修盧溝河堤記略　盧溝襟帶都城之西，頃年沙洲突起，下流填閼，水失故道，潰堤決衝，走西南百餘里。事聞，遣工部尚書雷禮暨掌工部尚書徐杲相度規畫，條上事宜。上發帑銀三萬五千，勅太監張崇、侍郎吕光洵、指揮同知張鐸、御史雷稽古董其役，仍令禮月一往視。經始於嘉靖壬戌秋九月，報成於癸亥夏四月，凡爲隄延袤一千二百丈，高一丈有奇，廣倍之，較昔修築堅固什伯矣。於是臣禮請立石紀其事，乃命臣煒爲之記。袁文榮集

【增】楊榮修盧溝河堤記　天下之難治者莫踰水，而治水之先者莫踰京師。故大禹之蹟首在冀州，豈非以水之利害所係者大，而畿甸之内宜慎其防以爲宏遠之圖也歟！盧溝之河，至京城西四十里石徑山之東，地勢平而土脈疏，衝激震蕩，遷徙弗常。後魏都督河北道諸軍事建成侯劉靖及子平鄉侯宏築戾陵堰以防之，水患以息。後人思其功，謂之劉師堰。歷世既久，水勢漸更。下流十五里距盧溝不遠，有白狼窩口，時復衝決，漫流而東，浸没田廬，民弗安業。聖朝建北京，視河爲襟帶。永樂間屢嘗修築，輒復傾圮。今聖天子嗣位，命工部侍郎李庸、内官監少監姜三義往任厥事，復命太監阮公安、少保工部尚書吴公中總其事宜，勅其務存堅久，勿爲苟且，庶幾暫勞永逸。羣公効命，材謀共濟。經始於正統元年冬，畢工於二年夏。凡用工匠二萬餘，月給糧餉以萬計。累石重甃，培植加厚，崇二丈三尺，廣如之，延袤百六十五丈。視昔益堅。既告成，賜名固安堤，置守護者二十家。建神祠於上，有司以時修祀禮。凡督事悉賜鈔幣以勞之。其視築戾陵堰役費加倍，而堅實亦過之。春明夢餘録

【原】范成大盧溝作　草草輿梁枕水低，匆匆小駐濯漣漪。河邊服匿多生口，長記軺車放雁時。石湖集

【原】趙秉文盧溝詩　河分橋柱如瓜蔓，路入都門似犬牙。落日盧溝溝上柳，送人幾度出京華。滏水集

【原】劉迎摧車行　渾河洶湧從西來，黄流正觸山之崖。山崖路窄僅容過，小誤往往車輪摧。輪摧料理動半日，後人欲過何艱澀？深山日暮人已稀，食物有錢無處覓。何時真宰遣六丁，鏟此叠嶂如掌平。憧憧車馬山西路，萬古行人易來去。山林長語

【原】楊奂詩　燕姬歌處囀鶯喉，燕酒春來滑似油。自有五陵年少在，平明騎馬過盧溝。還山遺稿

【原】盧亘盧溝卽事詩　幽薊忽如九天上，俯視左右入燕齊。萬里南來太行遠，蒼龍北峙飛雲低。岡迴門掩花柳暗，川平百里風烟迷。丈夫出門自有樂，人生何必長棲棲？皇元風雅

【原】袁桷題盧溝煙雨圖作　驅馬上河梁，圓暈新雨紋。矯首層闕巍，翔鸞散奇氛。猗南雙松樹，百里風聲聞。束髮入紫京，去住心如焚。送客釂我觴，我釂不得醺。願化爲黄鶴，朝夕隨飛雲。上以奉明主，中以承嚴君。往復三千年，奇齡合氤氲。結袂安期子，啟齒歌瓊文。清容居士集

【原】胡儼過盧溝辭　洪流兮桑乾，汨盤折兮瀠灣。架石梁兮横波，瀨淺兮激湍。白石兮齒齒，際平沙兮浩漫。攬予轡兮東馳，望天門兮九關。雲飛飛兮來迎，水泠泠兮山青。回飈兮遠度，木蔆蔆兮禽聲。予欲訊兮九河，碣石逝兮嵯峨。渺滄海兮無極，悦臨風兮浩歌。胡祭酒集

【原】黄佐曉發盧溝望京城詩　大車殷地揚塵起，小車軋軋鳴不已。蒼凉自是長安日，嗚咽原非隴頭水。玉輦南行築將臺，九重宫闕何崔巍！盧溝橋上闌干曲，不似行人腸九迴。泰泉集

【原】喬世寧盧溝橋詩　立馬重含愁，況臨溝水流。風沙日暮起，何處望京樓？邱隅集

【原】吴國倫盧溝橋詩　迴車薊北門，飲馬桑乾水。宛宛青龍橋，頽波逝如駛。矯首望帝居，宫殿錯如綺。飄風忽西至，黄沙蔽天起。不見郭生臺，歎息張華里。喧喧行路人，日昃去未已。顧我志已荼，徘徊在河涘。甔甀洞稿

【原】錢薇盧溝橋西村莊作　盧溝橋西開隱扉，方塘曲檻故依依。帝城遥望雲龍護，高館閒隨野鹿歸。落日遠山明斷塔，暮烟衰柳帶餘暉。清谿小艇堪忘世，忽憶江南舊釣磯。承啟堂稿

【補】卓人月盧溝橋題逆旅主人壁詩　春暉炙人如秋陽，百里無樹皆大荒。深渡淺渡馬足白，經沙重沙人面黄。酸醨滿罋稱酒美，健女負擔欺男尫。草莽不知定鼎意，舉頭但歎長安長。蘂淵集

【增】王紱扈從過盧溝橋詩　扈蹕重來促曉裝，雞聲殘月樹蒼蒼。數峯雲影横空闊，一帶波流入渺茫。人語悄傳孤戍火，馬蹄寒踏滿橋霜。望中風景俱堪思，況復樓臺是帝鄉！友石山房稿

【增】楊榮盧溝橋北上詩　河聲流月漏聲殘，咫尺西山霧裏看。遠樹依稀雲影淡，疏星寥落曙光寒。石橋馬跡霜初滑，茆屋雞鳴夜向闌。北上已看雙闕近，五雲深處是金鑾。雲山小藁

【增】曾棨曉過盧溝橋詩　渺渺平沙接遠堤，一川斜月石梁西。光連古戍迷鴻影，寒逐晴沙入馬蹄。雲淡漸看銀漢没，煙空微覺玉繩低。經過曾此陪仙蹕，兩度停驂聽曉雞。巢睫集

【增】方以智過盧溝橋詩　河道出桑乾，橋頭薄日寒。榆關春色迴，遼海暮雲殘。征雁迴雙闕，歸鞭控一鞍。驚沙過獨鹿，回首遠長安。帝京景物略

【增】田雯盧溝橋詩　水誌山經入洛餘，黄埃一路撲征車。橋邊先到張華宅，借讀嫏環數卷書。古歡堂集

【增】沈德潛過盧溝橋詩　桑乾流百折，到此激盤渦。今古利名客，俱從橋上過。風沙揚旦暮，鎖鑰壯關河。塵海茫茫際，誰人發浩歌？歸愚詩鈔

【原】范成大九日過盧溝水調歌頭詞　萬里漢家使，雙節照清秋。舊京行遍中夜，呼渡濟黄流。寥落桑榆西北，無限太行紫翠，相伴過盧溝。歲晚客多病，風露冷貂裘。對重九，須爛醉，莫牽愁。黄花爲我一笑，不管鬢霜羞。袖裏天書咫尺，眼底關河百二，歌罷此生浮。惟有平安信，隨雁到南州。石湖樂府

【原】張埜過盧溝滿江紅詞　半世乾忙，漫走遍燕南燕北。凡幾度馬蹄平踏，卧虹千尺。眼底關河仍似舊；鬢邊歲月還非昔。憑闌干唯有石狻猊，曾相識。橋下水，東流急。橋上客，紛如織。把英雄老盡有誰知得？金斗未懸蘇子印；緑苔空漬相如筆。又平明衝雨入京門，情何極？古山樂府

【原】鮮于必仁折桂令曲　出都門，鞭影摇紅。山色空濛，林影玲瓏。橋俯危波車過，遠塞欄倚長空。起宿靄千尋卧龍，掣流雲萬丈垂虹。路杳疏鐘似蟻，行人如步蟾宫。樂府羣珠

【原】盧水在帝京西南，其北有村曰青菰，入谷一里有何將軍別業。薊邱集

〔臣等謹按〕青菰村及何將軍別業今皆無考。

【原】盧溝河畔元有符氏雅集亭。蒲道源詩：盧溝石橋天下雄，正當京師往來衝。符家界側敞亭構，坐對奇趣供醇醲。又有野亭，見貢仲章雲林詩集。今一望磽礫，并民居亦寥寥也。辛齋詩話

【補】元時盧溝橋畔有符氏雅集亭，見蒲道源閒居叢稿。袁桷清容居士集謂之酒亭，貢奎雲

林集謂之野亭。袁詩云：茅屋疏烟報午鷄，金沙清淺水亭低。則謂之野亭可也。貢詩云：粲此一畝宮，而有静者居，濁醪得釀法，好客時與俱。則謂之酒亭可也。黄圖雜志

〔臣等謹按〕符氏雅集亭今無考

原貢奎盧溝野亭詩 出郭野塵絶，青山開畫圖。迴岡萬井聚，虹梁薦川涂。沓沓車駕集，交臂無寧軀。粲此一畝宮，而有静者居。花木明窈深，魚鳥樂澄虚。濁醪得釀法，好客時與俱。昔我東南來，萬里馬力瘏。解鞍道傍樹，塵渴嘗自沽。題詩忽在眼，日暮飛雲孤。雲林集

原元太保劉秉忠墓在盧溝橋北，墓前石獸尚在。或云太保與其弟秉恕墓俱在邢臺縣，嘉靖中爲盗李淮等所發。壙石盡勒諸盗名，官驗得之，按名捕盗，無得脱者。長安客話

〔臣等謹按〕劉秉忠墓今無考。

原姚廣孝春日謁劉太保墓作 芳時登壠謁藏春，兵後松楸化斷薪。雲暗平原眠石獸，雨荒深隧泣山神。殘碑蘚蝕文章舊，異代人傳姓氏新。華表不存歸鶴怨，幾多行客淚沾巾。逃虚子集

原袁珙詩 橋南橋北數家村，水繞山迴到墓門。此日英靈何處在？獨留華表對黄昏。柳莊集

原特穆津之墓在盧溝河之側，山水環繞。相傳插矢以爲垣，邏騎以爲衛。闊踰三十里。特穆津生於此，故葬于此。事略 按：特穆津，蒙古語錢之最精者，舊作忒没真。今譯改。

〔臣等謹按〕特穆津墓今無考。

增永定河北岸二工有河神祠，在趙村西二里許。五城寺院册

〔臣等謹按〕永定河北岸二工河神祠正殿恭懸皇上御書額曰順軌貽庥。聯曰：靈昭保

障資維固；馨報恬波祝有恒。祠内東廂設御座，額曰怵哉樹。聯曰：利策河防常惕若；勤求民隱倍殷然。皆御書。並恭懸御製怵哉樹詩幅，祠外碑亭内恭立乾隆三十八年御製詩碑，五言排律詩一章，五言古詩一章。

〔又按〕二工河神祠對岸卽金門牐，恭勒御製詩碑，因地隸良鄉，詳京畿門良鄉條下。

增乾隆三十八年御製閱永定河五言排律詩有序 癸巳暮春之初，瞻謁永定河神祠，詩以誌事。茭薪非不屬，堤堰聿觀成。終鮮一勞策，那辭五夜縈？憑看雖曰慰，追憶尚含驚。舊壑原循軌，新祠已麗牲。連阡麥苗嫩，圍墅柳條輕。慙乏安瀾術，事神敢弗誠？

增又御製閱永定河五言古詩 庚寅夏決口，補築旋歸舊。乾隆三十五年閏五月，北岸二工漲決，命侍郎德成會同督辦，於漫口處取直培築大堤，指日奏報合龍。辛卯秋衝隄，漲波俾回溜。三十六年七月，盧溝橋上游發水，南岸頭工處漫口甚廣，仍命德成會辦，取直築堤，亦刻期奏報合龍。長此竟安窮？是必病久受。南河節相宣，高晉。中朝司空赴。裘曰修。方伯共踏勘，周元理。窮源委以究。分流盛漲洩，疏淤中泓走。河之受患端在淤高隄薄，應通行浚治以規永圖。高晉素諳河務，命同尚書裘曰修、督臣周元理悉心相度，自中泓逢灣取直，以及應疏應堵應引應洩之處，發帑大加營治。發帑五十萬，次第工云就。去歲幸時若，安瀾慶豐收。今年閱堤成，仍擬下口覯。去年春大工告竣，值歲幸報稔，周覽各工，實爲欣慰。將以回程仍視下口。既已昧幾先，寧不籌善後？萬民勿言謝，追思心尚疚。

增又是年御製怵哉樹詩有序 永定河神祠東廂，地方官灑掃爲憩息之所，因反蘇轍快哉之意名曰怵哉，而系以詩。瞻拜因祈恬佑來，波流浸灌近堤隈。江湖廊廟心誠異，夢得快哉我怵哉。流細春波已激湍，明知時節近桑乾。夏秋無定亟蕲定，蒿目一勞永逸難。渾水由來易澱淤，中流因置濬船疏。裘曰修、周元理於永定河大工告成時，籌辦善後事宜，議設浚船一百二十隻，分布各工。即命河兵以時淘濬中泓，使無停淤阻溜之患。今亦艤河中備閱，如果實力行之，無稍作輟，不致視爲具文，未必無小補。所謂有治人，無治法，惟在司事者之董察弗懈耳。無遑平日尚勤爾，遮莫一時備覽予。

增 永定河南岸頭工公義莊有玉皇廟。五城寺院册

〔臣等謹按〕永定河南岸頭工玉皇廟東北距京城八十里，西距良鄉縣界三里，舊廟基在今廟西百餘步，聖祖御書額曰萬象同瞻。嗣因河流衝齧，移置今所，並恭移聖祖御書額敬懸殿内。乾隆三十七年復奉命修葺正殿，恭懸皇上御書額曰利普平成。聯曰：元功佑輯橫流定；大德帡資兆姓安。

原 洗馬溝在府西南四十五里，相傳光武北巡洗馬於此，故名。名勝志

補 洗馬溝即銚期奮戟處。囊剔譚奇

原 濕水又東與洗馬溝水合。水經注

原 太湖在府西南四十五里，廣袤十數畝，傍有泉湧出，冬不涷，東流爲洗馬溝。明一統志

〔臣等謹按〕洗馬溝舊蹟今不可辨。水經注又謂源出西湖，亦稱太湖，當即今御園昆明湖諸水。謹將原本内所引水經注西湖一節移載苑囿門，茲不複綴。

原 薊城南七里有清泉河，上承桑乾河，東流與潞河合。魏氏土地記

〔臣等謹按〕郎蔚之隋圖經云，濕水卽桑乾河，至馬陘山爲落馬河，出山謂之清泉河。酈道元水經注亦云，濕水又東北逕薊縣故城南。是清泉河卽桑乾河之經薊城南者，非另爲一水也。

原 晉成都王穎密使右司馬和演殺王浚，於是與浚期游薊城南清泉水上。薊城内西行有二道，演、浚各從一道。演與浚欲合鹵簿，因而圖之，值天暴雨，兵器霑濕，不果而還。晉書

原 陰鄉廢縣在府西南二十五里，漢置陰鄉縣，屬廣陽國，後漢省。其遺址俗謂之籠火城。唐武德三年，竇建德遣將高士興擊羅藝於幽州，不克，退軍籠火城。藝襲擊大敗之；未幾復敗建德軍於籠火城，是也。方輿紀要

〔臣等謹按〕陰鄉廢縣遺址俗名籠火城者今無考。

增 陰鄉廢縣在今薊縣南界，良鄉东界，固安北界，三縣交入之地。太平寰宇記

原 安禮砦在府西南。宋太宗時，宋琪言：安禮砦東瞰燕城纔及一舍，此周德威取燕之路也。方輿紀要

原 端拱中，宋琪請復幽燕，疏言：從安禮寨西北有盧師神祠，是桑乾出山之口，東及幽州四十餘里。趙德鈞作鎮之時，欲遏西衝，曾塹此水，河次半有崖岸，不可輕度。其平處築城護之，守以偏師，此斷彼之右臂也。宋史

〔朱彝尊原按〕南北監本宋史宋琪傳俱作安祖砦。

〔臣等謹按〕安禮砦今無考。

原 金水村去帝京西南三十里，清河泛濫，夾岸白沙如雪，早春芳碧羅生，照映大防諸山，實異境也。薊邱集

〔臣等謹按〕金水村今無考。

欽定日下舊聞考卷九十四

郊坰 西四

原白雲觀，元太極宫故墟，出西便門一里。觀中塑邱真人像，白皙，無鬚眉。都人正月十九日致酹祠下，謂之燕九節。西十餘里爲唐太宗哀忠墓，西南五六里爲蕭太后運糧河，泯滅無可問矣。帝京景物略

〔臣等謹按〕白雲觀，本朝乾隆二十一年奉勅重修，殿内恭懸聖祖御書額曰駐景長生。七真殿恭懸聖祖御書額曰琅簡真庭。皇上御書額曰葆素含元。玉皇閣恭懸聖祖御書額曰紫虚真氣。皇上御書額曰得一以清。觀東偏有斗姥閣，恭懸聖祖御書額曰大智寶光。邱真人殿木鉢一，乃刳木瘿爲之，上廣下狹，可容五斗，内塗以金，恭刻皇上御製詩其中，石座承之，繞以朱欄。殿柱恭懸皇上御書聯云：萬古長生，不用餐霞求秘訣；一言止殺，始知濟世有奇功。

原承安元年九月朔，幸天長觀。二年七月，幸天長觀建普天大醮。泰和元年二月，幸天

長觀。金史章宗紀　原在城市存疑門，今移改。

〔臣等謹按〕元一統志，天長觀在舊城内，有唐再修天長觀碑，節度衙推劉九霄撰，咸通七年四月道士李知仁重摹。金明昌三年重建，元元貞二年重修。有翰林承旨王鶚所撰碑銘，查明一統志不載，則明時已廢。

原泰和三年十二月，賜天長觀額爲太極宮。金史章宗紀

原王元粹，字子正，初名元亮，後止名粹，平州人。正大末，用門資敍爲南陽酒官，遭亂流寓襄陽。襄陽破，隻身北歸，家食燕中，遂爲黃冠師。有十月風霜侵病骨，數家針線補殘衣之句。親舊有憐其孤苦，欲爲之更娶者。子正已高舉主太極道院不返，年四十餘病卒。從弟鬱亦工詩。中州集

原王處一，寧海東牟人。大定二十七年，徵至燕京，居天長觀。帝問衛生爲治。對曰：含精以養神，恭己以無爲，雖廣成復生，爲陛下言，無易此者。世宗嘉之。牧庵集

原承安丁巳，王處一受第三宣，於六月二十五日到都下天長觀。七月初三日宣見賜座，帝問清淨經，解之。次問北征事。師答曰：戊午軍卽止。後果應。次問全真門户。師一一對答。帝深嘉嘆，留連抵暮方出。翼日賜紫衣，號體元大師，仍差遣近侍傳旨賜崇福修真二觀任便住，每月給齋廚錢二百鏹。雲光集　以上四條原在存疑門，今移改。

補大都長春宮，卽舊太極宮也。山中白雲詞

原大宗師長春真人姓邱氏，名處機，字通密，號長春子，登州棲霞縣濱都里人。金皇統戊辰正月十九日生。有日者相之曰：當爲神仙宗伯。大定丙戌，年十九，辭親居崑崙山。丁亥，謁重陽全真開化王真君嚞於寧海，請爲弟子。戊申，召見闕下，隨還終南山。貞祐乙亥，金主召，不起。己卯，宋遣使來召，亦不起。是年五月，太祖自奈曼國遣近侍劉仲禄持手詔致聘。文曰：朕踐祚以來，訪聞先生博物洽聞，探賾窮理。干戈而後，伏知猶隱山東。朕心仰懷，豈不聞渭水同車、茅廬三顧之事？奈山川懸闊，有失躬迎，選差近侍官劉仲禄備輕騎素車，不遠千里，敬邀先生。不以沙漠悠遠爲念。五月初一日筆。庚辰正月北行，二月至燕，欲候駕回朝謁。仲禄令從官哈喇馳奏。真人進表陳情曰：登州棲霞縣志道邱處機近奉宣旨遠召，不才自念學道無成，老而不死，名雖播於中國，道不加於衆人。前者南京及宋國屢召不從。伏聞皇帝天錫勇智，今古絶倫，道協威靈，華夷率服。便欲投山竄海，不忍相違。且當

冒雪衝霜，以圖一見。蓋聞車駕只在桓撫之北。及到燕京，聽聞遥遠，遂與宣差劉仲禄商議，不若且在燕京德興府等處盤桓暫住，先令人前去奏知。而仲禄不從，故自納奏帖，伏望皇帝早下寬大之詔，詳其可否。龍兒年三月日奏，十月哈喇回，復奉勅旨曰：青吉斯皇帝勅真人邱師：省所奏，應召而來，具悉。惟師道踰三子，德重多方。兩朝屢召而不行，單使一邀而肯起。謂朕天啟，所以身歸，不辭暴露於風霜，自願跋涉於沙磧。書章來上，喜慰何言！重念雲軒既發於蓬萊，鶴馭可游於天竺。顧川途之雖濶，瞻几杖以非遥。爰答來章，可明朕意。十四日。辛巳十一月，至賽瑪爾堪城。壬午三月，過鐵門關，四月，達行在所。時上在雪山之陽，舍館定入見。上勞曰：他國徵聘皆不應，今遠踰萬里而來，朕甚嘉焉。賜坐就食，設二帳於御幄之東以居之。約日問道，以回紇叛，親征，不果。至九月，設庭燎，虚前席，延問至道。真人答以節慾保躬，天道好生惡殺，治尚無爲清淨之理。上悦，命左史書諸策。癸未，乞東還，賜號神仙，爵大宗師，掌管天下道教。甲申三月至燕，八月奉旨居太極宫。丁亥五月，特改太極爲長春。七月九日留頌而逝。年八十。至元己巳正月，詔贈號長春演道主教真人。已上見蟠溪鳴道集、西游記、風雲慶會録、七真年譜等書。輟耕録 按：奈曼，蒙古語八數也，舊作乃蠻。哈喇義見前，舊作曷剌。賽瑪爾堪回，地名也，舊作邪迷思干。今俱譯改。

原 邱處機，登州棲霞人，自號長春子，年十九，爲全真學於寧海之崑崙山，與馬鈺、譚處端、劉處元、王處一、郝大通、孫不二同師王嚞。金宋二季俱遣使來召，不赴。歲在己卯，太祖自奈曼命近臣徹伯爾劉仲禄持詔求之。處機一日忽語其徒使促裝曰：天使來召我，我當往。翌日，二人至。處機乃與弟子十有八人同往。明年，宿留山北，先馳表謝，拳拳以止殺爲勸。又明年，趣使再至，乃發撫州，經數十國，地萬餘里，始達雪山。太祖時方西征，日事攻戰。處機每言：欲一天下者，必在乎不嗜殺人。及問爲治之方，則對以敬天愛民爲本。問長生久視之道，則告以清心寡欲爲要。太祖深契其言，錫之虎符，副以璽書，不斥其名，惟曰神仙。歲癸未，太祖畋獵於山東，馬踣。處機請曰：天道好生，陛下春秋高，數畋獵非宜。太祖爲罷獵。時國兵踐蹂中原，河南北尤甚，民罹俘戮，無所逃命。處機還燕，使其徒持牒招來於戰伐之餘，由是爲人奴者得復爲良，與瀕死而得更生者，毋慮二三萬人。元史本傳 按：徹伯爾義見前，舊作扎八兒。今譯改。

原 長春真人雲卧海上，天子賜近臣金虎符，齎手詔來聘，仍命使軺所歷聽便宜行事。太守郊迎，縣令前驅，驛馳數萬里，以甲騎五百擁衛其行。既入見扈從，日久賜還，衛送如初。甘水仙源録

原 邱處機赴元太祖召，拳拳以止殺爲戒。時有事西征，則云，欲一天下，在不嗜殺人。大獵東山，則云，天道好生，數畋獵非宜。念兩河流徙，則持牒招來，全活不下二三萬人。説儲

原 真人邱長春能燒金佐世祖軍國之用，以功封以金印主全真教。草木子

原 釋有南北宗，道自東華少君授漢鍾離權，權授唐吕喦。亦分爲二宗，一授遼進士劉操、操授宋張伯端，伯端授石泰，泰授薛道光，道光授陳柟，柟授白玉蟾，玉蟾授彭耜，此南宗也。一授金王嚞，嚞授七弟子邱處機、譚處端、

劉處元、王處一、郝大通、馬鈺，鈺妻孫不二，世謂之七真，此北宗也。七真之蹟皆在東海嶗山。而邱處機爲元太祖所聘，弟子十八人從游漠北，居燕之長春宫化焉，今都城西南白雲觀也。穀城山房筆麈

【原】尹志平，字太和，萊州人。受易於郝太古，覲長春真人於棲霞觀，執弟子禮。太祖皇帝徵長春真人，師勸行北上，時從者十八人，師爲之冠。弋彀尹宗師碑

【原】李志常，字浩然，觀城人。爲長春弟子。己卯冬，詔起長春師於東萊，從行者十有八人，公其一也。著西游記二卷。王鶚真常真人道行碑

【原】張志素，號谷神子，睢陽人。長春徵自海濱，首以好生惡殺，一言感九重而風四海。師始於侍海嶠之遊，赴龍庭之召，迄於環西域之轍，税燕城之駕，間關萬里，首尾四十年，未嘗失長春意，暫違几杖。孟祺張真師道行碑

【原】潘德沖，字沖和，齊東人。長春高弟一十八人，世稱爲十八大士，師其一也。從長春西覲還燕，充燕京都道籙兼領長春宫事。圖克坦公履沖和真人神道碑

【原】夏志誠，章邱人。己卯，國朝遣使召宗師，公亦從北行。及還燕，宗師命主玉虛觀事，尋提點長春宫。姬志真夏真人道行碑

【原】于志可，字顯道，寧海人。從宗師應詔回處燕京大長春宫，曲肱順化於白雲觀。李鼎沖虛大師于公墓碣

【原】綦志遠，字子元，掖縣人。從長春跋涉萬里，見上於西域雪山之陽，回車至燕，總知長春宫門事。李庭白雲真人綦公道行碑

【原】孟志源，字德清，其先本圖克坦氏。大定末，遷膠水，居孟氏宅，人因以孟氏稱之。聖朝遣便宜劉仲禄起長春於海濱，門人中選道行清實可以從行者得十八人，公其一也。副知長春宫事，遷知宫，授宫門提舉，遷提點。李鼎宏道真人孟公碑

〔朱彝尊原按〕長春子應詔從行，至雪山者一十八人，其見於李孟謙所録者，合潘九峯數之，僅九人而已。

〔臣等謹按〕邱處機十八弟子，見於李孟謙甘水仙源録者止有八人，其後條所稱築琴臺之潘九峯，即八人内之潘沖和也。仙源録本文原自分明，朱彝尊於前條圖克坦公履碑誤沖作仲，遂歧一爲二，因之按語内亦分八爲九。其十八人姓名詳朱昆田補遺、

人海記及李得晟碑備録，至李孟謙，人海記作李道謙，未詳孰是。

補 白雲觀在天寧寺西北，前爲玉暦長春之殿。庭樹四碑：一爲禮部尚書胡濙所撰，一爲翰林修撰許彬撰，一爲天順中東吴邵以正撰，一爲小直沽天妃宫住持李得晟立。殿右有儒仙之殿，中有塑像，赭面黑髯，幞頭，團花袍，玉帶衮補。按李道謙甘水仙源録，有觀津張本者，正大九年以翰林學士使北見留，遂隱爲黄冠，居燕長春宫，疑即其人也。再入，爲七真翕光之殿，左碑一，明兵科給事中石首趙士賢撰文。右碑一，户部員外郎維揚張瓚撰文。堂中列七真像，旁繪十八弟子，拭拂塵土，隱約可辨者，北壁則抱元宗師趙道堅，太元宗師朱道安，清和宗師尹志平，太素宗師孫志堅，守一宗師夏志誠，明真宗師何志清。東壁則沖和宗師張志素，崇真宗師李志常，洞明宗師綦志清，闕宗師潘得沖。西壁則敷化宗師孟志穩，光教宗師鄭志修，抱朴宗師鞠志圓，光範宗師于志可，闕宗師王志明。按：得晟碑尚有宋得方、張志遠、楊志静三人，已漫滅不可復識矣。又北爲貞寂堂，即處順堂故址。左碑爲陜西按察副使都人劉效祖撰文，右碑爲刑部尚書湖南顔頤壽撰文。堂中塑邱真人像二，其大者雙瞳點漆，精采如生，非阿尼哥、劉鑾輩不能爲也。沖和宗師本潘得沖號，而畫壁作張志素；又孟志源乃作志穩；皆與仙源録異。惟十八人姓名則仙源録所未備也。人海記

〔臣等謹按〕白雲觀規制略如人海記所云，其不同者，今觀後有玉皇閣及殿名像設小異耳。前殿奉靈官，不名玉曆長春，中殿奉七真，不名翕光，後殿奉邱像，不名處順、貞寂堂，蓋諸殿皆無額，易失其故名也。儒仙之象，玉面而繡衣，其顏非赭。赭顏者東殿張三丰像也。七真殿壁繪道流入定圖，幡幢雲氣雜不可紀，非十八弟子像。有塑於配殿者其數十，其名無可稽矣。

【原】長春宮方丈西有堂曰萃元，側有小樓，積書萬卷，真常李真人以鎖鑰付張志敬，恣所窺覽，大暢元旨。中統三年，制曰：元門掌教真人張志敬，自童子身，著道士服。志行修潔，問學淹該。甫逾不惑之年，純作難能之事。增光前輩，垂法後人。可賜號光先體道誠明真人。至元二年，就長春宮設金籙大醮，有羣鶴翔舞下掠壇墠，去而復來者累日。天子命詞臣作瑞應記刻之碑。甘水仙源録

【原】道士申志真，字正之，太原人。嘗爲道教提點，住京師長春宮。舊傳道士十七人坐與釋教持論不勝，落髮爲僧者，志真其一也。困學齋雜抄

【原】王粹，字子正，北平人。遇真常北面執弟子禮，居長春宮之萃元堂。嗜讀書作文，尤長於詩，有陶韋之風。甘水仙源録

【原】張本，字敏之，觀津人。貞祐元年中詞賦高第，工大篆八分。正大九年，以翰林學士使北見留，遂隱爲黃冠，居燕京長春宮。同上

【補】延祐二年，禮部尚書元明善代丞相禱雨長春宮。孫真人德彧曰：明日雨微至，須丞相上章自言憂民報國之意，小得雨。尚書卽爲章往白丞相，丞相病在卧内，使人取章入，署名付還。真人一見，告尚書曰：章觸婦人手，且得罪，寧敢望雨乎？使人問丞相門下，果然。乃拜伏請罪。久之，退齋宮俟命。夜半，真人曰：上帝念民無辜，賜之雨三日。果雨三日。道園學古録

【原】鍾丫髻，年百十四，寓白雲觀，其人短而黧，髮半白。問何以壽？曰：不娶，不多飲，不怒，不識數目。弇州山人稿

【增】乾隆二十一年御製邱處機像前木鉢詩　琳宮偶過憩天長，真率木瓢小像旁。都道提攜來漠北，誰知津逮自襄陽。

【增】唐劉九霄再修天長觀碑略　天長觀，開元聖文神武至道皇帝齋心敬道，以奉元元大聖祖。建置年深，傾圮日久。伏遇太保相國張公，秉權台極，每歸真而祈福，察此觀宇久廢，遂差使押衙兼監察御史張叔建董部匠作，功逾萬計。元一統志

【增】元王鶚重修天長觀碑略　燕京之會仙坊有觀曰天長，其來舊矣。肇基於唐之開元，復於咸通七年，及遼摧圮。金大定初增修，泰和壬戌正月望日，焚燬殆盡。貞祐南遷，止餘石像，觀額爲風雨所剥，委荆榛者有年。聖代龍興，元風大振，長春應聘，還命盤山。棲雲子王志謹主領興建，垂二十年。建正殿五間，裝石像於其中，方丈廬室舍館廚庫煥然一新。凡舊址之存者罔不畢具，永爲聖朝萬世祈福之地，顧不偉哉！同上

【原】姚燧長春宮碑　長春子邱處機，太祖聖武皇帝自奈曼遣近臣持詔求之，與語雪山之陽。帝之所問，師之所對，如敬天愛民以治國，慈儉清静以修身，帝大然之曰：天遣仙翁以寤朕志。命左史書其言，又敕徐世隆載諸靈應之碑。牧庵集

【原】姬志真長春真人成道碑　大定丁亥，重陽真人自陝右來。真人師之。同志有馬丹陽、譚長真、劉長生、王玉陽、郝廣寧各得所傳。重陽既逝，真人乃游秦隴，戢志磻溪。大定戊申，金世宗徵赴闕，特旨住全真堂。辛亥，復居濱都之太虚觀。己卯冬赴召，及見帝，問以長生之藥，真人曰：有衞生之經，無長生之藥。帝嘉其誠，每召就坐，即勸帝少殺戮及慈孝之説。癸未春，勅建長春宮，仍賜金符。其徒得乘傳往還。雲山集

【原】陳時可長春真人本行碑　長春子穴居磻溪，日乞一食，行則一蓑，人謂之蓑衣先生。大定二十八年，徵赴京師，官建庵於萬寧宮之西，召見於長松島。進瑶臺第一層曲，眷遇至渥。翌日遣中使賜上林桃。師不食茶果者十餘年矣，至是取其一啗之，重上賜也。己卯之冬，青吉斯皇帝命侍臣劉仲禄持詔迎師。明年春啓行，夏四月，道出居庸，夜遇羣盜，皆稽顙以退。又明年，踰嶺而北。壬午四月，見皇帝於大雪山之陽。明年春，住燕京大天長觀，繼而行省又施瓊華島爲觀。丁亥五月，有旨以瓊華島爲萬安宮，天長觀爲長春宮。六月，雷雨大作，太液池之南岸崩裂，水入東湖，聲聞數里，魚鼈悉去，北口山亦摧。師曰：山摧池枯，吾將與之俱乎！七月九日留頌葆光而歸真焉。甘水

仙源錄

原王粹長春真人贊　猗歟長者，不可復得。三朝推尊，才學功德。閔此兵戈，遠涉西北。九九乃終，世人莫測。同上

原陳時可白雲觀處順堂會葬記　長春宗師既逝，嗣其道者尹公，乃易其宮之東甲第爲觀，號曰白雲。明年四月，除地建址，凡四旬堂成，榜之曰處順。既祥，奉骨以葬，求予爲記，以會葬者之名氏刻於石之陰。或曰：昔莊子之將死也，弟子欲厚葬之，曰恐烏鳶之食夫子也。莊子曰：在上爲烏鳶食，在下爲螻蟻食，奪彼與此，何其偏也？老聃之死也，秦佚弔之，三號而出，曰：適來，夫子時也；適去，夫子順也；安時而處順，哀樂不能入也。道家者流學老聃者也，今長春子之徒以處順名其堂，而其師反真之日，相與嚴敦匠之事，且噭噭然哭之哀，及至葬，大備其禮，四方來會者萬人，有司衛之以兵甲，其厚且備若是。是豈老莊之旨乎？應之曰：吾書生也，試以孔孟之事語子可乎？孟子曰：昔者孔子歿，門人治任將歸，入揖於子貢，相向而哭，皆失聲，然後歸。子貢返，築室於場，獨居三年，然後歸。今也游長春子之門者，既學其道矣，能不以墨者之薄葬其師，又將慎終追遠如子貢之徒，何害其爲達哉？因書其事爲記。同上

增胡濙重修白雲觀碑略　白雲觀在都城西南三里許，乃邱真人藏蜕之所。洪武二十七年，太宗文皇帝居潛邸時，重建前後二殿，廊廡庫廚及道侶藏修之所。宣德三年，太監劉順建三清殿。正統三年，道士倪正道募建玉皇閣。正統五年，復建處順堂以奉長春。正統八年，建衍慶殿於玉皇閣之前，重修四帥殿及山門，建靈星門於外。繚以周垣，植以嘉木。茲觀至是始大，視舊有加云。正統九年立石。

增邵以正重建白雲觀長春殿碑略　都城西南，觀曰白雲，邱真人仙蜕在焉。舊有殿曰長春，乃清和尹宗師所搆以覆遺蜕而奉真人者也。日就傾圮。念真人與先師劉真人偶同長春之號，而師祖趙真人又受北派金丹之傳於真人，而以正實嗣派之雲孫也，乃謀新之。殿三楹，既像真人於其中，復圖十八大師暨祖師先師之像於其壁，經始於景泰丙子，落成於次年。

增李得晟長春殿增塑七真仙範記略　白雲觀舊有處順堂，創自元未混一時，清和尹宗師藏厥師長春邱真人仙蜕於下，封土爲塚，構此爲覆者也。景泰丙子，我師祖通妙邵真人撤堂拓地，備勒貞珉。得晟於正德己巳拜謁祠下，覩簷牖脱落，日就傾圮，思繼先志，召匠鳩材，以堅易朽，補缺爲完，比昔加壯麗焉。復命匠氏埏埴增仙像六軀，通原像爲北派七真也。其東坐西向坐，首則丹陽先生馬鈺，次則長真先生譚處端，又次則長生先生劉處元，西坐東向者有正陽先生王處一，廣寧先生郝大通，清静散人孫不二，次序悉與東坐相匹，惟中乃長春先生邱處機者是也。七真各有贈號，本元世祖至元六年之所錫。舊壁圖繪十八大師像及五真人像，第恐後人莫可辨識，遂訂野史，得隨師西域弟子，謂趙道堅、宋道安、尹志平、孫志堅、夏志誠、宋得方、王志明、于志可、張志素、鞠志圓、李志常、鄭志修、張志達、孟志穩、綦志遠、何志清、楊志静、潘得沖數子耳。若夫原陽趙真人受北派金丹之傳者，及門受業也。

長春劉真人，封號相類，異世同符者也。至如通妙邵真人、普毅杜真人、下及得晟，濫則妙應真人，皆嗣派雲孫蒙其餘澤者也。繪形於羣師之後。正德十一年歲次壬辰。

〔臣等謹按〕觀胡濙、邵以正、李得晟三碑所述，則今之七真殿，正昔之處順堂，乃邱處機藏蜕地也。人海記指今之邱祖殿爲處順堂故址，恐誤。此殿在七真殿後，玉皇閣前，正胡濙碑所稱正統八年重建之衍慶殿在玉皇閣前者是也。胡濙碑又稱宣德三年建三清殿，今不得其處。大抵彼時宮監興造無常，隨意易名，故不可考耳。

原虞集游長春宮詩序　國朝初作大都於燕京北東，大遷民實之，燕城廢，惟浮屠老子之宮得不毁。亦其侈麗瑰偉有足以憑依而自久。是故迨今二十餘年，京師民物日以阜繁，而歲時遊觀尤以故城爲盛。獨所謂長春宮者，壓城西北隅，幽迥亢爽，游者或未必窮其趣，而幽人奇士樂於臨眺，往往得意乎其間。大德八年春，集與豫章周儀之、四明袁伯長、宣城貢仲章、廣信劉自謙、廬陵曾益初始得登於其宮之閣而觀之，神京雄據之勢，瞭然几席之間。於是古昔之疆理，近代之興廢，因得指而論之，信可爲奇觀者矣。嗟夫！遠蹈幽隘者，無與乎宏達之觀。近爲世用者，何有於閒曠之適？今吾六人者，幸生明時以得從事於斯也，然而簡書責任之所不及，乃得以其深懷遠志，一肆夫登臨覽觀之勝焉，豈非天與！古之能賦者，其有哀樂所感必托歌詩以見志。兹獨不可相與諷詠以待夫後之知者耶！況乎人生出處聚散，不可常也。邂逅一日之樂，固有足惜者矣。豈獨感慨於陳蹟而已哉！乃以蓬萊山在何處爲韻，以齒敍而賦之，得古詩六首，別因仲章所賦倡和，又得律詩十有三首，粹爲一卷，謹序而藏之。道園學古録

原梁潛同游長春宮遺址詩序　長春宮在北京城西南十里，金故城中白雲觀之西也。元方士邱真人者與其徒嘗居於此。當是時，琳宮秘宇儗於王者，今其宮既毁，獨其遺址存，據平陸巍然以高。登而覽之，猶足以盡夫都邑之勝。蓋其東則都城臺闕府庫之壯，其南則曠然原陸，而薊門高邱之間，荒臺遺沼之可見者，皆昔者遼與金所嘗經營其間者也。其西則西山之崖，蒼翠紺碧，隱然煙霞之中。其北則連山崔巍，雄關壯峙，凡仕於朝與居於城中者蓋未嘗知。唯閒暇登覽於此而後得之也。是時皇上親御六師於陰山大漠之北，故凡居守侍從之臣皆優游無事，遂相與遊焉。既周覽而樂之，因又以知夫國都之壯且險，誠天府之固也。詩曰：之綱之紀，燕及朋友。又曰：不懈於位，民之攸塈。此言人君能振作綱紀，勤勞於其上，而臣民賴之以安也。由是觀之，今吾二三人得以恬然嬉游於此者，其誰之力耶？夫士君子歡娱盛美之事，多在於太平之日，而能托之歌詠，則有以傳之永久。況元之諸賢若虞公邵庵、袁公伯長皆嘗臨眺而賦詠焉。因以其所分韻蓬萊山在何處爲韻，各賦六首，同時賦者翰林侍讀鄒緝仲熙，曾棨子啟，修撰王英時彦、王直行儉，刑部主事周忱恂如，其一人則潛也。六人之作見於辭者各不同，而其志氣則皆可謂盛矣。既相與

録而藏之，因爲之序，後之人得而讀之，尚能想見夫今日之盛也哉！泊菴集

[補]王惲清明日游長春宮作　嗚珂振轂滿重城，花底春光沸玉笙。放眼壺天如隔世，侍談仙馭勝登瀛。松風韻颯金鐺靜，竹露光寒鶴夢清。且莫臨漪門外去，夕陽正在總真明。自注：總真，閣名。秋澗集

〔朱昆田原按〕元之長春宮本在太液池上，非今之白雲觀，今附於此。

〔臣等謹按〕據甘水仙源録，元世祖命邱處機居瓊華島，賜名萬安宮。其賜名長春者乃天長觀，卽金之太極宮，在今白雲觀西，非太液池也。元大内有長春宮在延華閣後，后妃所居，亦不繫太液池。朱昆田此條殆未深考。今仍編王惲詩於白雲觀條下。

[原]張養浩過長春宮詩　往年嘗夢蓬萊宮，三山鰲背搖虚空。滄溟俯視一衣帶，銀河鼓浪來天風。兹遊良不異疇昔，半日惝怳迷西東。平生頗似有仙分，足蹟未到神先通。層樓複觀此誰構？只疑天巧非人工。繞簷松影黑於海，步驚棲鶴翔雲中。西山亦喜得佳客，巍峩相向如争功。遼金興廢渺何許？令人一笑憐鷄蟲。須臾遍歷至方丈，壺酒盤果羅青紅。心清已覺破煩暑，左右況復扇兩童。道人見我樂幽勝，故爲留戀談無窮。鼎鐺百沸失膏火，風水萬里忘萍蓬。默求詩句爲相答，半醉揮出毫端虹。烟雲滿室動神鬼，不但爲彼開盲聾。笑談人境兩相稱，此會詎與尋常同？却愁歸去到塵世，又隨俗迹墮樊籠。歸田類稿

[原]袁桷游長春宮詩　珠宮敞殊界，積構中天臺。神清歷倒景，青紅隱蓬萊。羣山助其雄，袞袞從西來。八荒昔禹甸，爲此增崔嵬。舊邑環蟻垤，清泉覆流盃。雲低落日淨，莽蒼同飛埃。緬懷古仙伯，採芝雪毰毸。長春豈酒國？殺氣爲之迴。天風起高寒，玉佩聲徘徊。空餘水中輪，歷録環春雷。之人去已久，松聲有餘哀。清容居士集

[原]又莅醮長春宮詩　飄飄笙鶴雨絲輕，聽徹靈璈曲再成。玉案香分花有影，瑶階松暝露無聲。九枝燈裏開真景，三素雲中賀太平。莫怪錦袍衣袖冷，還家從此羡長生。同上

[原]又游長春宮詩　積翠中天下土昏，坡陁深處轉金門。松間不遇采芝客，雲裏空憐打麥村。華表鶴歸城已換，滄洲人去柳空存。高堂靈骨疑金鎖，應許重游得細論。同上

[原]果囉洛納延長春宮詩　羸驂跼秋草，迢遞謁琳宮。松子花甎落，溪流板閣通。樓臺非下土，環珮憶高風。草味艱難日，神仙第一功。金臺集

【原】聶大年長春宮詩 蘂宮琪樹罷棲鸞，空有元都太古壇。野老不尋餐玉訣，山人自製切雲冠。杖龍化去秋池竭，笙鶴歸來夜月寒。前度劉郎真好事，種桃留與後人看。東軒集

【原】程敏政過白雲觀詩 紅塵飛盡白雲生，一徑深深草樹平。丹竈已空仙去遠，琳宮猶枕舊遼城。篁墩集

【原】陳音九日長春觀作 長春宮殿鎖寒烟，駐馬斜陽錦樹邊。白鶴不歸雲影外，黃花仍發酒杯前。愧齋集

【原】朱國祚題白雲觀詩 一言止殺古人難，多少逋臣藉爾安。辛苦捐軀文信國，得歸也擬著黃冠。介石齋集

【原】黃鳳翔游長春宮故址詩 平野敞崇阜，寒烟擁榛蕪。淒然狐兔窟，曩爲真人居。琳宮御賜額，延訪寵數殊。徒衆聚如林，世握黃金符。院宇何年頹？遺跡猶勝區。我來恣騁眺，意與浮雲舒。秋風正蕭索，懷古一長吁。試問緱山鶴，窈茫今有無？黃宗伯集

【原】詹正至元間監醮長春宮見羽士丈室古鏡狀似秋葉背有金刻宣和御寶四字有感因賦霓裳中序第一詞 一規古蟾魄，瞥過宣和幾春色？知那箇柳鬆花怯，曾搓玉團香，塗雲抹月。龍章鳳刻。是如何兒女消得？便孤了翠鸞，何限人更在天北？磨滅。古今離別。幸相從薊門仙客。蕭然林下秋葉。對雲澹星疎，眉青影白。佳人已傾國。謾贏得癡銅舊畫。興亡事道人知否？見了也華髮。元詩餘

【補】張炎憶舊游詞 看方壺擁翠，太極垂光，積雪初晴。閶闔開黃道，正緑章封事，飛上層青。古臺半壓琪樹，引袖拂寒星。見玉冷閒坡，金明邃宇，人住深清。幽尋自來去，歎華表千年，天籟無聲。別有長生路，對花開花落，何處無春？露臺深鎖丹氣，隔水喚青禽。尚記得歸時，鶴衣散影都是雲闕 山中白雲詞

【原】真常觀，長春宮之别院也。真常李公所創，因以名之。初，宮之西北正與朝元閣相直，可一里所，有廢地一區。真常偶過其處，披荊棘，躡瓦礫，登北阜之上，徘徊久之。謂從者曰：此可居也，吾他日將老於茲焉。暇日除荊棘，鞏去瓦礫，發地而土膏滋，鑿井而水泉洌。遂葺治蔬圃，樹雜木，版築未施而真常棄世。嗣教誠明張真人繼真常遺意，構三清殿九真堂靈官之祠，祈真之壇，齋堂廚舍，又構靜室以居年高不任役

者。甘水仙源録

補王惲真常觀記　大都南城故宜中里真常觀，爲全真學者重元子樊君志應所建也。崇堂爲殿，下至齋廚庫廐，靡不修治。復置蔬圃一區，負郭田二百畝，資給道衆。乃灑掃蠲潔，廣植花木，往來皆一時名公。元貞元祀正月五日晨興，召門弟子齊道亨、劉道安付以後事，怡然而逝。寧神於五華山。道録劉文甫請述觀記，仍爲門人作望思歸來之篇。詞曰：瓊芝爲冠兮青霞裳。遠引高蹈兮與道翱翔。至人出世兮化無方。驂駕鶴馭兮雲海茫茫。偃息有室兮燕處有堂。師今不見兮莫知我傷。庶幾歸來兮華表之旁。秋澗集

〔臣等謹按〕秋澗集以真常觀爲樊志應所建，與甘水仙源録所言不同。觀今已無址，其是非莫可辨矣。

原長春邱公來自海上，應太祖皇帝之聘，越金山而入西域。弟子從行者十八人，各有科品，隸琴書科則真人沖和潘公也。及南歸居燕，歲壬辰，廣陽坊居人有貨其居者，潘公貿之以爲長春別館，建正殿，翼以左右室，築琴臺於殿之陰。金有名琴二，曰春雷，曰玉振，皆在承華殿。貞祐之變，玉振爲長春所得，命公蓄之，故以名其臺。觀成以清逸名之。潘公自號九峯老人。甘水仙源録

補白雲觀西土阜高丈餘，周圍百步，疑即潘尊師琴臺故址。觀於每年正月十九日觀者填塞，號燕九節。而劉仲修碑記云，是日爲長春真人誕辰，都人士携榼於此，謂之讌邱，其義不同，當並存以資旅話者也。倚晴閣雜抄

〔臣等謹按〕白雲觀西今尚有土阜一，第未識爲琴臺遺址否也。清逸觀亦久廢無考。

欽定日下舊聞考卷九十五

郊坰

五西

原廣恩寺，遼之奉福寺也，在白雲觀西南，地名栗園。按遼史，南京有栗園，蕭罕嘉努嘗典之，疑即此地也。土人目寺爲三教寺，中有石幢，題曰守司空豳國公中書令爲故太尉大師特建佛頂尊勝陀羅尼幢記講僧真延撰并書，末云清寧九年歲次癸卯七月庚子朔十三日壬子記。幢南有碑，正統初太監僧保錢安立。析津日記 按：罕嘉努舊作韓家努。今對音譯改。

〔臣等謹按〕遼太宗天顯十三年始以幽州爲南京，以其地在上京之南也，是爲五京之一。

〔又按〕今白雲觀之西土人猶呼三教寺，遺址已廢，遼之石幢浮圖、明之碑記皆不可考。

原太康十年正月，復建南京奉福寺浮圖。遼史道宗紀

原遼佛頂尊勝陀羅尼幢記 京師奉福寺，懺悔主崇禄大夫檢校太尉純慧大師之息化也。附靈塔之巽位，樹佛頂尊勝陀羅尼幢，廣丈有尺。門弟子狀師實行以記爲請。大師諱非濁，字貞照，俗姓張氏，其先范陽人。重熙初，禮故守

太師兼侍中圓融國師爲師，居無何，嬰脚疾，乃遯匿盤山，敷課於白繖蓋。每宴坐誦持，常有山神敬侍，尋克痊。八年冬，有詔赴闕，興宗皇帝賜以紫衣。十八年，勑授上京管内都僧録，秩滿授燕京管内左街僧録，屬鼎駕上仙，驛徵赴闕。上以師受眷先朝，乃恩加崇禄大夫檢校太保太尉，次年，加檢校太傅。師捜訪闕章，聿修睿典，撰往生集二十卷進呈。上嘉賛久之，親爲帙引，尋命龕次入藏。清寧六年春，鑾輿幸燕，回次花林，師侍坐於殿，面受燕京管内懺悔主菩薩戒師。明年二月，設壇於本寺，懺受之徒不可勝計。九年四月，示疾告終於竹林寺。即以其年五月移窆於昌平縣。司空豳國公仰師高躅，建立寺塔，并營是幢，庶陵壑有遷而音塵不泯。清寧九年五月講僧真延撰并書。

原 勑賜廣恩寺碑　北京西南去都城五里，有奉福寺，中建殿曰大慈，殿之前曰天王殿，左曰文殊，右曰普賢，殿後爲無量壽佛，左右殿二，左奉大梵尊天，右奉帝釋尊天，四周翼以長廊。天王殿之前，左右爲樓，以置鐘鼓，中爲碑亭，又前爲金剛殿。廊之東爲齋堂，爲廚，爲庫，廊之西爲禪堂，爲茶房。廊之東西隅俱爲方丈，其齋堂禪堂以南皆爲僧房。肇於宣德十年冬十月，至正統二年二月告成。上聞賜名廣恩寺。方辟土，得白金五錠，重二百六十兩，以資工費；復得巨石一方於西南隅地中，遂以爲碑。太監僧保錢安識。

原 南京栗園司，典南京栗園。遼史百官志

原 蕭罕嘉努爲右通造，典南京栗園，帝嘗從容問曰：師居外有異聞乎？對曰：臣知炒栗：小者熟則大者必生，大者熟則小者必焦。使大小均熟，始爲盡美。不知其他。帝大笑。遼史本傳　按：罕嘉努譯改詳見前條。

〔臣等謹按〕方輿紀要云，栗園在固安縣界。括地志：固安之栗，天下稱之。爲御栗，因有栗園。據此，則栗園當在固安界。周篔析津日記謂白雲觀西南有栗園。又今宛平縣西四十五里卧龍岡西北亦有栗園村。蓋栗爲都城土産，或官爲典司，或民自種植，固在在有之也。

補 弘治九年，官買阜城門外果園一區，計地一頃三十畝，内建道觀，賜額曰元應。薊邱雜抄

〔臣等謹按〕果園元應觀今無考。

補白雲觀西六里羊坊店市西有崇壽寺，創於明正德癸酉，司設監監正劉允乘所建。寺臨官道，山門内正殿三楹，東西廊各三楹。殿前碑二，一爲吏部右侍郎兼翰林院學士國史副總裁西蜀温仁和撰文，武定侯郭勛篆額，南京兵部尚書喬宇書。一爲柱國少師兼太子太師吏部尚書謹身殿大學士鉛山費宏撰文，惠安伯張偉篆額，户部尚書無錫秦金書。行國録

〔臣等謹按〕崇壽寺，土人呼鐵獅子廟。寺門外鐵獅二，趺下有鎮宅獅子弘治七年造等字。寺内明費宏、温仁和所撰二碑今尚存。又後院中仆方石尺許，爲住持僧倫公塔記。東偏碧霞元君祠磬一，天啟六年造。

增温仁和崇壽寺碑畧　阜城門外十里許，乃玉河鄉之池水村，西望秀峯奇巘，蒼翠如畫，回瞻京闕，巋然天表，真近畿佳境也。佛寺一區，金碧輝映，靚麗雄偉。前爲土山，嘉木陰翳。勅賜寺額曰崇壽。且以大興隆寺僧善倫兼崇壽寺住持。是殆不可無記。弘治七年九月。

增塔記　示寂僧録司右講經兼崇壽堂上開山第一代住持仍兼大興隆寺本師序堂倫公大和尚靈塔，僧録司右講經兼崇壽寺第二代住持仍兼住大興隆寺了元、崇壽寺第三代住持欽依廣善戒壇傳戒宗師義念等。嘉靖九年三月初一日建。

增觀音庵在羊坊店路南。五城寺院册

〔臣等謹按〕觀音庵，比丘尼居之，明季碑二尚存：一正德十五年立，記買地頃畝；一崇禎庚辰年立，稱壬申歲重修，無撰人姓名。

補普會寺，遼之駐蹕寺也，在玉河鄉池水村。嘉靖甲寅，御馬監太監蔡秀恭重建。土人

呼其地爲蔡公店。殿前石幢一，書大佛頂尊勝陀羅尼，後題大朝歲次己酉年十一月十七日宣差濱棣大使張巴舒新建王府下斷公事官普元弩立。未詳時代。又嘉靖三十六年一碑，濮陽李廷相文，昌黎王槐書。鐵鐘一，隆慶二年四月造。殿後松一本，極蒼古，意遼時所植也。松下石幢一，上鐫沙門奉航塔記。詠歸録　按：張巴舒舊作張鉢信順，普元弩舊作普元奴，今俱對音譯改。

〔臣等謹按〕蔡公店俗呼蔡公莊，石幢八觚，除舊刻陀羅尼咒並記語外，又北面刻太一救苦天尊寶號，東北面刻昊天玉皇上帝寶號，而虛其正東、東南二面焉。幢内大朝字雖未著時代，然考金泰和八年昌黎韓道昇所撰五音篇海序内，有大朝字空格寫，則大朝係當時習用之文。又考王府斷公事官及宣使乃元時官制，元代凡兩值己酉，前則爲定宗四年，其時未立國號，後則爲武宗至大二年。今此幢記云大朝己酉，或當定宗未立國號之時，因稱大朝，亦未可定。寺久圮，僧畧葺數椽以居。石幢及李廷相碑皆斷，置寺門外。殿後之松及僧奉航塔幢皆不可蹤跡矣。

補遼駐蹕寺沙門奉航幢記　師諱奉航，俗姓李氏，涿州新城縣渠村人。幼入緇門，訪道尋師，就至燕京，左街駐蹕寺禮祥玉上人爲親教焉。清寧元年受具。自後負笈遊方，復歸本寺，辦修殿宇。大安五年，涿州惠化寺請爲提點。壽昌二年秋九月，京北華嚴寺請爲提點。乾統八年四月，遷化於駐蹕之本院，門弟子善堅葬之祖師塋側，刻石爲窣堵波，述師實行焉。

〔朱昆田原案〕遼史紀年祇有壽隆而無壽昌，是碑書隆作昌，未得其詳。

增永安寺有勅建碑。明順天府志

〔臣等謹按〕永安寺，明嘉靖四十四年碑一，都察院右僉都御史安邑胡志夔撰。碑稱寺在玉河鄉，經始於萬曆四十年，落成於次年；萬壽戒壇宗師法諱惠安者行戒精嚴，住持茲寺。

增 玉河鄉池水村有靜義庵、普濟寺、三官廟，三里河有圓通觀、無量庵、重興寺、藥王廟。五城寺院冊

〔臣等謹按〕靜義庵，磬一，識宣武門外竹林寺比丘惠顒鑄造，供於大雄寶殿，明景泰四年四月吉日等字。殆本是竹林舊器，後人移供於此者。普濟寺鐘一，正德五年造。三官廟，萬曆己未年七月碑一，中書舍人考選候命給事中齊贏朱童蒙撰。圓通觀，磬一，萬曆甲午年造，無量庵本朝順治十六年重修碑一，無撰人姓名。碑稱阜成關不三四里許，地名三里河，有古刹靈佑觀，創自明季正德間，今爲廣種寺文明上人別院。於甲午春王月重修，戊戌年建兩配殿，改額曰無量庵。惟重興寺、藥王廟無碑碣舊器可考。

增 敕修圓覺禪寺在三里河路北。五城寺院冊

〔臣等謹按〕圓覺禪寺本朝乾隆十六年重修，後殿恭懸聖祖御書額曰日映金雲。碑一，工部左侍郎董邦達撰。鐘樓懸銅鐘一，識明嘉靖甲午年五月阜成門外三里河池水

村太監麥闕造等字。

增董邦達重修圓覺禪寺碑畧 寺爲明嘉靖間中涓麥某建，本朝雍正八年地震漸就圮。住持際章，江南宿遷人，早歲於本貫善因庵剃度，來游京師，受聖時師衣鉢於圓覺寺。兹徧募十方善信，蒙賜白金五百兩興修，移山門於南，拓二十餘弓。經始於乾隆十六年五月，落成於十七年四月。乾隆二十一年歲次丙子寎月立。

原西郊有地名釣魚臺，是金主遊幸處。問次齋集

〔臣等謹按〕釣魚臺在三里河西北里許，乃大金時舊跡也。臺前有泉從地涌出，冬夏不竭，凡西山麓之支流悉灌注於此。據劉侗帝京景物畧，元時謂之玉淵潭，爲丁氏園池。乾隆三十八年命濬治成湖，以受香山新開引河之水。復於下口建設閘座，俾資蓄洩湖水，合引河水由三里河達阜成門之護城河。又南流折而東，一徑宣武、正陽、崇文三門城河至東便門，入通惠河；一徑廣寧、永定、廣渠三門城河合通惠河。此湖河合流之所經也。三十九年始命修建臺座，臺西面匾石恭懸御書釣魚臺三字，東面匾石恭勒御製詩。

原釣魚臺在府西花園村。臺下有泉涌出，滙爲池，其水至冬不竭，相傳金人王鬱隱此。明一統志

原王鬱飛伯少居釣臺，潛心述作，未嘗輕求人知。李欽叔過釣臺，得其所著賦及碑大篤，遍薦於諸公。自此去釣臺，游四方，後爲兵所殺。歸潛志

原飛伯少日作樂府，人多傳之。後入京師，金南京。大爲李欽叔所稱。與之詩云：詩句媲國風，下者猶楚辭。贈詩者甚多，有云：憶昔潁亭見飛伯，恍若夢中逢李白。又云：紫陘仙人今淵雲，騎風御氣七尺身。又云：良金原有價，白璧況無瑕。又云：王郎少年詩境新，氣象慘淡含古春。筆頭仙語復鬼語，只有溫李無他人。飛伯用是頗自貴重，嘗以布爲囊，采當世名卿詩投其中。中州集

增乾隆三十九年御製釣魚臺詩　釣魚臺水別一源，夥於臺下湧洌泉。亦受西山夏秋潦，漫爲沮洳行旅艱。邇來治水因治此，大加開拓成湖矣。置牐下口爲節宣，滙以成河向東釃。分流内外護城池，釣魚臺下舊有水塘，上承西山香界寺一帶山水，每遇夏秋雨潦，西山瀝水灌注，輒沮洳阻行旅。壬辰夏，命於香山別開引河，引卧佛、碧雲一帶山水亦注於此。並芟治葦塘，疏剔所有諸泉，滙成一湖，復穿渠建閘以資節宣。導流由阜成門外分支：一入西便門城渠，流爲正陽門前之護城河；一由外羅城南而東，爲永定門前之護城河，皆滙入通惠河以濟運。金湯萬載鞏皇基。衆樂康衢物滋阜，由來諸事在人爲。

〔臣等謹按〕釣臺湖水今爲西山新開引河滙集之區，前條謹具載源委，恭讀御製詩，益覩睿裁經畫，周悉靡遺。不獨道途行旅仰邀體卹，而近之有以資襟帶，遠之有以濟輓輸，洵一舉而利賴施於無窮矣。

原嚴嵩詩　金代遺蹤寄草萊，湖邊猶識釣魚臺。沙鷗汀鷺尋常在，曾見龍舟鳳舸來。鈐山堂集

原公鼐詩　花石遺墟入戰圖，薊門衰草釣臺孤。不知艮岳宮前叟，得見南兵入蔡無？問次齋集

增董越游釣魚臺詩　草堂掩映路逶迤，客到殊無林鳥知。蝌蚪池塘春水滿，牛羊町疃夕陽遲。莎深綠暈苔侵壁，藥蔓紅皴槿護籬。先後閒游多歲月，細看窗牖蠹餘詩。帝京景物略

增馮琦釣魚臺詩　翳然林水處，便自遠人寰。麥隴凫雙沒，藤軒蝶四環。高低春澗柳，深淺夕陽山。坐憶垂竿叟，高蹤未可攀。是處堪垂釣，誰家長閉關。榭多偏近水，雲薄更宜山。鳥語扶疏裏，人蹤杳靄間。日斜仍策馬，太息野鷗閒。同上

原玉淵潭在府西，元時郡人丁氏故池，柳堤環抱，景氣蕭爽，沙禽水鳥多翔集其間，爲游賞佳麗之所。元人游此，賡和极一時之盛。明一統志

補王惲玉淵潭讌集詩序　都城西郊，佛宮真館，勝概盤鬱。其間有潭曰玉淵，蓋丁氏故池也。柳堤環抱，景氣蕭爽。財賦總管王侯明之甲午秋置酒潭上，邀翰林諸公爲一日之娛。既而雨，不克成歡。是月晦復尋前盟。簪舄既集，風日清美，天光雲影，瀲艷尊席。沙鷗容與於波間，幽禽和鳴於林際。若知野老之忘機，代清唱而侑觴也。酒肴饜飫，賓主樂胥，雅會清吟，烏可多得？秋澗集

原王嘉謨玉淵潭詩　玉淵潭上草萋萋，百尺泉聲散遠溪。垂柳滿城山氣暗，桃花流水夕陽低。薊邱集

原杭州上天竺觀音大士像，晉天福中僧道翊見瑞光，發澗得奇木，刻之。後漢乾祐年，僧從勳自洛陽奉佛舍利安大士頂。至宋建炎四年，烏珠入臨安，高宗遜於海。烏珠聞知佛像所在，遂與玉帛圖籍盡航而北，僧智完率徒以從，至燕舍都城西南五里之玉河鄉，建寺奉之。此觀音寺也。天順壬午，土人權五修之。成化丁酉，僧德顯又修之；因得石土中，乃金大定十七年所刻，載天會七年梁王徙像事甚悉。今寺中所奉又非晉像矣。寺有成化二十三年學士程敏政碑記。帝京景物略

〔臣等謹按〕玉河鄉池水村之觀音寺，明學士程敏政碑今尚存。殿内磬一，有觀音寺

永遠供福萬曆十年八月造等字。鐘一，有天順元年二月勸緣沙門信昂住持惠顯檀越信官陳普錦等鑄造本寺祖師殿供養等字。又殿前月臺上大鐵爐瓶燈檠及磬共六件，本宣武門外歸義寺中物，嘉靖年間造。歸義寺今廢，因移置兹寺。

〔又按〕明劉侗景物畧與程敏政碑記皆誤以玉河鄉觀音寺像爲卽天竺像，御製訂訛文釐正其謬，恭載卷内。

補 幽州大悲閣觀音像，遼遷之於木葉山，臨安天竺觀音像金遷之玉河寺，佛亦疲於津梁矣。榆欃別録

增 御製程敏政重修觀音寺記訂訛文 朱彝尊著日下舊聞，載玉河鄉之觀音寺所供奉觀音大士像，謂自杭州天竺寺移來，而引程敏政記以實之。程敏政記稱近得石刻於土中，謂金天會七年梁王統軍至杭，謁上天竺，禮觀音大士像及大藏經，異之，因徙而北，有比丘智完率其徒以從，斯寺之所由始也。考梁王卽烏珠。石刻於大定十七年。然咸淳臨安志又謂僧道元逢金難時，秘大士於井，兵退知井所在，得像歸之，咸淳臨安志載，靖康初，屬有金難，僧道元秘大士像於井，兵退，瓦礫中忽鏗然有聲，始知井所在，得像，歸之院。是疑案也，不可以不辨。夫大士爲佛妙觀察智，竪三際，横十方，無時無處不在，不繫乎像也。故佛云以色見聲求皆屬邪道。法身化身不可見，報身則可見。像者，報身之偶託者耳。既云偶託，則假中之真亦不可不求其非中之是。既求其非中之是，則吾以爲仍在天竺者是而玉河鄉者非也。何也？天竺嘗四至矣，大士相好，宛存於心，且命工肖斯像二而供奉之於御園之寶相寺及玉泉山之清涼禪窟。兹觀程敏政之記，乃若實有其事，亦不

無生疑。遂命奉宸詣玉河鄉舁大士像至，觀之，則長短豐瘠迥然不同天竺者，且五色莊嚴，非所謂古木本色者也。於是憬然悟程敏政之傳訛，並翻然悟道元之傅會，而天竺之大士本不卽不離，無來無去，謂燕京之大士與天竺之大士是一不可，何況云二？是則兩處之記本出於僧人執像炫俗之見，而不明理好奇之文人遂亦耳食而恣影談。卽以彼時事蹟論之，烏珠南下，欲得宋之土地耳，其次欲得其貨財耳。且金與元不同，元固蒙古信佛，金則不然，何必遷大士至北京乎？蓋兵燹之餘，寺或因亂致燬，僧或隨而至北，在北者欲神其説而創寺，在南者欲復其蹟而耀人，以致兩地各有一大士。而豈知大士無來無去，是一不可，何況云二哉？雖然，余茲筆之篇而訂其訛者，得毋仍執一二是非彼此之見，而違大士如如無我之本願乎哉！

〔臣等謹按〕明程敏政重修觀音寺記，沿襲舊説，誤指玉河鄉觀音寺像卽天竺像，恭繹御製訂訛文，詳加辨證，洵足正從來耳食之謬矣。

原 程敏政重修觀音寺記 都城西南五里許曰玉河鄉池水村，中有古刹曰觀音寺。天順壬午歲，鄉之人曰權五合里之善士，延釋恩祥重作之，爲祝釐禳禜之地。成佛殿六楹，將以次及兩廡，未就而祥逝。越十年矣，風朘雨削，殿復傾圮。迨成化丁酉歲，而祥之徒德顯始繼其師之志，盡出己資，鳩工闢地。佛殿之六楹者巋然中起，左爲伽藍堂，右爲祖師堂。天王殿峙其前，觀音殿倚其後。外爲山門，殿左右爲方丈，鐘鼓有樓，庖廚庫藏有所，建子屋數十楹居其衆，收民田二百餘畝贍其食。棟宇翬煥，像設莊嚴，丹堊藻繪，爭雄競爽。經始於某年某月，訖工於某年某月。落成之日，遐邇畢集，蔚乎粲然可與名山福地相雄長，不徒甲於一鄉而已。恒裕懼其蹟久而或泯，命其弟善彬因予所善求記。予因訪其廢興之故。蓋近得石刻於土中，謂金天會七年，梁王統軍至杭，謁上天竺，禮觀音大士像及大藏經，異之，因徙而北。有比丘智完率其徒以從，斯寺之所由始也。石刻於大定十七年九月。考之史，梁王爲烏珠，實以天會七年己酉入臨安。是時爲宋建炎四年，高宗遜於海。凡玉帛圖籍盡航之，經像實與之俱。至大定十七年丁酉，幾五十年矣。世宗賢主，自擬漢唐之盛，圖功臣於衍慶宫，烏珠預焉。撫時與事，有不勝其感者矣。予嘗至天竺，見所謂沈香大士像者，杭僧率指爲梁時物。以金石刻證之，則已北徙，中失於兵燹久矣，而杭僧不知也。嗚呼！自宋之南，金元之入幽冀之間，變亦極矣。高廟龍興，天下始定於一，文皇繼之而徙都焉。山川草木皆獲呈露以被聖人之澤，况斯寺近在郊畿，得人焉以起廢，而爲祝釐禳禜之地，非甚幸歟！祥號瑞庵，仕爲僧録右覺義；顯號性天，仕爲右善世；裕方領祠部牒爲住持，與彬惓惓思以文字昭其師，故予嘉其志而記之如此。篁墩集

增玉河鄉打靛廠有觀音庵，高麗莊有關聖廟、勝泉寺，核桃園有三義庵、碧霞元君廟。五城寺院册

〔臣等謹按〕觀音庵鐘一，明萬曆四十七年造。關聖廟嘉靖己亥年碑一，浙江定海舉人王畿撰。勝泉寺成化九年碑一，翰林院侍讀學士安成彭華撰。三義廟碑二：一萬曆三年陝西按察使劉效祖撰；一爲本朝順治十七年翰林院侍讀范陽馮源濟撰。碧霞元君廟碑一，康熙六十一年翰林院編修會稽傅王露撰。

增廣慧寺在玉河鄉朱家莊。五城寺院册

〔臣等謹按〕廣慧寺明成化間因五華寺遺址修建，今已圮，惟餘屋三楹。内磬一、鐘一，並有玉河鄉朱家莊五華寺等字。寺後廢壞中仆大鐘一，有勅賜廣慧寺開山祖師中圓功德主金福聚住持圓相歸静萬曆二年三月造等字。寺有舊碑二：一爲廣慧寺開山記，僧道深撰；一爲檀越題名記，皆明成化五年四月立。

增僧道深廣慧禪寺開山記畧　京都之西十數里許玉河鄉朱家莊五華梵刹，乃古之遺跡，歲久荒蕪。於正統年，信官覃文達、王福興輩邀中圓尊宿倒拈没孔鉗鎚，無痕斤斧，重開其山，依原基款修造山門、天王殿、正佛殿及東之

齋堂、伽藍堂、鐘樓，西之禪堂、祖師堂、鼓樓，兩廊僧房四十餘間，其後方丈，左之退居，右之廩庫皆具。而復周圍築以垣牆，一頃八十餘畝，栽植果木數千，穿鑿二井，澆灌蔬圃。正殿塑釋迦佛，侍立香花菩薩。殿東塑補陀勝境觀世音菩薩慈救八難之妙相。殿西塑閻摩羅界地藏大菩薩嚴列十王之儀相。誠可謂非色相是名色相，作人天之瞻仰，爲巨道場矣。功完凡十載，勑賜額曰廣慧禪寺，特命中圓尊宿爲第一代重開山祖師。尊宿諱智湛，潞陽巨姓，久慕少室單傳，乃大翠微山善世南浦大師之上首，嗣其師祖西竺大善知識，爲臨濟正宗。並著於斯，以備傳燈續燄。成化五年四月立。

增 廣濟庵在玉河鄉池水村。五城寺院册

〔臣等謹按〕廣濟庵明天順八年碑一，僧道深撰。庭中有金承安五年四月僧行臻塔幢一。幢凡六面，一面刻佛頂尊勝陀羅尼梵本，又二面刻智炬如來心破地獄真言，皆梵書。又三面刻記文，係楷書。

增 僧道深廣濟庵開山碑畧 都城西十里許玉河鄉池水村五道聖廟之旁爲古刹觀音堂，歲久荒蕪。天順元年，廣慧禪寺首座瑞雲遇施地功德主惠普寬等喜捨建寺曰廣濟，以爲廣慧之下院。瑞雲諱法祥，金臺茂族，投白雲庵主廣無邊薙髮受業爲師，並著於記。天順八年五月。

增 金中都右街紫金寺故僧行臻靈塔記 臻公者寶坻縣青公臺東保君政第三男也，俗姓楊氏，承安三年遇恩具戒，於承安四年十二月十五日示寂。承安五年四月十三日寺主善珍建。

原 哀忠墓在府西南，相傳唐太宗見隋煬帝征遼所亡士卒骸骨，惻然憫之，令悉收葬爲一大塚，因名。明一統志

〔臣等謹按〕唐大詔令載有貞觀十九年四月收葬隋征遼軍士骸骨詔，不言地在幽州。新唐書云，貞觀十九年伐高麗，四月誓師於幽州；五月己巳，克沙卑城；庚午，次遼澤，瘞隋人戰亡者；甲申，克遼東城。以文義詳之，征遼將士冢當在遼東道上。

明一統志謂在府西南，未知何據。帝京景物畧云，白雲觀西十餘里爲唐太宗哀忠墓，已泯滅不可問，則其蹟久無考矣。

原 宋本墓在城西三十里搬山村，元翰林待制謝端撰銘。寰宇通志

〔臣等謹按〕宋本墓今無考。

原 玉河廢縣在府西四十里，本薊縣地，五代時劉仁恭置。方輿紀要

原 玉河縣本泉山地，劉仁恭於大安山創宮觀，師煉丹羽化之術於方士王若訥，因割薊縣分置以供給之。遼史

原 過長店岡而西有縣村，疑即古玉河縣故址。然唐時幽州管内尚有廣平縣，亦分薊縣置者。所謂縣村，究未定爲何縣也。國門近游録

〔臣等謹按〕宛平縣西四十里有城子村，舊爲玉河鄉地，與方輿紀要之説合，當即玉河廢縣，第故城已無遺蹟耳。

補 宛平縣京西馮家里舊有太乙集仙觀，元元貞元年以其地畀純一真人闞全祐。有栗五千株，全祐相栗林隙地，重岡環抱，下有寒泉，旁地衍沃，可引灌溉，構正殿三楹，翼以兩廡，繚以石垣。王惲爲之作記。大德元年刻於石。戴斗夜談

欽定日下舊聞考卷九十六

郊坰 西六

增 元京城門西之左曰平則，明改平則曰阜成。大清一統志

〔臣等謹按〕阜成門，明正統四年改，本朝因之。

原 夕月壇在阜成門外，繚以垣牆，嘉靖九年建，東向，爲制一成。祭用牲玉獻舞如朝日儀。惟樂六奏，從祀二十八宿木火土金水五星周天星辰。壇方廣四丈，高四尺六寸，面白琉璃，階六級俱白石，内欞星門四，東門外爲瘞池，東北爲具服殿，南門外爲神庫，西南爲宰牲亭、神廚、祭器庫，北門外爲鐘樓、遣官房。外天門二座，東天門外北爲禮神坊。護壇地三十六畝。祭之日以寅，祭之時以酉。春明夢餘録

原 夕月壇每三歲一親祭，以丑、辰、未、戌年行事，朝日則遣文臣，夕月則遣武職。明嘉靖祀典

原 秋分祭夜明於夕月壇。夜明之神東向；二十八宿之神、周天星辰之神、木、火、土、

金、水星之神南向。夜明之神位版黄地素書；五星、二十八宿、周天星辰之神俱緑地金字。同上

增 月壇在阜成門外西郊，制方，東嚮，一成，方四丈，高四尺六寸，面甃金甎，四出陛皆白石，各六級。方壝周九十四丈七尺，高八尺，厚二尺二寸。壝正東三門六柱，西南北各一門二柱。柱及楣閾皆白石，扉皆朱櫺。壝東門北門外燎鑪各一，瘞坎一，東北鐘樓一。壝南門外西爲神庫、神廚各三間，宰牲亭井亭各一，南爲祭器庫、樂器庫各三間。大清會典

增 具服殿正殿三間，左右配殿各三間，周衛宫牆宫門三間南嚮，祠祭署三間北嚮，左右各三門，東北鐘樓一座。壇東門北門各三門，北門東角門一。壇垣方二百三十五丈九尺五寸，外圍牆東自坊東抵壇垣東南角，長二百六十丈，西自坊西抵壇垣西北角，長二百四十丈四尺。直北爲光恒街牌坊，坊前界以朱栅，長十有二丈八尺。同上

（臣等謹按）光恒街舊名禮神街，雍正二年改今名。具服殿内皇上御書額曰典崇郊坎。聯曰：西兑齋心陳白琥；大田發咏慶黄雲。

增 凡夕月，每年秋分酉時祭；遇丑、辰、未、戌年親祭，餘年遣大臣攝祭。玉用白璧，禮神制帛一，色白，牲用太牢，樂六奏，用光字，舞八佾。祝版白紙黄緣墨書，祭器豆

登簠簋鉶尊均用陶，色白，祭品兼用太羹和羹，祭服御玉色禮服。〔大清會典〕

〔臣等謹按〕夕月壇祭器乾隆十三年皇上親加審定，用昭祇敬。

增乾隆十三年皇上御製八月朔日秋分夕月詩：少采當秋仲，禋宗重夜明。九經循白道，萬物荷西成。朔魄將臨望，虧輪本是盈。銀蟾與丹桂，齊語任閒評。

〔臣等謹按〕夕月御製詩，恭載首見之篇，餘不備録。

增夕月壇東有萬明寺，南驢市口有慈明寺，漏澤園有關聖廟，南路園口有普濟藥王廟、泰山聖母宮，夫營鄉有九天廟、三聖殿，甘家口有報恩寺、天仙聖母祠、廣福禪林、大悲庵。〔五城寺院册〕

〔臣等謹按〕萬明寺後殿鐘一，明萬曆四年五月造，有萬明寺拜懺鐘六字。孫國敉燕都游覽志謂寺中有蘭數本，今已無植之者矣。慈明寺，萬曆四十四年勅建碑一。關聖廟碑二：一崇禎十五年工部虞衡司主事趙之璽撰，一爲本朝康熙二十九年中書高聯璧撰。普濟藥王廟已圮。磬一，萬曆丁亥年造；鐘一，天啓甲子年造，門外大香鑪一，崇禎年間造。泰山聖母宮在普濟藥王廟傍，亦圮廢，僅餘門額耳。門外大香鑪一，崇禎年間造。九天廟後院爲三聖殿，碑二：一萬曆二十年工部文思院副使張秉忠撰，一勒明慈聖皇太后徽號，字作直行居中，萬曆壬寅孟秋立。報恩寺碑一，户部觀政平舒劉漢儒撰，天啟元年二月立。天仙聖母祠碑一，監察御史上黨賈鶴年撰，萬曆十一年二月立。廣福禪林磬一，天啓五年造。大悲庵鐘一，嘉靖三十六年造。

增 順天府西有寶塔寺。明一統志

〔臣等謹按〕寶塔寺殿前塔高二丈餘，甎基高三尺許。第一層疊石爲之；二層製方，每方刻菩薩像；三、四、五層皆六面，每面刻佛像。有正統十三年賜禮部劄付，碑云寺初名宰塔，後改今名。

增 慈悲院在阜成門西關大街北。五城寺院册

〔臣等謹按〕慈悲院乾隆二十八年潭柘僧募建，爲收養老稚廢疾之所。

原 衍法寺有勅建碑。順天府志

〔臣等謹按〕衍法寺在阜成門外大街路北。前殿左碑，明大學士李東陽撰；右碑，吏部尚書楊一清撰，皆正德七年五月立。後殿右碑，户部山東司郎中古瀛王愛撰，萬曆壬寅仲春立。今節録楊碑於後，以志顛末焉。

增 明楊一清衍法寺碑畧 京師阜成門外西一里許有寺曰衍法，憲宗皇帝所賜額也。勝國爲觀音寺，建置始末無可考。國朝天順間，嘗即其故址而新之，寺之名始著。成化甲午太監阮安再新之，請於朝，得賜今額。至今又四十年，其廢甚於舊。太監張雄捐貲鼎建。中爲大覺殿，前爲天王殿，爲明王殿，後爲千佛閣，又後爲真武殿。伽藍、觀音二殿列於左，祖師、地藏二殿列於右，鐘鼓二樓對列於殿前之左右。輔以修廊，繚以高墉，像設經幢咸具。其

外東爲齋堂、爲庖廚，西爲禪堂、爲茶室，又各爲方丈若干楹。經始於正德三年春三月，落成於六年十月。正德七年立石。

增衍法寺後殿遼幢一，又施食幢僅餘下截。五城寺院册

〔臣等謹按〕遼尊勝陀羅尼幢字畫尚明晳可辨。施食幢上刻神像，皆乾隆三十六年寺僧於殿左掘得者。

增尊勝陀羅尼幢記 伏聞護明下降，爰欲度於四生；調御出興，遂震摇於六種。恒施慈念，廣建悲心。示方便於三乘，發宏誓於四願。教之惠施，作苦海之津梁；化以歸依，指迷途之徑路。比爲常宏釋梵，永濟人天，遷神忽現於緣周，示蹟故留於遺法。遂有封秩於堂殿，或乃刊勒於碑幢。諷之者福不唐捐；誦之者功超遠刧。若乃輕埃霑處，微影覆時，非惟獲果於未來，兼亦除殃於過去者，莫若佛頂尊勝陀羅尼矣。翊爰從稚齒，幸忝趨庭。才逾辨李之年，旋稟學詩之訓。遂乃自强不息，温故知新。礪鉛刃而不愧雕蟲，望金科而將期中鵠。豈爲禍從天降，運與願違，立身才始於弱冠，倏爾俄鍾於何怙。邇後董幃孫閣，悉捐子夏之書；日往月來，但泣高柴之血。其奈世同石火，時若電光，傷嗟未復於筋骸，荏苒旋逾於終制。遂乃捫心静算，滌慮沈思，深慚於聖代甘閒，又恥於明時虛度。是以編聯陋唱，採綴蕪詞。相庭始敍於行藏，侯府驟昇於蓮幕。粉幃蘭省，數年而幸忝優游；典郡倅戎，兩鎮而謬經歷。至若貳留三使，仗鉞擁旌。蓋嚴訓之所致也。今於墳所建斯幢者，奉爲薦考妣之亡靈也。亡考長官，世襲簪裾，性惟清慎。守謙恭則無爽五常，蘊敏惠則洞閑三教。爰因筮仕，著功勤而早遂科名；不願字人，歎徒勞而終歸里社。亡妣夫人，浮陽茂族，鄒魯名家。禀親教而洞曉婦儀，承閨訓而妙熟女史。加以姿瑰態逸，從夫之淑慎遐彰；儀静體閒，守德之功容備著。豈謂因纏微恙，莫駐盛顔。畏日煦而花露俄零，悲風扇而香魂忽散。翊念兹永訣，痛切追思。早年雖備於送終，繼日徒嗟於不逮。是以特抽静俸，用搆良緣。市翠琰於靈巖，命奇工於帝里。罄之巧思，運彼殊材。次鵠鶴以翔空，列狻猊而繞座。匪圖壯麗，悉去繁華。惟仗聖言，以資冥魄。雲盤雨泛，如聞甘露之香；寶鐸風摇，似聽苦空之韻。多多盛事，一一難宣。靡托高才，貴形實録。伏願鷲禽駭獸，依聖影以獲安；孝子順孫，薦幽靈而勿替。時統和十八年，歲次庚子，四月戊申朔七日甲寅丙時，大同軍節度管内觀察處置等使、金紫崇禄大夫、檢校太保、使持節雲州諸軍事、雲州刺史兼御史大夫、上柱國隴西縣開國男、食邑三百户李翊，弟將仕郎、守秘書省校書郎懿建幢。

原資福寺，明正統間僧圓昇建，至嘉靖初尚膳監太監馬潮修之。中有山西按察司僉事督理宣府邊儲四明錢俊民碑，書之者禮部左侍郎任邱李時也。殿前梵塔上勒片石，有壬寅

三月三日字，未知何時所建。（淥水亭雜識）

〔臣等謹按〕資福寺，土人呼卧佛寺，已圮廢。今西直門外大街迤南有寺數椽，亦名資福，乃寺僧移棲於此而仍舊名耳。香爐一，款曰資福寺永遠奉佛，萬曆丙子仲夏鑄。其西空壤有仆碑，文已漫滅，碑陰尚膳監太監馬海等字尚可辨。當即錢俊民所撰者。惟成德淥水亭雜識誤馬海名作潮，爲未核耳。距碑數十武有塔，形製如妙應寺白塔，而高稍遜，中空爲佛龕而無像設。南向門一，門額石刻云：多寶佛聞釋迦佛説妙法蓮華經，我能仁三展淨土供多寶佛十方分身諸佛，雲集一處，我身出現爲聽經故，千生少遇，萬劫難逢，諸衆同修，共成佛果。壬寅仲春三日造。淥水亭以仲春爲三月，亦誤也。

【原】慈慧寺去平則門僅二里，萬曆間蜀僧愚庵所創。寺中栴檀金像乃黄太史輝手自撥蠟，精工特甚。寺碑，陶太史望齡撰文，黄太史書丹。外有蜘蛛碑、甘井碑、金剛塔碑，並稱能品。（長安客話）

【原】慈慧寺成於萬曆壬寅，周匝列大樹，牆百堵，砌以亂石，隨其稜角曰虎皮牆。寺後有閣供栴檀佛，黄南充輝手定坯笵。寺有蜘蛛塔碑、甘井碑、金剛塔碑，皆南充書。蜘蛛塔者，南充誦金剛經次，一蜘蛛緣案上正中立，向佛而伏，驅之，盤跚復來就前位。南

充曰：聽經來耶？誦經終卷，蜘蛛寂然，舉而視之，遺蛻耳。以沙門法龕而塔之。帝京景物畧

〔臣等謹按〕慈慧寺，本朝乾隆二十二年奉勅重修。山門内爲殿兩重，後殿恭懸皇上御書匾曰妙三明地。寺北虎皮牆在今牆後又數百武。蜘蛛塔在虎皮牆外東北隅，今土阜耳。其碑則移於前殿門右。碑式如幢，高餘三尺，方廣餘二尺，南面鐫佛像，北面鐫塔記，東刻偈語，西刻附記文。蜘蛛塔碑左爲萬曆十九年頒賜藏經勅旨碑，碑陰爲金剛經。碑後殿左碑，明禮部尚書李長春撰。別無陶望齡碑及甘井碑。又黄輝所造撥蠟金像，今已無存。

增黄輝往生塔記 萬曆辛丑秋七月九日晨，予禮誦行道次，有大蜘蛛循右臂且及指，若欲緣念珠行者。予袖委之地。則凝立不動如聽誦然，誦畢，乃徐徐東南行，止窗下。予心異之，謂曰：若則吾誓度衆生之一也，一念之差，受身遂別。若處此久矣，豈亦有意回向耶？吾爲若持佛名號誦往生陀羅尼，願若即捨業身，立歸淨土。蛛口眼俱動，如答如念。持誦已，予復申前説。蛛乃奄然撮聚身帖於足。予意其困息也，暮而燭之，身帖如故，乃知其隨持誦化去矣。童子曰：是體大而腹枵，若久却飲食也者。取視之，輕如蟬蛻，藏之不腐。以示愚庵法師。愚庵曰：大菩薩往往行異類中，兹蜘蛛殆勃荷比耶！予曰：菩薩之行異類也，以異類皆菩薩故，若鸜鵒、鸚鵡，念佛生淨土多矣，謂菩薩之爲鸜鵒、鸚鵡也奚不可者？然鸜鵒、鸚鵡何嘗不自菩薩哉！愚庵曰：然。昔觀音大士自現蛤蜊中，令檀越生大信心，即是第一説法。今聞此蜘蛛往生者咸歡喜歎羡，皈依淨土，勝於口勸百倍。其説法功德亦不可思議。宜塔之以示來者。予曰：然。遂爲之記，係以偈言。塔在慈慧寺，記成於十月十九日。

增黄輝往生塔附記文 語云：太昊師蜘蛛而結網。又云：其毒中人尤慘，以瀫麝羊乳等解之。夫衆土久迷本性，以巧相罔，以罔相師，三毒習氣，誰非蜘蛛也者！不了毒無自性，及性無量光，偏於味毒無味毒之中，而欲解之，即盡大地爲瀫麝羊乳乎！亦猶無益也。亡友李孟修竹嘗云：王介甫以蜘蛛張一面之網爲知誅義。然吾聞此物善知寶珠而居之，質或大如車輪，變現光怪，飛絲如絙，能與龍鬬，火龍取之則入水，水龍取之則入火。然兼兩龍之力以鬬，

則智窮而珠爲取矣。其得名殆以此。知珠之説，余未見所出，孟修讀書多，言必有據。就如二説，皆太昊之所師耳。物各以我保所寶，我相生，人必爭之，以毒謀食，食必生毒，而世反以爲樂，其智勇絶異。如輪蛛組絲變現光怪，能與龍勍而不能不窮龍，能共取其珠而不能保水火之無爭。自有情以來，而樂苦皆若此矣。此蜘蛛一聞佛名，即得往生於清淨摩尼寶珠光中。是珠也，無可取，無可爭，亦無可知，亦無無知之量，是乃可名真知珠矣哉。塔成，附記於碑側如此云。

增李長春慈慧寺碑畧 阜成門外迤西二里許有寺一區，乃諸中涓義置以爲施茶之所。會上人真貴自蜀入燕，諸中涓延而居此。聞於大内。聖母慈聖宣文明肅皇太后增繕殿宇，錫以大藏，賜名慈慧。蓋人與地兩相重而寵靈赫奕盛於都邑矣。時予請急，過家上冢，上人乞文，爲停軺一日畀之。上人號愚庵，家在吾蜀安岳縣云。萬曆二十年十二月立。

原古葬宮人之所，謂之宮人斜。京城阜成門外五里許有靜樂堂，甎甃二井，屋以塔，南通方尺門，謹閉之。井前結石爲洞，四方通風。宮人有病，非有名稱者，例不賜墓，則出之禁城後順貞門旁右門，承以殮具，舁出玄武門，經北上門、北中門達安樂堂，授其守者。召本堂土工移北安門外，易以朱棺，禮送之靜樂堂，火葬塔井中。凡宮人故，必請旨；凡出，必以銅符，合符乃遣。嘉靖末有貴嬪捐貲易民地數畝，其焚燼不願井者悉内地中。菊隱紀聞

原慈慧寺後不二里有靜樂堂，其牆陰皆宮人葬處，所謂宮人斜也。長安客話

〔臣等謹按〕慈慧寺後西北隅隙地，土人目爲靜樂堂故址，與舊虎皮牆相距不數十步，地形微高。南向立二石，遠望如門扇，又如華表，高可二丈餘，廣約二尺，厚不盈尺，下截四圍皆隆起數分；其右石前左楞刻爲水波凸捲之形，皆大如瓜。舊稱

洞在井前，今惟此石之西南有井，居人汲以灌畦，他無所見，未知其即塔井舊地否也。至若蔣一葵長安客話所稱去慈慧寺二里許者，殆又指嘉靖中續置宮人葬地而言，非復靜樂堂之原處。故去寺較遠耳。

增 永隆寺在阜成關外香山鄉漏澤園，即地藏寺。五城寺院冊

〔臣等謹按〕永隆寺，明正統間修，初名地藏寺，後改永隆禪寺。碑二：一天順三年翰林學士西秦黃諫撰，一嘉靖二十四年左中允兼修撰姚江孫陞撰。

增 黃諫永隆寺碑畧 金僊大覺氏之宮，崇構大興，殿閣相望者，莫京師爲盛。而占據幽勝，尤莫西山若也。西山距都城三四十里，遊者朝出夕疲。去阜成門西二里許，岡阜隱然疊起，若拱若伏，嘉林沃壤，宜樹宜稼，是近城之幽勝又莫是若也。據幽勝之所，舊有地藏寺基，相傳爲金源氏時建，以無碑識，弗可考。正統改元，僧録司右善世關西杲公，因往來西山經此，深爲慨然。命弟子無照鏡公曰：是古刹勝地，不可廢也。鏡公領其事，日除榛莽，闢土地。工未畢，杲公示滅。鏡公受僧録司牒主其衆。歲癸亥，勅賜永隆禪寺。今年夏，諫使自安南回，葬亡子珌於寺後隙地，刻權厝文於石瘞之。時鄱陽深公方説楞嚴諸經，乃偕鏡公請曰：維是寺之成壞，托之斯文，敢請書於堅珉，以傳弗窮。天順三年，歲在己卯，夏四月，開山第一代住持慧鏡立石。

增 順天府西有西域寺。明一統志

〔臣等謹按〕西域寺在阜成關外馬家溝，俗呼三塔寺，明宣德年間建。今已頹圮，僅存數楹。階下二碑猶屹立：一正統十門僧烏巴迪呢雅實哩等爲其師雅爾鼐羅密克立，吏部郎中金陵曹義撰文；一弘治十七年太僕寺卿金陵李綸撰文。門外仆碑二：一没土中；一碑面反貼贔屭間，尚可見者，成化十四年六月李哲立石等字。至三塔

止存二，其一已廢。西南隅榛壤中別有一塔，相距較遠，製亦不同，僧云是爲普同塔，不在三塔之列也。

增曹義西域寺碑畧 京都阜成之西三里許，有古刹三塔寺，乃灌頂廣善西天佛子大國師荼毘之所也。大國師名雅爾鼐羅密克，華言智光，號無隱，姓王氏，山東慶雲人。年十五，移北京吉祥法雲寺，禮西天班迪達桑噶實哩國師，傳天竺聲明記論授心印。嘗侍師游五臺諸山，得覩文殊妙相。太祖命譯其師班迪達四衆弟子菩薩戒，奉使西域，至天竺國及烏斯藏等處，宣傳聖化，衆皆感慕，相隨入貢。比還再往，復率其衆來朝。太宗念其勤勞，擢僧録司闡教，尋陞善世，俾迎大寶法王。及還敷對多所見贊，賜圖書國師冠金織袈裟襌衣諸物。仁宗誥封爲圓融妙慧淨覺宏濟輔國光範衍教灌頂廣善大國師，命居大能仁寺。宣宗勅有司度僧百餘，與之爲徒，建大覺寺以佚其老。上加封西天佛子，示寂於宣德十年六月，享年八十有八，僧臘七十有三。説頌辭世云：空空大覺中，永斷去來蹤。實體全無相，含虚寂照同。儼然坐化，三日入龕，又三日掩龕。舉體柔和，容貌如生。荼毘之日，大慈法王秉法炬，甫置薪龕頂，智火迸出，五色光明，化畢，骨皆金色，舍利盈掬。造塔葬於暘臺山，仍建寺宇，賜名西竺。其弟子分其舍利，建塔寺於各處。其大國師烏巴迪呢雅實哩等建造灰塔於荼毘所。告成之日，賜名西域，令其徒布達實哩爲住持，庶使燈續相傳，久而益堅焉。正統十年，歲次乙丑，四月初八日，嗣法弟子灌頂廣善大國師烏巴迪呢雅實哩等立石。

增李綸西域寺重修碑畧 都城之西三里許，有梵刹曰西域。圓融妙慧淨覺宏濟輔國光範衍教灌頂廣善大法師大通法王智光上師優於先見，於此創建以爲道場。弘治戊午，大能仁寺西天佛子舉興修之念，罄己囊橐，兼募衆緣。上聞，特賜銀兩，不期年而落成。上師世家山西蔚州人，姓翟氏。甫八歲，禮大通法王爲衣鉢侍者。師授灌頂廣善大國師教，傳密乘經典心印秘。上師歷歷諳練無遺。一日忽召其徒曰：爾等尚當竭力焚修，以報皇上莫大之恩。語畢，跏趺而逝，時弘治辛酉十月二十六日也。追封淨修悟妙灌頂大國師西天佛子大智法王，建塔於暘臺山西竺寺師祖兆域，門人復以荼毘所灰骨礲石爲塔兹寺。弘治十七年七月立。按：雅爾鼐，唐古特語夏居也；羅密克，智慧眼也，舊作雅納囉釋彌。班迪達桑噶義俱見前。實哩，威也，舊作板的達薩訶咱釋哩。烏巴迪呢雅，梵語法術也。實哩義見上，舊作吾巴帖耶，布達實哩。實哩，梵語佛威也，舊作勃塔室哩。今俱譯改。

原嘉興觀在阜成門稍北而西，徑路兩旁多樹，自此至雙峯寺，北通白石橋。觀有小閣絶高，西即利瑪竇墳。燕都游覽志

增萬曆辛巳，歐羅巴國利瑪竇入中國，始到肇慶，劉司憲某待以賓禮，持其貢表達闕廷，所貢耶蘇像、萬國圖、自鳴鐘、鐵絲琴等。上啓視嘉歎，命馮宗伯琦叩所學。惟嚴事天主，謹事國法，勤事器算耳。利瑪竇紫髯碧眼，面色

如朝華。既入中國，襲衣冠，譯語言，躬揖拜，皆習。越庚戌，利瑪竇卒。詔以陪臣禮葬阜成門外二里嘉興觀之右。其坎封也異中國，封下方而上圜，方若臺址，圜若斷木，後虛堂六角，所供縱橫十字文，後垣不琱篆而旋，文其脊紋若螭之岐其尾，肩紋若蝶之矯其鬚，旁紋若象之卷其鼻也。垣之四隅石也，杵若、塔若焉。祔左而葬者，其友鄧玉函。墓前堂二重，祀其國之聖賢。堂前晷石有銘焉，曰：美日寸影，勿爾空過。所見萬品，與時併流。帝京景物略

〔臣等謹按〕利瑪竇塋在馬家溝，其坎封之制及塋後堂六角，塋前堂二重，一如劉侗帝京景物略所云。至嘉興觀，土人云在利瑪竇塋東北，今遺址莫辨矣。

原 太傅惠安伯張公園在嘉興觀之右，牡丹芍藥各數百畝。花時，主人制小竹兜，供游客行花塍中。燕都遊覽志

〔臣等謹按〕張氏園今無考。

原 惠安伯張元善園中牡丹，自言經營四十餘年，筋力半疲於此花。自籬落至門屏，無非牡丹也。最後一空亭，周遭皆芍藥，密如韭畦，約有十萬餘本。袁中郎集

原 都城牡丹時無不往觀惠安園者，園在嘉興觀西二里，堂後牡丹數百畝。帝京景物略

原 王世貞過張氏園詩　休沐時相過，猶言惜未頻。風塵餘此地，山水更何人？高咏消蘭燼，清輝掩桂輪。冰盤薦沈緑，不道故侯貧。弇州山人稿

欽定日下舊聞考卷九十七

郊坰

西七

原 慈壽寺去阜成門八里，聖母慈聖皇太后所建，蓋正德間大璫谷大用故地。經始於萬曆四年，凡二歲告成。入山門卽有窣堵波，高入雲表，名永安塔，華煥精嚴。蓋慈聖既捐帑，各邸復助之，因得速就如此。野獲編

〔臣等謹按〕慈壽寺及塔，本朝乾隆二十二年奉勅修葺。塔下碑亭二：左碑前刻紫竹觀音像並贊，明萬曆丁亥年造，後刻申時行、許國、王錫爵瑞蓮賦；右碑前刻魚籃觀音像贊同左，後刻關聖像并贊，明春坊諭德兼侍讀南充黄輝撰，萬曆辛丑年立。殿内恭懸皇上御書額曰栴檀寶地。殿後爲閣，簷端恭懸御書額曰香雲閣。聯曰：智珠朗映光明藏；意蘂常舒歡喜園。

原 慈壽寺在阜成門外八里，宣文皇太后所建，成於萬曆六年秋。殿宇壯麗，一塔聳出雲漢，四壁金剛像如生。湧幢小品

原八里莊慈壽寺神宗爲慈聖皇太后建也，寶藏閣係聖母御筆題。稍西一道觀，世宗時极盛，今頽，楹殘礎滅，没於荒榛翳莽中矣。燕都遊覽志

原萬曆丙子，慈聖皇太后爲穆考薦冥祉，神宗祈嗣，卜地阜成門外八里建寺焉。寺成，賜名慈壽，勅大學士張居正撰碑。時瑞蓮産於慈寧新宫，命閣臣申時行、許國、王錫爵賦之。碑勒寺左寺有永安壽塔，塔十三級，聳雲中。中爲延壽殿，後爲寧安閣，閣扁慈聖手書。後殿奉九蓮菩薩，太后夢中菩薩數現授太后經，乃審厥象，範金祀之。帝京景物畧

〔臣等謹按〕張居正所撰碑今已無存。至孫國敉燕都游覽志謂寶藏閣爲慈聖手書，劉侗帝京景物畧謂寧安閣爲手書，紀載互異。今諸閣已廢，無可考，姑並存之以闕疑。

原九蓮菩薩者，孝定皇后夢中授經者也。覺而一字不遺，因録入大藏中。旋作慈壽寺，其後建九蓮閣，内塑菩薩像，跨一鳳而九首，寺僧相傳菩薩爲孝定前身也。玉堂薈記

〔臣等謹按〕寺内香雲閣下東偏，今供像一尊，高尺餘，有跨鳳九首之形。

原張居正勅建慈壽寺碑畧　寺在都門阜成關外八里，聖母慈聖宣文皇太后親出供奉金，委太監楊輝董其役。外爲山門天王殿，左右列鐘鼓樓，内爲永安壽塔，中爲延壽殿，後爲寧安閣，旁爲伽藍、祖師、大士、地藏四殿，繚以畫廊百楹，禪堂方丈三所。又賜園一區，莊田三十頃食僧衆，以老僧覺淳主之，中官王臣典領焉。寺成，名之曰慈壽。太岳集

原于慎行勅建慈壽寺碑畧　聖母慈聖皇太后與皇上永懷穆考在天之靈，思創福地以薦冥祉。乃命内臣卜地，於阜成門外八里，得太監谷大用故地一區。遂出宫中供奉金，潞王、公主、宫眷、内侍各捐湯沐，經始於萬曆四年二月，

至六年仲秋既望落成，賜名曰慈壽。蓋以爲聖母祝也。穀城山房集

【原】陳萬言慈壽寺詩　帝城門外刹，舍衛國中臺。初地三摩入，慈宮萬壽開。午鐘招雉雀，夜雨積莓苔。怪底花間客，浮名逐夢來。鈃園集

【原】公鼐慈壽寺詩　郭外浮圖插太虛，空王臺殿逼宸居。蓮花座與青山對，貝葉經傳白馬餘。燕地風沙飄客淚，漢朝陵墓想鑾輿。鄉關有夢腸堪斷，東望誰傳尺素書？卜東園詩集

【原】慈壽寺旁有庵曰摩訶庵，不甚大，潔淨特勝他庵。殿前後多松檜，四隅各有高樓，疊石爲之。登樓一望，川原如織，西山蒼翠，欲與人衣袂接。右卽法藏庵，爲摩訶別院，僧無鉉所創。無鉉善琴。長安客話

〔臣等謹按〕摩訶庵、法藏庵今並存。

【原】摩訶庵，嘉靖丙午建也。庵有樓以望西山。天啓中，魏璫過庵下，偶指樓曰：宜去之。卽日毁。其西有大勝庵。帝京景物畧

〔臣等謹按〕摩訶庵石樓，東南北三面今尚存，獨缺其西一面。庵僧云卽魏忠賢所毁也。

【補】出阜成門西行三里許有報恩寺，又西三里靈佑觀，又西爲廣福寺，又西爲嘉祥觀，又西爲元應觀，入八里莊堡爲摩訶庵，又西爲永慶寺，又西爲慈壽寺，又西爲元福宮。嘉祥觀多松，入門二株尤秀潤。摩訶庵前殿有碑二：碑文左爲鉛山費尚書寀撰；右爲華亭孫尚書承恩撰，俱嘉靖二十七年立。殿後右廂有竹一叢，院中雜蒔草花，堂懸萬物育墨蹟

三字，上用恭穆獻皇帝睿筆璽，下有嘉靖年製小印。堂後松二株，高出殿脊，其後則中官趙政墓也。元福宮建於正德五年，至天啓五年重修，中有蒼松四株最奇古。後殿三清六真像皆笵銅爲之，配殿文昌與夾侍童子亦銅像。旁鑄一騾，銅質光潤，絶似宣德鎏金薰鑪色。殿前後凡四碑，一仆，二爲人磨去，止存中書舍人袁志學一碑，崇禎元年所立也。〔人海記〕

〔臣等謹按〕報恩寺今存。靈佑觀今改名無量庵，詳前郊西卷五。摩訶庵費孫二碑存，明世宗墨蹟已佚。嘉祥觀、元應觀、永慶寺、元福宮及文昌殿銅像俱廢。

補 宣德年鑄薰鑪，海内所珍，今多贋物，真者百之一耳。市者一鑪索數十金，卒難得其佳者。慈壽寺西有元福宮，文昌祠前銅鑄一騾，傳是宣德年所造。遊人以手磨挲，銅質呈露，其色甚瑩，驗騾之質亦可辨鑪之真贋矣。〔改過齋雜記〕

補 袁志學重修元福宮碑畧　國家庖爨柴薪産自馬鞍山，八里莊爲中道，而無停宿之所。太監王文政用價五千兩，贖得武清侯地三十頃，東至摩訶庵，南至釣魚臺，西至兩家店，北至張花村，而元福宮在其内。於是建立筏柴停宿公廨，元福宮重加修葺焉。〔袁舍人集〕

〔臣等謹按〕據袁志學記，文元福宮當在摩訶庵迤西，而故址已湮，惟兩家店地名仍舊。張花村則無考矣。

增 摩訶庵東偏金剛殿壁，有明人重臨集篆三十二體金剛經石刻。〔五城寺院册〕

〔臣等謹按〕金剛經集篆三十二體石刻，每經一章爲一體，每體標以分書，而附以釋文。明陳萬言跋。又國朝王崇簡跋，謂宋僧道肯因五代時僧夢英所集十八體而廣之，明黄梅汪可受得浮篋中舊本於黄蓮洲門人黄梅洪度，重臨付梓。萬曆間庶吉士雷城、侯恪、朱繼祚、姚希孟、何吾騶、施兆昂、陳萬言，行人司行人周鏘，河南提學副使吕邦燿，吏科給事中姚宗文，學使黄汝亨，掌河南道事監察御史房壯麗等爲書釋文於後，而勒諸石。摩訶庵僧性宏嵌之金剛殿壁。迄今字畫完好。

補 費宷摩訶庵碑畧　摩訶庵者，乾清宫管事司設監太監趙政所創也。在宛平縣香山鄉八里莊。正殿一，左右配殿，廊廡方丈旁舍凡九十。經始於嘉靖二十五年正月，竣事於明年閏九月。庵之地爲畝三十，園圃之地爲畝二頃五十餘。　費文通集

增 陳萬言金剛經集篆跋畧　金剛經之有集篆也，宋僧道肯因五代僧夢英所集十八體而廣爲三十二者也。篆經之有刻本也，汪中丞静峯獲之黄蓮洲，命其門人洪度臨摹壽木者也。木本之翻而爲石也，徐中丞雅池及其長公公穆爲摩訶庵作一大事因緣，而予適觀成者也。會篆後將釋以正書，庵僧性宏出黄太史緘軒所書金字經一卷，予擬爲手書諸石。一時臨池名手争願以筆墨緣皈依法寶，而予偕同館諸君子圓滿勝因，亦一快也。工竣，性宏謀續構石經室而藏之，因爲識其先後刻經大畧。

時天啓初元閏春十有一日。

原 黄鳳翔宿摩訶庵詩　飈風卷落照，倦鳥棲故林。獨坐招提中，悠悠愜我心。徘徊不能歸，借榻紆長吟。小牖月華入，疏蘭雲氣深。中庭有孤松，清霄騰梵音。人世日代謝，幽懷無古今。繽紛逐塵者，羈緤空陸沉。僕夫休戒曉，吾意欲投簪。　黄宗伯集

原 馮琦同于宫諭飲摩訶庵南園步至釣魚臺夜眺還宿法藏寺紀事　如是招提境，殊無闤陌塵。雨過林尚滴，香雜苑猶春。水竹私歌鳥，涼風爲酒人。莫頻移坐榻，深惜此花茵。蒼蒼望不斷，小徑亦何深。未盡塵中務，難爲郭外心。如雲千樹色，有日半山陰。漸與祇林遠，鐘邊無磬音。共此魚梁約，壺觴夜自攜。野雲來坐冷，林月向人低。烟帶遠山合，天將草樹齊。薄霜晞易得，有路更前溪。帝京景物畧

增高士奇摩訶庵看杏花詩 青郊路轉見芳菲，日暖園林燕子飛。別圃乍驚山杏落，僧廚新煮藥苗肥。繁花舞蝶迎人面，細草輕烟上客衣。更向層臺高處望，千峯螺黛送春暉。城北集

增永慶禪林在摩訶庵之西，舊名法藏庵。五城寺院册

〔臣等謹按〕法藏庵碑二，皆按察副使都人劉效祖撰，嘉靖戊申季秋立。

原馮琦宿法藏庵詩 妙諦聞龍藏，清談過虎谿。更從雙樹杪，借我一枝棲。法界心常淨，名琴手自攜。曲終人境寂，殘月竹房西。北海集

增關帝廟在恩濟莊路東。五城寺院册

〔臣等謹按〕雍正十二年世宗憲皇帝賜內監等塋地一區，名恩濟莊，並於其地勅建關帝廟，於乾隆三年二月落成。殿內額曰威靈普護。碑一，户部尚書海望撰，乾隆五年七月立。

增十里莊有慈育院、慈集寺、定慧寺。五城寺院册

〔臣等謹按〕慈育院舊稱碧霞元君廟，康熙四十六年奉勅修建，改今名。正殿恭懸聖祖御書額曰慈育羣生。聯曰：弘育羣生敷愷澤；順承坤德藹慈雲。後殿額曰大悲壇。殿內額曰鹿苑星龕。聯曰：水月應從空法相；天花故落映星龕。門外坊，世宗御書額曰靈光昭垂。乾隆十五年重修，翰林院侍讀學士王際華撰記，立石。慈集寺門額，聖祖御書。定慧寺初名善法，後改名雲惠，本朝康熙四十一年賜名定慧。寺門額及天王殿額皆聖祖御題。後殿內恭懸聖祖御書額曰慈雲廣覆。檐前聯曰：覺路弘

開，慈航普度三千界；法輪廣照，佛日长輝億萬年。碑三：一明翰林院修撰閩三山翁正春撰，萬曆二十七年立；一大學士南海梁儲撰，正德六年立；一爲本朝翰林院侍講學士勵廷儀撰，康熙五十一年立。

增十里莊西半邊店有報誠寺、普同庵。五城寺院册

〔臣等謹按〕報誠寺寺門額識正德戊寅年五字。磬一，鐫崇文門外古刹普賢庵住持定圓造大佛殿磬一口重一百斤上祝萬壽成化庚寅仲冬等字。又普同庵鑪一，萬曆四十三年造。

增田村有靈威觀音庵、三官廟、寶峯庵。五城寺院册

〔臣等謹按〕靈威觀音庵鐘一，明嘉靖四十一年造。磬一，正德六年造。三官廟碑二：一明翰林院編修陳元暉撰，萬曆四十四年立；一閻先格撰，本朝康熙五十二年立。寶峯庵碑一，明吏部尚書南海梁儲撰，正德十二年立。

增顯應寺在阜成關外香山鄉黄村。五城寺院册

〔臣等謹按〕顯應寺，本朝康熙五十八年因保明寺舊基修建。觀音殿内恭懸聖祖御書額曰水心柏子。聯曰：片石孤雲窺色相；清池皓月照禪心。老祖殿額曰林泉花雨。聯曰：月在上方諸品静；心持半偈萬緣空。寺後閣額曰挂衲翻經，寺門額曰勅建顯

應寺。又天王殿亦有顯應寺三字額，皆聖祖御書。老祖殿前恭立聖祖御製顯應寺碑清漢書各一。漢書詹事府左春坊左庶子兼翰林院侍讀王圖炳奉勅書。觀音殿右仆碑一，明時重修皇姑寺記，無撰人姓名。左爲勅諭蠲免糧税碑，弘治十二年六月立。

增聖祖御製顯應寺碑　都城之西有佛舍一區，創自前明中葉，雖歷加修葺，而歲月寖久，復燬於火。舊規既替，香界就荒，非所以崇像教廣禪悦也。朕以古刹勝因，宜規整飭，爰發帑金，鳩材董役。經始於康熙五十年十二月，落成於五十八年正月。不庳不侈，棟宇一新。答士庶敬信之忱，慰緇衲皈依之願。用錫嘉名，顔爲顯應。蓋以慧炬祥光，無微不顯；慈雲法力，有感必通。澤萬品於真源，燿十空於寶智。同圓妙果，長稔福田云爾。

原宛平縣西黄村有勅賜保明寺，寺中尼吕氏，陜人。正統間，駕出關，尼送駕苦諫，不聽。及上還轅復辟，念之，乃建寺賜額，人稱爲皇姑寺。耳譚

〔臣等謹按〕今顯應寺左有屋數椽，尚懸保明寺額，内爲女僧吕氏塋。塋前有嘉靖四年勅賜碑，載吕氏陜西西安府邠州道安里王壽村人，碑後並刻有像。

原順天保明寺是比邱尼焚修處，寺建自吕姑。正統間諫阻北征，不聽，後復辟念之，封

爲御妹，建寺賜額。藏天順手勅三道。有寺人司户，人不易入。燕都遊覽志

原皇姑寺在京城西山，不知所始。嘉靖六年丁亥，上諭輔臣楊一清云：前有旨下部，謂尼僧與僧道不同，而尼僧寺與僧寺道觀又不同。今因桂萼奏毁尼寺，已行下矣，今若皇姑寺仍留，是不去其根也。乃旨出之後三四日，不知何人哀奏兩宫。皇伯母見諭，以皇姑爲孝宗所建，似不可毁。聖母亦以孝宗爲言。蓋小人進禍福之言，故兩宫一時傳諭。次日聖母又諭，欲建一寺，卽將此寺與我亦好。蓋此寺乃皇親内宦供給信施，必有請告之者矣。按世宗此旨，已洞見宫掖隱情。既而聖諭又下輔臣楊一清等曰：慈訓兩頒，宜卽順命。但懲惡須去本，方免後患。今將此寺房留與無歸尼僧暫住止，著終身不許復引其類。其祖宗時所賜勅額追回。此旨既下，其後因循至今又八十年矣。尼僧之日多，宣淫日盛，檀施亦日益不貲矣。蓋其根株既在内廷，以世宗英斷尚不能鏟除，况後世乎？自丁亥後又十年，而霍文敏韜爲南禮卿，首逐尼僧，盡毁其庵，金陵一片地頓爾清淨。霍去而尼復集，庵復興，更倍往日矣。是時上又密諭閣臣云：朕又將有議此時額名之意并告卿知。夫順天保明者，明是我朝國號，此言尼僧之祖能順聖祖，奉天開極，此惟皇天命之，何待後日以一妖尼能保我明也哉？又云：皇姑者尤不好聽，言我皇家之姑也。當時此寺云勅賜，不云勅建，便可見非祖宗本意也。故朕深嫉之，因與卿密知之。觀世宗屢諭，不特明晰事理，且曲揣人情，真是禹鼎秦鏡；且開諭輔弼，曲從兩宫之意。然於實録中僅載一二語，不能如此詳明，不知述史者何所諱也？予今所紀亦僅十之四五耳。野獲編

增日多…

（朱彝尊謹按）山東濟南长清縣之长城堡亦有皇姑庵，覽其遺碑，具載吕姑諫阻裕陵北征本末。碑稱姑山東人，與諸書所紀不同，未詳孰是。

增關帝廟在顯應寺西。五城寺院册

（臣等謹按）廟創於康熙五十二年，前供馬王像，後爲關帝殿。殿門恭懸聖祖御書額曰忠義伏魔。乾隆十八年重修，工部侍郎德保撰記立石。

增黄村下莊迤西路北有福田寺。五城寺院册

（臣等謹按）福田寺已圮，僅存碑二：左碑明大學士葉向高撰，天啓四年立；右碑惟

列修建人姓名。

原萬曆四年，西竺南印土僧足克戩古爾，東入中國，初息天寧寺。後過阜成門外二里溝，見一松盤覆，趺坐其下，默持陀羅尼咒，匝月不食。僧耳環，手鉢，紅罽衣，蒼紫面而髯鬈，肖古達摩相。畢常侍奏之。賜織金禪衣，賜日齋萬僧，賜酥燃燈，賜松地居焉，賜寺名西域雙林寺。帝京景物略　按：足克戩，唐古特語首飾也。古爾，帳房也，舊作左吉古魯。今譯改。

〔臣等謹按〕雙林寺碑一，明萬曆四年工部右侍郎王槐撰，今存。佛殿三重，前二重本寺僧衆居之，後殿奉瑪哈噶拉佛，以處西域梵僧，別闢門於寺左側。

原萬曆初，大璫馮保營葬地，造寺曰雙林。雙林，馮之別字也。穀城山房集

補梵僧索諾木納木結能爲漢音。詰其西來踐歷蹤由，云其國名卓哈，近高昌，出家法藏寺。本周天元時甘露梵王剎。東行九萬餘里，始達五臺山。逢御馬監太監劉潤，引至北京雙林寺住。萬曆三十年，明肅皇太后命住萬壽庵。又三年，番經廠太監張貴引奏，命住雙林寺，賜紫衣寶冠，命西經廠掌壇教授中貴。又賜織金禪衣金段膳盒等物。六研齋筆記　按：索諾木納木結，蒙古語有福人也，舊作鎖喃嚷結。今譯改。卓哈，舊作主活，照三史畫一改正。

原雙林寺三大士，西番變相也，相皆髁而跣，有冠、有裳、有纓絡，犼、象、獅各出其座下。中金色，勇猛丈夫也，五佛冠，上二手交而杵鈴，趺而坐。左右各藍色，三目彩眉，耳旁二面，頂纍二首，項腰各周以髑髏，而帶以蛇。左喙鼻耳角牛也，三十二臂，一十六足，中二手交把髑髏半額而鏇取其腦，其三十手所執械、旗、旛、鼓、鈴、牌、金火輪、繩、棰、杵、刀、叉、槍、劍、鈇、鉞、弓、矢，其所執殘者爲身頭手足，肉骨血淋淋皆新，其有陳者髑髏也。足左踏皆若鳳，右踏皆若馬，各有人金冠合掌腰腹承之，其一人兩手拍捧而悲也。右魔王鬼神像也，其耳環一，十六臂而四足，手二交而托，十四仰而托，托皆噶布拉碗，左之碗盛菩薩，右盛虎、獅、象、駝、犀、海馬。噶布拉碗者，解頂顱骨而金絡瓣稜尖如蓮房也。足踏人四色，前仰後伏。殿壁所徧繪亦十方如來示現忿怒尊者像也。有韉人革，其面爪趾宛然者，有倒絡人首而爲纓、蹬髑髏口而爲鐙者，有載人面首若獵而狐兔雉纍者，有尸三刃穿、有戟三首貫者，有方噉人半身而披髮垂於吻者，其計令瞻而衆怖思而猛省歟？忿怒變像，烏斯藏每貢之，曰瑪哈噶拉佛。寺後一土山，山前一塔，旁皆朱櫻。帝京景物略　按：噶布拉，蒙古語天靈蓋也，舊作葛巴剌。今譯改。

〔臣等謹按〕雙林寺後殿三大士及繪壁諸變相，一如帝京景物畧所云；獨中像舊稱面金色，今白色，此爲小異耳。寺後明陽洞臺榭、朱櫻今皆無存，惟土阜隆起畧具山形而已。塔僅存其半，前後左右復有僧塔十餘。

增王槐雙林寺碑畧　西直門外有招提一區，梵僧足克戩古爾先寓天寧寺，次詣此，見地勢靈秀，松茂張蓋，遂憩息松下，結跏趺坐。耳環手鉢，貌若達摩。曰：吾西竺南印土方僧游化中國耳。遂留受供。其後一月不食，默坐持誦密咒。聞於慈聖皇太后、皇帝，賜織金禪衣錢錠，日齋萬僧，仍賜酥油燃燈。師齋日滿期，卽欲辭去，曰：此庵未足以綏佛聖，建一大寺奉三寶是吾之屬也。寺前爲山門，金剛、鐘鼓二樓，天王殿宇中爲佛殿，左右伽藍、護法，後爲方丈，左右齋堂、禪室，兩側廚、庫、僧房。其後壘土石爲山，高可丈餘，上爲明陽洞，左臺右榭，羣卉蕺萃，凡寺之所宜有者無不備矣。工始於二月之春，落成於八月之秋，命名雙林。萬曆四年，歲次丙子，孟秋之吉。

原于愼行雙林寺歌　道旁佛宮誰者築？珠樓寶殿橫山麓。僧徒指點爲予説，此寺方成主人逐。憶昨十載氣薰天，吐納日月揮雲烟。外廷稍引三公勢，内禁親操六璽權。出入鉤陳留筦鑰，笑譚甲觀走金蟬。建寺平侵貴主地，施僧直請大官錢。輸來多寶堆成塔，輦盡黄金布作田。法宮梵宇何連曼？勝地名區看不斷。墓上林園學九陵，祠前樓閣成雙觀。落成牛酒國親供，建醮香花天女獻。吁嗟此寺獨渺小，赤刀已欲盈千萬。我皇神威符世祖，距脱大奸俯地取。郭家金穴入水衡，鄧氏銅山歸少府。盧兒解玉乞街衢，宅婦懷簪隨卒虜。惟餘此寺在郊原，虹梁綺構誰爲主？蛛網空懸梵鐸風，青苔自鎖瑲瑯雨。盛衰轉盼那不有？幾年翻覆看如許。君不見江陵城頭土三尺，若敖餒鬼不來食。一代賢豪此謂何，爾全首領恩已極。　穀城山房集

原馮琦雙林寺歌　長安春風能幾許？陣陣化作秋來雨。蒼狗白衣那可辨，古今榮瘁寧堪數？君不見元明宫，君不見雙林寺？雙林寺主蹟如掃，路人猶説繁華事。憶昔金貂近帝樞，轉日回天傾上都。九列有時關進退，五侯無敢同馳驅。縱橫五鹿客，交結霍家奴。城中甲第連白虎，城外浮圖下赤烏。浮圖矯矯凌雲際，乘豹驂貍鬬神異。天中畫棟盤龍螭，階下豐碑蹲贔屭。天子親爲降勅書，宰相不惜書名字。布金刻玉神亦妨，釁血塗膏鬼所忌。從來執權如抱虎，黄鉞一下無處所。半夜雷霆飛赤霄，百萬金錢歸少府。罪厚難徼帝釋靈，讁輕未霽君王怒。大第深沉别有人，野寺淒涼已無主。試看今日蓬與蒿，試看舊日石與牢。豪華意氣竟何在？寂寞樓臺空復高。黄金臺前車已覆，黄金塢中滿已撲。何處流人泣向隅，何人貴近欣當軸？一度花開一度春，一年世事一回新。惟有寺前松柏樹，年年長對往來人。　北海集

原興教寺在雙林寺東，成化二十一年建，以居大興法王嘉勒斡凌戩者。（帝京景物畧　按：嘉勒斡，唐古特語勝

也。淩戩義已見前，舊作結幹領占。今譯改。

〔臣等謹按〕興教寺舊址惟餘仆碑二：一鐫成化間賜勅；一列敍部劄，爲正德間刻石者。

增興教寺成化勅旨碑 朕惟佛氏之教，流傳中國已久，化導羣品，開悟迷途，功德所及，豈幽顯之間哉？好善之士崇奉之者一惟謹耳。寺在都城西直門外，司設監太監王助存日贖宛平縣民黃昇等地建修，以爲祝釐之所。其界東至叉道，南至大道，西至觀垣，北至河岸。又建立寶塔一座於內。朕已賜額曰興教。今助已故，特賜爲大興法王嘉勒斡淩戩焚修之所。國師扎巴藏布爲寺提督，講經索諾木巴勒丹兼住持，都綱章台揚扎巴爲住持，朝夕領衆焚修。所贖昇等田地一頃五十八畝五分該徵糧草，悉令有司除豁，仍與寺管業。嘉勒斡淩戩恐年久被人侵占，乞換勅護持，茲允其請頒給之。自今凡官員軍民諸色人等，毋得侵占田土及侮慢欺淩以沮壞其教。敢有不遵朕命者，論之以法。故諭。成化二十一年六月二十九日。按：扎巴，唐古特語徒弟也。藏布義見前，舊作劄巴藏播。今譯改。章台揚扎巴舊作章臺陽吒巴，今對音譯改。

原雙林寺西二里有神虎橋，橋四石虎，萬曆中一虎夜逸，遂名三虎橋。帝京景物畧

〔臣等謹按〕神虎橋三虎今尚存。

原至元七年二月，築昭應宮於高梁河。元史世祖紀

〔臣等謹按〕昭應宮遺址在雙林寺之西，今長河又在其西北，相距半里許。元史稱在高梁河者，殆以其地勢相近，故約畧言之耳。

原大德五年二月，賜昭應宮地百頃。元史成宗紀

原昭應宮在雙林寺西，元至元中建，龜蛇兆焉。正德八年修，蛇復馴出，赤質黑章，金文爛然。大學士費宏碑文記之。帝京景物畧

〔臣等謹按〕昭應宮久廢，費宏碑亦無存矣。

補元宮人王金蓮晚爲道士，提點昭應宮，卒贈淵靜元素真人。袁桷草其制。查浦輯聞

原馬中錫過昭應宮詩　翠濕松梢露滴珠，洞門下馬獨躊躇。丹成勾漏知何在？花發元都恐未如。游客漫勞題鳳字，道人不喜換鵞書。分明也住人間世，偏自相逢説步虚。東田漫稿

欽定日下舊聞考卷九十八

郊坰 西八

增元京城門西之北曰和義，明改和義曰西直。大清一統志

〔臣等謹按〕西直門之名始自明永樂中，本朝因之。門外修治石道，西北至圓明園二十里。每歲聖駕自宮詣園，凡蹕路往來，因事攄懷，悉昭垂於篇什。茲謹載其始見之章；至凡一事而屢垂藻翰，則有御製詩全帙在，例不具録。

增乾隆十年御製西直門外詩　良苗近隴復遐町，一雨能迴五穀青。今日輕輿憑覽處，稍紓半夏刻靡寧。晚田稻可冀豐還，瞻望每每一解顔。不爲沽名勤望歲，樂憂此外更無關。

原蔣山卿出西直門望西山詩　路出西郊外，尋幽興已賒。徑迴迷落日，林合隱疏花。山色争迎馬，湖光欲泛槎。翠微多少寺，處處足烟霞。南泠集

補孫樓郊西詩　上苑春偏麗，西郊更可憐。輕塵花半妥，斜陌柳初眠。綠樹鶯聲外，青山馬首前。夕陽南北淀，彷彿太湖山。百川集

增西直門外石道轉北有演梵寺、瑞像庵。五城寺院册

〔臣等謹按〕演梵寺鐘一，明萬曆年間造。瑞像庵有舊佛像。

原 薊東一十里有高梁之水。魏氏土地記

〔臣等謹按〕高梁河爲玉河下游，玉泉山諸水注焉，高梁其舊名也。自高梁橋以上亦謂之長河。詳見苑囿門。

原 㶟水又東南，高梁之水注焉。水出薊城西北平地泉，東注經燕王陵北，又東逕薊城北，又東南流入㶟水。俗諺云：高梁無上源，清泉無下尾。蓋以高梁微涓淺薄，裁足津通。憑藉涓流，方成川甽。清泉至潞，所在枝分，更爲微津，散漫難尋故也。水經注

原 斛律羨轉使持節，都督幽平營東燕六州諸軍事，幽州刺史。導高梁水北合易京，東會於潞，因以灌田。邊儲歲積，轉漕用省，公私獲利焉。北齊書本傳

原 遼乾亨元年七月，耶律沙等及宋兵戰於高梁河，小卻，耶律休格、色珍横擊，大敗之。遼史景宗紀

原 至順三年三月，以帝師汎舟於高梁河，調衛士三百挽舟。元史文宗紀

原 大城東門内道左有魏征北將軍建成鄉景侯劉靖碑，晉司隸校尉王密表靖功加於民，宜在祀典，以元康四年九月二十日刊石建碑。碑云：魏使持節都督河北道諸軍事征北將軍建成鄉侯沛國劉靖，字文恭，登梁山以觀源流，相㶟水以度形勢。嘉武安之通渠，羨秦民之殷富。乃使帳下丁鴻督軍士千人，以嘉平二年立遏於水，導高梁河，造戾陵遏，開

車箱渠。其遏表云：高梁河水者，出自并州，潞河之别源也。長岸峻固，直截中流，積石籠以爲主。遏高一丈，東西長三十丈，南北廣七十餘步。依北岸立水門，門廣四丈；立水遏，長十丈。山水暴發，則乘遏東下；平流守常，則自門北入。灌田歲二千頃，凡所封地百餘萬畝。至景元三年辛酉，詔書以民食轉廣，陸費不贍，遣謁者樊晨更制水門，限田千頃，刻地四千三百一十六頃，出給郡縣，改定田五千九百三十頃。水流乘車箱渠自薊西北逕昌平，東盡漁陽潞縣，凡所潤含四五百里，所灌田萬有餘頃，高下孔齊，原隰底平，疏之斯溉，决之斯散。導渠口以爲濤門，灑滮池以爲甘澤。施加於當時，敷被於後世。晉元康四年，君少子驍騎將軍平鄉侯宏受命使持節監幽州諸軍事、領護烏丸校尉寧朔將軍，遏立積三十六載。至五年夏六月，洪水暴出，毁損四分之三，剩北岸七十餘丈，上渠車箱所出漫溢。追惟前立遏之勳，親臨山川，指授規略，命司馬關内侯逄惲内外將士二千人，起長岸立石渠，修主遏，治水門。門廣四丈，立水遏五尺。興復載利，通塞之宜，準遵舊制，凡用功四萬有餘焉。諸部王侯不召而自至，襁負而趨事者，蓋數千人。詩載經始勿亟，易稱民忘其勞，斯之謂乎！於是二府文武之士，感秦國思鄭渠之績，魏人置豹祀之義，乃遐慕仁政，追述成功。元康五年十月十一日，刊石立表以記勳烈，并記遏制度，永爲後式焉。水經注

〔臣等謹按〕晉書劉宏傳云：宏字季和，沛國相人。父靖，鎮北將軍。宏有幹畧政事之才，以舊恩起家太子門大夫，畧遷率更令。張華甚重之。由是爲寧朔將軍、假節、監幽州諸軍事，領烏丸校尉，甚有威惠，爲幽朔所稱。以勳德兼茂，封宣城公云云。蓋卽元康四年建遏之人也。史但言其於幽朔有威惠而不詳其蹟，其父靖又於史無傳。觀水經注所載，可以補史乘之闕。至元康爲晉惠帝紀年，元嘉爲五代宋文帝紀年，中間相距一百三十餘載，水經刊本訛康作嘉，今謹改正。其他訛脱之處，依舊本增改者凡十有四字。至靖父子所建之遏及碑皆不可考矣。

原 高梁牐在西直門外迆北一里，至元二十九年建，名西城牐。水部備考

原 承安三年，命勿毁高梁河牐，從民灌溉。金史

原 齊園在西直門稍右，園盡則高梁橋矣。園中海棠甚多，西鑿一曲磵，引橋下水灌之，上作板橋，亭邊有叢竹。燕都游覽志

〔臣等謹按〕高梁河側之齊園今無考。

原 高梁河離西直門僅半里。橋跨河上，茲水源發西山，滙爲西湖，東爲小渠，由此入大内，稱御河。水急而清，魚之沈水底者，鱗鬣皆見。橋北精藍棋置。歲四月八日爲浴佛會，四方來觀，肩摩轂擊，浹旬乃已。長安客話

〔臣等謹按〕今高梁橋南北牌坊各一：南之南面曰長源，北面曰永澤；北之北面曰資安，南面曰廣潤。度橋爲倚虹堂，由此溯長河爲樂善園。皆詳苑囿門。

增 高梁橋在西直門西半里，跨高梁河。大清一統志

原 過高梁橋，楊柳夾道，帶以清流，洞見沙石。佛舍傍水，結構精密，朱户粉垣，隱見林中者，不可悉數。珂雪齋集

原 水從玉泉來，三十里至橋下，夾岸高柳，絲垂到水，緑樹紺宇，酒旗亭臺，廣畝小池，蔭爽交匝。歲清明日，都人踏青，輿者、騎者、步者，游人以萬計。浴佛日、重午，游亦如之。帝京景物略

增 袁宏道高梁橋詩　節是祇園會，歡同曲水池。嬉童歌串亂，天女鬟華隨。是樹皆停蓋，無波不泛巵。魚龍與角觝，樂事看人爲。袁中郎集

原 陸啓浤高梁橋作　冬郊未經雪，殘葉猶戀樹。山水入高梁，淙淙橋下度。萬物静相忘，豁然領奇悟。及此見夙心，斜陽忽西暮。賁趾山房詩集

原 朱茂昞清明日過高梁橋作　高梁河水碧彎環，半入春城半繞山。風柳易斜摇酒幔，岸花不斷接禪關。看場壓處掉都盧，走馬跳丸何事無？那得丹青尋好手，清明别寫上河圖。石門遺稿

原 至元七年，建大護國仁王寺於高梁河，十一年三月寺成。十六年八月，置大護國仁王寺總管府。二十二年正月，發諸衞軍六千八百人給護國寺修造。元史世宗紀

原 文宗幸護國仁王寺，遂汎舟玉泉。蓋苗進曰：今頻年不登，邊隅未靖，正當恐懼修省，何暇逸游以臨不測之淵乎？帝嘉納之，賜以對衣上尊，即日還宮。元史本傳

〔臣等謹按〕護國仁王寺今無考。

原大德五年正月，奉安昭睿順聖皇后御容於護國仁王寺。元史成宗紀

原至治三年十一月，勅會福院奉北安王諾摩罕像於高梁河寺。元史泰定帝紀 按：諾摩罕，蒙古語樸實也，舊作那木罕。今譯改。

原虞集劉正奉塑記 至元七年，世祖皇帝始建大護國仁王寺，嚴梵天佛像，求奇工爲之，得劉正奉於黄冠師。正奉先事青州杞道録，傳其藝；及被召，又從阿尼爾格學西天梵相，神思妙合，遂爲絶藝。凡兩都名刹有塑土笵金摶换爲佛者，一出正奉之手，天下無與比。由是上兩賜宮女爲之妻，又命以官長其屬，迨今四十餘年，凡行幸無所不從。今皇帝尤重象教，嘗勅正奉非有旨不許擅爲人造神像，其見貴異如此。正奉名元，字秉元，薊之寶坻人。年七十矣。其官曰昭文館大學士正奉大夫秘書監卿。道園學古録

原又大護國仁王寺恒産之碑 初，至元七年秋，昭睿順聖皇后於都城西高梁河之濱大建佛寺，三年而成。時裕宗在東宮，襄善贊美，所以奉慈闈、尊梵王、宏法海之盛心，無所不用其極。以佛法不徒行，必依於人，人不可以無食，中宮乃斥妝奩營産業以豐殖之。已而効地獻利者隨方而至。物衆事繁，建總管府統於内，置提舉司提領所分治於外。歲滋月積，府之政日以懈，田失故額，租賦不登，寺之基日以削。至大元年，皇太后翼扶明聖，慨然思述祖宗之德，念昭睿順聖經始之仁，罷總管府，建會福院，以平章政事宣政院使阿卜呼穆爾布哈爲會福院使。綜核名實，遣官分道，約部使者，集郡縣吏，申畫疆場，樹識封畛，歷四載始仍舊貫。視常歲之入相倍蓰焉。凡經隸本院若大都等處者，得水地二萬八千六百六十三頃五十一畝有奇，陸地三萬四千四百一十四頃二十三畝有奇，山林河泊湖渡陂塘柴葦魚竹場二十九，玉石銀鐵銅鹽硝鹻白土煤炭之地十有五，栗爲株萬九千六十一，酒館一。隸河間襄陽江淮等處提舉司提領所者，得水地萬三千六百五十一頃，陸地二萬九千八百五頃六十八畝有奇，江淮酒館百有四十，湖泊津渡六十有一，税務牐壩各一，内外人户總三萬七千五十九，實賦役者萬七千九百八十八，殿宇爲間百七十五，櫺星門十，房舍爲間二千六十五，牛具六百二十八，江淮牛之隸官者百三十有三。經界既正，版籍既一，皇帝以爲能稱孝養意，進封阿卜秦國公，辭。上曰：爾逮事世祖，乃累朝舊臣，封以此，毋庸辭。出制書親授之。皇太后樂其有成功也，命詞臣載文勒石，以垂永久。嗚呼！一寺之政，必得其人乃舉，況天下之大，四海之衆乎！同上 按：阿卜呼，蒙古語取也。穆爾布哈義俱見前，舊作安普忽馬兒不花。今譯改。

原水從高梁橋而西，旁有極樂、真覺諸寺臨之，前廣源牐節之，上麥莊橋越之。過橋爲湖，界以長堤。湖在堤南，稻田豆場在堤北。曰西堤者，城西堤也。堤行八九里，龍王

廟。廟之旁，黑龍潭。又行一里，堤盡，右有村上青龍橋，卽玉泉山下也。帝京景物畧

〔臣等謹按〕真覺寺詳載苑囿門樂善園卷内，兹不具録。

原極樂寺門外有一柳，高拂天，長條踠地，可掃馬蹄，寺中有松亦佳。燕都游覽志

〔臣等謹按〕極樂寺今尚存碑二，明嘉靖間立：一爲大學士袁郡嚴嵩撰；一無撰人姓名。

原極樂寺去高粱橋三里，馬行濃緑中若張蓋。殿前有松數株，松身鮮翠嫩黄，斑剥若大魚鱗，可七八圍。瀟碧堂集

原寺臨水有垂楊，婀娜甚。殿前四松遮蔭，不見一人。寺左國花堂，花已凋殘，惟存故畦耳。堂左有三層臺，望西山，惜樹封之。燕都游覽志

原寺成化中建，中有牡丹園，春日游屐恒滿。園有高樓，萬曆壬辰，進士曠鳴鸞欲登之。寺僧辭以久扃不便開。曠不聽，甫登樓，火發，曠與樓俱燼。春明夢餘録

原萬曆己未夏，予與崑山顧錫疇九疇、華亭董象恒臣棐過極樂寺，柳陰結軌，命酒賦詩。予詩有連空碧草皆游幕，到處垂楊作酒籌之句。九疇極爲賞擊。詩不足傳，俊游則不易得也。明水軒日紀

增極樂寺在高粱橋西三里，至元時建。畿輔寺觀志

〔臣等謹按〕極樂寺元至元間建。春明夢餘録謂成化中建，當是重修。

增 高粱橋堤北數十里，大抵皆别業僧寺，低昂疏簇，緑樹漸遠，間以水田，界如雲脚下空。距橋可三里爲極樂寺址，寺天啓初年猶未毁也。門外古柳，殿前古松。寺左國花堂牡丹。西山入座，澗水入廚，神廟四十年間，士大夫多暇，數游寺，輪蹄無虚日。袁中郎、黄思立云小似錢唐西湖然。帝京景物畧

增 極樂寺西有靈通觀、雲林寺。五城寺院册

〔臣等謹按〕靈通觀碑一，明大學士葉向高撰，天啓三年立。雲林寺後僧塔一，上有石刻云：臨濟正宗三十四世開山建雲林堂上雲下浪本和尚塔弟子實證立。

增 葉向高靈通觀記畧 靈通觀者，以祀靈官，蓋賜號也。觀在京師之乾方，靈官嘗効靈於文祖朝，爲國家所崇奉而秩祀。其英爽變化，神威燀赫，具在舊碑中，則兹觀之有舉莫廢，宜也。經始於天啓之孟冬，落成於次年之仲秋。天啓三年，歲次癸亥，仲秋立石。

〔臣等謹按〕明葉向高記中所稱舊碑，今已無存。

原 白石牐西至青龍牐二十里，至元二十九年建。水部備考

〔臣等謹按〕白石牐之橋今尚存，又有小白石橋在白石橋稍西。

原 鎮國寺在白石橋。順天府志

〔臣等謹按〕白石橋之鎮國寺今廢。

原致和元年三月，命僧千人修佛事於鎮國寺。元史泰定帝紀

原駙馬都尉萬公白石莊在白石橋稍北。臺榭數重，古木多合抱，竹色葱蒨，盛夏不知有暑。附郭園亭當爲第一。燕都游覽志

〔臣等謹按〕白石莊今廢。

原萬駙馬白石莊有爽閣、鬱岡軒、翳月池。帝京景物略

原劉榮嗣白石莊萬都尉園作：仙圃宜秋色，相將戀夕曛。松青新濯雨，槐古舊侵雲。竹牖池光合，山樓石翠分。鳳簫遺韻在，擬向月中聞。半舫集

原延壽庵在白石橋西二里，殿宇精嚴。其後高樓九楹，左右翼樓各五楹。一啓西窗，嘉木纖蘿，紛敷翳薈，西山隱映，若以翠屏圍之。燕都游覽志

〔臣等謹按〕白石橋之延壽庵今廢。

原大佛寺在西直門北三里寺，後有高阜，積土甃石爲之，廣袤幾二里。山上有真武祠，踏青士女正月必先至其地。燕都游覽志

〔臣等謹按〕大佛寺即大慧寺，今存殿兩重，本朝乾隆二十二年重修。前殿恭懸御書額曰慧燈常朗。聯曰：妙示真如空色相；淨開正覺攝聲聞。後殿供范銅佛像，恭懸御書額曰靈峯慈蔭。聯曰：潮音普覺聲聞界；水觀中涵智慧珠。

原明正德癸酉司禮監太監張雄建寺於宛平縣香山鄉畏吾村，賜額曰大慧，并護勅勒於

碑。寺有大悲殿，重簷架之，中笵銅爲佛像，高五丈，士人遂呼爲大佛寺。嘉靖中，太監麥某提督東廠，於其左增蓋佑聖觀，於是合寺觀計之，殿宇凡一百八十三楹，拓地四百二十一畝。蓋是時世宗方信道士而厭緇流，内官惟恐寺刹之毁，故建道觀於其旁，而寺後之山又有真武祠，藉此以存寺也。寺之始建，大學士茶陵李東陽爲碑，工部尚書湯陰李鐩書之，新寧伯譚祐篆額。其增置佑聖觀也，大學士餘姚李本撰文，禮部尚書高安吳山書之，成國公朱希忠篆額。其後萬曆壬辰重修，則太子太保禮部尚書太倉王錫爵撰記。涿水亭雜識

〔臣等謹按〕成德涿水亭雜識所載寺旁之佑聖觀，今已廢。李東陽、李本、王錫爵三碑並無存者。寺後之山及真武祠亦久廢。

原 李東陽墓在城西畏吾村。順天府志

〔臣等謹按〕李東陽墓今無考。

原 西涯墓在北京城外，其家族姓漸微，至以墓前白石碑搗碎與販鹽者插和以賣。吁，可慨也！瓦釜漫記

增 白石橋西有朝真觀。五城寺院册

〔臣等謹按〕朝真觀有明碑三：成化年間碑二，皆都察院左都御史温陽李賓撰；萬曆四十三年碑一，刑部雲南清吏司主事王文邁撰。又本朝康熙三十三年重修碑一，太

常寺少卿勵杜訥撰。

【原】出真覺寺循河五里，玉虹偃卧，界以朱欄，爲廣源牐，俗稱豆腐牐卽此。牐引西湖水東注，深不盈尺。宸游則賭水滿河，可行龍舟。緣溪雜植槐柳，合抱交柯，雲覆溪上，爲龍舟駐處。每通惠河水涸，糧運不前，則遣官於此祭禱請水焉。（長安客話）

〔臣等謹按〕廣源牐座，本朝以來頻加修葺，恭值聖駕經行，於此地易舟，始達繡漪橋至清漪園。詳見苑囿門。

【原】廣源牐在西直門西七里，至元二十六年建。（水部備考）

【原】英廟、文宗兩朝御舟藏廣源牐上別港。（燕石集）

【增】乾隆三十六年御製過廣源牐换舟遂入昆明湖沿緣卽景雜咏　廣源設牐界長堤，河水遂分高與低。過牐陸行纔數武，換舟因復溯洄西。萬壽寺無二里遥，牆頭高見繡旛飄。維新梵宇非崇佛，都爲今冬慶典昭。朱衣僧跪寺門前，不掛紫衣不透禪。（向賜紫衣皆因透禪褒嘉，今逝盡無一矣。）驀直進舟弗返顧，箇維調御證因緣？夾岸香翻禾黍風，無論高下緑芃芃。所希此後雨暘若，未敢秋前説兆豐。水痕漲落尺猶餘，蒲葦根還泥帶淤。（前月二十一，夜雨過驟，西山諸水漲發，以致昆明湖水平堤，卽啓青龍橋尾閭宣洩，水勢隨落。今所見葦根之泥猶前日水痕也。至其下游東城濠及牐河，雖間有漫口，旋卽堵築。而北運河一帶堤岸完固無虞，武清諸邑不致如去年之受澇，差足慰耳。）北運河消堤岸固，關心慶未害菑畬。麥莊迤邐接長春，（麥莊、長春，二橋名。）平水無勞更易䑳。西岸營房初建置，（昨歲議爲火器營兩翼各建營房一區，視健鋭營之制，選勁旅居之，演習火器，因於堤西之南隝度地鳩工。）無非惠衆俾安身。東岸牆臨聖化寺，其中林木頗清幽。晨涼圖趁歸御苑，更弗門前命繫舟。軋軋鳴櫓過繡漪，（橋名。）昆明百頃緑波披。舟行十里詩八首，却未曾消四刻時。（一時八刻，四刻始半時也。）

〔臣等謹按〕聖化寺、繡漪橋應載苑囿門。恭讀御製詩，此八章乃由廣源牐易舟即景之作，今仍以始事爲重，謹載入廣源牐條。

原 何御廣源牐望西山詩　山水有佳趣，景象在朝暾。晨倚河堤望，曠然盡平原。春榦寂已歇，秋容粲復繁。疏峯互對立，疊澗迅相奔。行人穿露薄，樵子出烟村。陟嶺遂及巔，泝流得窮源。詎詢世外樂，聊辟區中喧。白湖集

增 朝真觀西有延慶寺。（五城寺院册）

〔臣等謹按〕延慶寺凡明碑三：正德年間勅諭碑二，崇禎癸未年重修碑一，翰林院侍講清苑孫從慶撰。

原 鄭公莊在萬壽寺左，度橋而南有亭在平疇，亭外俱稻田，緣堤蓮芡，蓋鄭戚畹園也。（燕都游覽志）

〔臣等謹按〕鄭公莊今無考。

欽定日下舊聞考卷九十九

郊坰 西九

原 昌運宫，太監張永建。國行錄

〔臣等謹按〕昌運宫在廣源牐橋之南，乾隆三十四年奉勅重修，門内爲元天聖境，有鐘鼓樓、功曹殿，中爲元天玉虚寶殿，恭懸御書額曰坎德尊嚴。聯曰：氣合沖虚尊水府；靈昭赫奕肅星綱。後爲神霄延壽寶殿，額曰元虚至德。聯曰：真宰無言神鼓盪；元機莫贊妙生成。最後爲玉霄上穹寶殿，聯曰：絳闕雲扶開詄蕩；紫垣河繞引靈長。皆御書。恭立御製詩碑一，右國書，左漢書，在玉霄上穹寶殿前。明碑亭二：一勅諭碑；一吏部尚書長沙李東陽撰，皆正德六年立，在鐘鼓樓後。

補 由三虎橋西行里許爲天禧昌運宫，初名混元靈應宫，正德六年司禮監太監張永請於朝勅建。至萬曆四十四年重修，增置垣墉二百餘丈，門廡百餘間。督修者太監林潮也。工竣更今名。殿宇凡七重，松栝二十三株，柏二十株，大皆合圍，夾以雜樹，上枝干霄，下陰蔽地。有二碑，築亭覆之：一爲勅建碑；一爲大學士李東陽撰文，楊廷和書，英國公張懋篆額，俱正德七年立。又一碑萬曆中立，副使劉效祖撰文。宮之後則張永墓在焉。（倚晴閣雜抄）

【增】乾隆三十四年御製昌運宮詩　玉泉發脈注長河，佛宇仙宮夾岸多。閲歲鬱攸致不戒，（此處以經回禄，陸續重修，至今始竣，以落成瞻禮。）一時重鼎慶斯那。高居上帝朝絳節，願錫康年綏寶禾。碑撫前朝璫肆橫，（去聲。）謬稱昌運運如何？

【補】李東陽混元靈應宮碑畧　國朝之制，道院多以觀名。其名宮者，特爲隆重。在都城者若朝天、靈濟、顯靈、延福，而郊關之外惟昭應及此爾。（懷麓堂集）

【補】興勝庵土人目爲松林，今松無復存者。萬曆中所建也。後有藏經閣，可眺西山。東北有果園，園中有亭曰衆芳。亭北砌石爲流觴曲水。其東有閣曰明遠。春月桃杏雜發，登閣望之不異錦城花海也。（人海記）

〔臣等謹按〕興勝庵今尚存，在昌運宮西半里許，地名松林莊，見碑文中。查嗣瑮人海記謂土人稱庵爲松林，誤也。庵内明碑二，皆萬曆四十五年立。果園及明遠閣今皆廢。

【增】萬壽寺稍西爲三笑庵，過此爲麥莊橋。（五城寺院册）

〔臣等謹按〕三笑庵相傳爲明代舊刹，本朝重加修葺。麥莊橋恭立御製文碑亭，碑陰恭鐫御製詩。

增御製麥莊橋記 水之有伏脈者其流必長，亦如人之有藴藉者其德業必廣。濟水三伏三見，黄河亦三伏三見，此其大者矣。如京師之玉泉滙而爲西湖，引而爲通惠，由是達直沽而放渤海。人但知其源出玉泉山，如誌所云巨穴歕沸隨地皆泉而已。而不知其會西山諸泉之伏流，蓄極溢涌，至是始見，故其源不竭而流愈長。元史所載通惠河引白浮、甕山諸泉者，今不可考。以今運河論之，東雉、西勾如俗所稱萬泉莊其地者，其水皆不可資。然惟所資者惟玉泉一流耳。蓋西山、碧雲、香山諸寺皆有名泉，其源甚壯，以數十計。然惟曲注於招提精藍之内，一出山則伏流而不見矣。玉泉地就夷曠，乃騰迸而出，潴爲一湖。康熙年間，依金章宗之舊地，建園於山之陽，名曰静明。園之西乳竇淙淙如趵突者爲玉泉總脈，其餘氿然而泛濫於湖者不可勝數。詩人比之垂虹之瀑，及所云疏龍首而出之者皆妄也。東流而爲西湖，則以居京師之西，又明時有西湖景之稱，乃假借夫餘杭而倡説於璢暨耳。折而南經長春、麥莊二橋，夾岸梵宇頗麗。其大者爲廣仁、昌運、萬壽。萬壽之左卽爲廣源牐。於是水有高下之分矣。自牐東南行，經白石、高梁二橋遂至城之西北隅，分爲二：一由西直門外繞而南東，又東北以會於大通橋；一由德勝門外繞而東南，又東行以會於大通橋。其自德勝門西分流以入太平橋者爲積水潭，爲太液池，分合有數道，並環繞紫禁，由東南御河橋穿內城以出，以會西來之水。自大通橋以下至通州爲牐五，爲橋三。夫東南轉漕，國家之大計也。使由通而車載背負以達於都門，將不勝其勞。則玉泉之利豈非天地鍾靈神京發皇之禎符哉！青龍閘非盛漲不啓，奉宸苑司其事，蓋如尾閭之洩云爾。麥莊橋爲城外適中之地，故爲之記而勒碑於是。

增乾隆十三年御製麥莊橋詩　新漲平堤好進舟，霽空風物報高秋。聞鐘背指萬壽寺，摇櫓溯洄西海流。送爽一天雲似縷，娱情兩岸稼如油。石橋郭外經過屢，試問常年得似不？

增都城西有藍靛廠，萬曆間始建西頂碧霞元君廟。往譚

〔臣等謹按〕長河麥莊橋之西爲長春橋。度橋爲廣仁宮，供碧霞元君，舊名護國洪慈宮，俗稱西頂。康熙五十一年改今名。正殿恭懸聖祖仁皇帝御書額曰金闕宣慈。皇上御書額曰坤元廣毓。聯曰：蕃滋遍錫寰區福；長養宏敷雨露恩。殿前恭立聖祖御製文碑。宮門坊楔內額曰泰岳同瞻，外額曰坤貞普育。左右坊楔各一：左坊內額曰安貞福地，外額曰弘育仙都；右坊內額曰資元真境，外額曰懷保春臺。皆聖祖御書。又殿內本朝碑一，欽賜監生內官學教習徐斑撰。明碑二：一勅諭碑；一護國洪慈宮碑，大學士朱延禧撰。

增聖祖御製重修西頂廣仁宮碑　天地之大德曰生，在四時爲春，在四德爲仁。易文言曰：元者善之長也，君子體仁足以長人。自古帝王茂對育物，四海之大，萬民之衆，以及昆蟲草木之微，各遂其生者，無非體天地好生之德以流澤於無窮也。易繫辭又言：乾大生，坤廣生。則是生物之功，天始之而地更廣之。蓋坤者母道也，母道主慈，其於生物爲尤近焉。京城西直門外有西頂，舊建碧霞元君宮，地近西山之麓，直今西苑之西南，所謂萬泉莊者，固郊畿一勝境也。元君初號天妃，宋宣和間始著靈異，厥後禦災捍患，奇蹟屢彰，下迄元明，代加封號，成弘而後，祠觀尤盛。郛郭之間，五頂環列，西頂其一也。歲時既久，陳跡都荒，碑碣猶存，榱桷弗整，其謂妥神何！歲在戊子，發内帑，命有司鳩工重葺之，閱一載而落成。棟宇穹然，垣廡翼然，殿寢秩然，丹雘燦然，瞻拜其下者虔肅有加焉。朕於萬幾之暇，亦往展禮，仰祝聖母之釐，俯介生民之祉，以祈純嘏，以鞏皇圖。顏其額曰廣仁宮。羣臣請立石以紀之。朕思仁之爲道大矣，擴之可放六合，約之止在一心。先儒論仁，謂心如穀種，其生之性卽爲仁，故物物而有仁，則生生而不已。天地之於人物，父母之於子，皆是道也。朕君臨天下，日以養育羣生爲念，俾稚者得以長，壯者得以樂，老者得以安，期於生齒殷繁，兵刑寢息，民無夭札，物無疵癘，總以一仁推之而有餘。今獨於茲廟曰廣仁者，蓋以元君之爲神有母道焉，母道莫大於坤，今之廟宫適位坤維。元君其佐坤之厚德，以廣其仁，使首善之區同臻壽域，寰宇之内永託慈庥，斯神貺與日星共著，而禋祀與金石常新矣。

增廣仁宫迤西有鑲藍旗護軍營房及火器營。旗册

〔臣等謹按〕鑲藍旗護軍營房及火器營詳見官署門。

增廣仁宫東有關聖廟。五城寺院册

〔臣等謹按〕關聖廟乾隆二十一年奉勑重修，廟内明碑二：一大理寺卿洪聲遠撰；一無撰人姓名，皆萬曆十八年九月立。碑稱是年二月靛園廠公役王從智有神靈附體，言神今在東八天，可告知人間。其事頗涉誕，不具録。

增聖化寺西北爲巴溝村，有延壽庵。五城寺院册

〔臣等謹按〕聖化寺建自康熙年間，近寺爲北所，爲含淳堂，皆詳見苑囿門。巴溝村有巴溝橋，皇上命立碑以誌之。巴溝橋東南與萬泉莊接壤，其水自南而北，滙入暢春園，園卽丹稜沜，爲明武清侯李銘誠清華園。恭繹御製萬泉莊記，釐定水道所經，至精至確，足正朱彝尊、孫承澤諸家之謬。全文謹載入苑囿門泉宗廟卷後，巴溝村之延壽庵，相傳爲明代舊刹，本朝重加修葺。

增三教庵在萬泉莊。五城寺院册

〔臣等謹按〕萬泉莊泉源隨地湧現，乾隆三十二年皇上始於其地建泉宗廟，廟内之泉錫嘉名者凡二十有八，謹載入苑囿門。其廟外之泉，若大沙泉、小沙泉，亦皆立碣以誌之。自是水之由萬泉莊注巴溝、由巴溝入暢春園者，其源流始大著。至王嘉謨薊邱集、蔣一葵長安客話諸書所載，有東雉村、西勾橋皆附近丹稜沜之地。伏讀御製萬泉莊記，指示巴溝橋之南平地淙淙出乳穴者不可勝數，與諸書所載東雉、西勾水入地中者相合。睿鑒周詳，訪古者咸識所依據矣。三教庵明碑一，翰林院編修朱天麟撰，崇禎十五年孟夏開山住持鎮叢立。

增循高梁橋石道行西有五聖庵，北有佑國元聖廟、天仙廟。五城寺院冊

〔臣等謹按〕五聖庵，本朝康熙四十二年重修，有府尹錢晉錫碑，僧同和碑。元聖廟有明嘉靖間鑪。天仙廟前殿有康熙八年尚書龔鼎孳碑，明萬曆癸巳布政使左參政董文寀碑，後殿有萬曆間尚書余繼登撰天仙聖母感應碑。

增董文寀重修天仙廟碑畧：都城西直關外高梁橋天仙廟，厥居形勝，厥位面陽，重修於嘉靖辛酉，迄今三十餘禩。今上踐祚之十九年辛卯八月，永寧宫端嬪生皇五子，明年壬辰夏患疾疹，虔告於天仙祈默佑，甫浹旬遂瘳。感神申綏，計葺新之，命官鳩工聚材，卜吉經始，不踰時而告竣。

原廣通寺在巡河廠北，崇基若一岡阜，累級而升。寺門前繚以短垣，寺四角有高樓，可以眺望，亦春游一勝地。燕都游覽志

〔臣等謹按〕廣通寺門額，聖祖御書。又御書正殿額二，一曰息心淨行，一曰慈燈普照。正殿外簷恭懸世宗御書額曰福佑升恒。殿前恭立御製文碑。皇上御製廣通寺詩並恭録於後。巡河廠詳見下條。

原廣通寺元之法王寺也，内有二碑，皆嘉靖中大學士華亭徐階所撰，餘姚李本書，成國公朱希忠篆額。碑稱寺係至元間本剎住持貴吉祥建，至明更額廣通。内官監太監田用、御馬監太監梁經修之，燕都游覽志謂崇基若岡阜，累級而升，今去周行止二三尺耳。淥水亭雜識

增世宗御製廣通禪寺碑文 距都城西關一里，有橋跨玉泉之東流，橋西北平原塏爽。舊有法王寺，後改名廣通。聖祖仁皇帝曾命興工修治，御書門榜，仍其名。復賜殿榜二，曰息心淨行，曰慈燈普照。宸翰輝煌，光昭梵宇。雍正十一年八月，特發帑金，重爲修葺，越一月而竣事焉。寺鄰近城門，當輦道，往來者絡繹其下。故宜宣講教乘，開導愚蒙，使知生佛之不二，身心之本幻，而悉入如如法門，莫不優游於廣大無礙圓通之境，利益寧可限量歟？夫衆生本無迷與不迷之分，蒙與不蒙之異，由於妙明真性一念妄起而不自覺，遂妄逐諸有，淪没不返，遂成生佛之岐，而生佛之原實無岐也。先聖由是憫之，而立言設教，巧譬曲喻，積至三藏十二部，無非欲使背覺合塵者皆背塵合覺而已。然人同此心，心同此體，本自清淨，本自具足，迷教之所不涉，淨染之所不干，塵沙世

界無有少間，上下古今無有不貫。雖三藏十二部之文，無一字離，終無一字著也。教不云乎：四十九年説法未曾有一字。故雖講演而本無講演，修證而本無修證。惟能因講演而識無講演，起修證而達無修證，妙契真心，圓修萬行，則欣厭之情滅，塵緣之妄空。一心卽法界，而自他之境胥忘；法界卽一心，而能所之見悉泯。融般若智而無礙，證菩提果以何難？何不可共臻廣大神通之域，普續慧燈於無盡也歟？

增乾隆七年御製過廣通寺詩　門隱松篁天雨華，驅車偶過梵王家。山僧想是蕭閒甚，古鼎敲烟自煮茶。閒拋貝葉覓雲門，試問迦文旨若存？會得經禪都是幻，風旛公案不須言。廣通寺舊爲教院，後亦參禪云。

增徐階重修廣通寺碑畧　廣通寺實法王寺之别院也，至元間，圓明普教三藏法師默克沙實哩沙克節依於斯，爲誦經之所，住持貴吉祥建石以紀其事，至我朝餘二百年，漸就頹壞，太監黄錦重建之。經始於嘉靖己未八月，迄工於庚申三月。嘉靖三十九年立石。按：默，唐古特語火也。沙，肉也。實哩義見前，舊作謨沙室利。沙克節依，番姓也，舊作沙津愛。今俱譯改。

增俞兆晟重修廣通寺碑畧　都城西直門外乾隅有寺，原名法王，乃元至元間，僧貴吉祥所建，爲三藏法師默克沙實哩宏法道場。歷今四百年，中經興廢，詳載明大學士徐階碑記。寺基塏爽，左列雉堞，右環西山，而玉泉之分流禁籞者，穿林瀲碧，沿洄寺門。九衢塵土之外忽標清境焉。康熙四十二年癸未冬，延禧宮隨蹕過此，憫其傾圮，傳命禪師實資移錫寺中議興復之舉。師勸善鳩工，十歷寒暑，成無量壽佛殿三楹，前爲天王殿，後爲大雄寶殿，左右環以十八阿羅漢，再後爲方丈各二十七楹，爲禪堂，爲齋堂，廚庫。山門左偏復建茶房五間，隆冬盛夏設茶湯以給行者。康熙五十一年三月十八日，蒙御書廣通寺額，天章彪炳，與奎壁同輝，用勒石以誌勝因云。康熙五十一年歲次壬辰七月建。

原巡河廠在高梁橋稍西。門外臨流，内環以渚水。東西兩軒，東可待月，西則諸山濃

黛，涵浴水光中。都人多於此游觀。燕都游覽志

〔臣等謹按〕巡河廠今爲觀音庵，庵舊名海潮庵，爲巡河廠遺址，見明潘潤民海潮庵記。

增 潘潤民重修海潮庵記畧 高梁橋之海潮庵一名巡河廠，相傳爲古刹也，距都城不數十武。佛殿禪房橋梁園圃亭臺池沼無不具備，左瞻北闕之祥光，右挹西山之爽氣。碧水盈前，茂林環後。春則舉目皆深紅嫩綠，夏則當筵多出水芙蕖，秋冬之交則丹楓映日，翠荇牽風，雁落平沙，鷗浮淺渚。至於斯者，靡不心曠神怡。且佛力靈通，隨感輒應，以故游人佛子爭奔走焉。凡欲登眺西山之勝，率以此爲第一。涉歲既久，寖就頽廢。焚修釋子通忠者，四顧愀然，於是廣募十方，共醵鍰捐糗，相率樂助。閱歲餘，鳩工庀材，頽者修，廢者舉，一旦焕然改觀。工既竣，屬記於予，是爲記。萬曆丙辰孟夏。

增 廣通寺西爲慈獻寺，慈獻寺西爲壽安寺。五城寺院册

〔臣等謹按〕慈獻寺相傳爲明代舊刹，本朝乾隆年間重修，後殿恭懸皇上御書額曰法雲慈蔭。壽安寺舊爲萬壽隆昌寺，後改今名。正殿恭懸聖祖御書額曰功施草樹。皇上御書額曰壽者身。聯曰：禪燈光映長明月；祇樹花開不老枝。

增 馬家口有龍翔寺，寺西有青塔禪院。五城寺院册

〔臣等謹按〕龍翔寺相傳係明刹。鐘一，有傳臨濟正宗磬山下第六世孫住龍翔寺實誠等字，康熙五十三年造。青塔禪院亦舊刹，本朝重加修葺。正殿恭懸世宗御書聯曰：三春陌上霑時雨；四野田間看慶成。禪堂恭懸聖祖御書聯曰：城隅緑水明秋月；海外青山隔暮雲。正殿後三塔並峙：旁二塔爲普同塔；中爲大憬禪師塔，僧湛

祐撰銘。

增僧湛祐大懪禪師塔銘略　京都青塔大懪禪師，諱行敏，不知何許人，未辨姓氏。聞師家居時，夜夢梵僧指示，遂出家。緇染後徧訪知識，始謁覺浪和尚於江左，次參萬如老人於龍池。未經一夏，命居第一座。晚抵燕都，隱青塔者二十年，終歲閉户，曾不知有門外事。報緣已盡，示寂於康熙二十三年二月十九日，葬於城西之西村。其弟子超琇過吾室，索塔銘語。合掌爲之銘曰：生本無生，滅亦非滅。無滅無生，毘邪結舌。空谷之聲，虚堂暫歇。吾師真常，松風水月。康熙二十五年秋七月。

增曾家莊有覺生寺。五城寺院册

〔臣等謹按〕覺生寺，雍正十一年勅建。殿内恭懸世宗御書額曰慧照澄心。皇上御書額曰妙明正覺，鐘樓額曰華嚴覺海，禪堂額曰般若真詮，皆皇上御書。殿前恭立世宗御製文碑，碑陰恭勒乾隆二十九年皇上御製詩。寺内大鐘，明永樂間鑄，萬曆間從漢經廠移置萬壽寺，乾隆八年皇上命移置兹寺内。鐘樓前恭立御製大鐘歌碑，並恭載於後。

增世宗御製覺生寺碑文　朕惟生佛皆是空名，迷覺無非幻法。如來不云乎：但以假名字引導於衆生，故三乘六度菩提涅槃諸説悉爲方便接引之法。辟諸雲興太清，漚生大海，雖空海所不拒，實空海所不受也。清淨之性亦復如是。而人方執身口意爲實爲貪恚癡是著，如清明眼受諸蒙翳，妄有所見，是以如來以名字言教之藥藥之。但使翳消，更無別法，便能了然於無住之性湛爾，無爲之法蕭然，非有非空，不離不卽，尚無少法可得，烏容有可執之相哉！故從無住以生心，心心無住；以無爲而差别，法法無爲。則空而不空，不空而空；幻而不幻，不幻而幻。生佛亦然，如是覺者名爲正覺，不如是者不名爲覺。京師西直門外曾家莊有圓址爽塏，長林佳茂，此地右隔城市之囂，左繞山川之勝，宜爲寂静清修之地，用是肇建梵宇。經始於雍正十一年正月，告成於十二年冬，爰賜名覺生寺。俾禪者主之，參徒萃止，振其大覺之道，達夫正覺之旨，轉根本覺輪，示無生覺相，皆得返迷爲悟，易若反掌；卽俗成真，速於彈指。使慧日恒明，真風長扇，則此珠林香界詎非塵海之覺津歟！雖然，實無覺者，亦無覺之者，以無覺之覺，覺不生之生，斯朕之所謂覺生也歟！日講起居注官翰林院編修臣張若靄奉勅敬書。

增乾隆十二年御製覺生寺詩　禪關郭外清，小憩喜秋晴。樹影疑翻貝，鐘聲偶發鯨。塵心何處著？晝意逐方呈。一叩三乘演，誠哉善覺生。

增乾隆二十九年御製覺生寺詩　侵晨奠静安，莊名返蹕禮栴檀。結習鎮如此，覺生良已難。聊因甘雨足，稍爲悵懷寬。調御無憂喜，金剛四句觀。

〔臣等謹按〕覺生寺御製詩始見於乾隆十二年，又二十九年御製詩恭刊於世宗御製文碑後，今並敬謹編入，并恭載御製大鐘詩歌各一章於後，餘不備録。

增乾隆八年御製覺生寺大鐘詩　雷紋隱篆蟲，半字蕴洪銅。鐘上有法華經一部。善吼周三界，聲聞具六通。橫枌爲撞杵，夏屋是乘風。待扣何須扣？當前悟色空。

增乾隆十一年御製覺生寺大鐘歌用沈德潛韻 鼉謀弗善野戰龍，金川門開烈燄紅。都城百尺燕飛入，齊黄羣榜爲奸凶。成王安在乃定案，夾輔公旦焉可同？瓜蔓連抄何慘毒！龍江左右京觀封。謹嚴難逃南史筆，懺悔詎賴佛氏鐘？道衍儼被榮將命，犍椎冶盡丹陽銅。穹窿重過萬石簴，印泥精鏤禪機鋒。夏屋十尋虡不舉，鯨魚盈丈方堪舂。山靈水族無不具，魑魅魍魎怪哉蟲。欲藉撞杵散憤氣，安知天道憐孤忠！榆木川邊想遺恨，鼂氏徒添公案重。憶昔遨遊西海子，水天上下玻璃空。一川可通萬壽寺，貪緣偶挹曹溪宗。喬松偃蓋假山古，傑閣巍巍獨據中。洪鐘在懸洵偉觀，連吟更喜昆弟從。蒼黝其色蟠其紐，中宏外聳何隆隆！華嚴字蹟傳沈度，半滿全揭開羣蒙。覺生鹿苑皇考創，材飭内帑羣鳩工。謂是善吼周沙界，乃從舊寺移乘風。太清十里渺乎小，日日演梵聞離宮。覺生寺去圓明園二十里。擅考已廓苾芻眼，摩挲更暢騷人胸。不離一步鐘如是，東西分別心猶蓬。我惜德潛老始達，其詩亦復倫考功。成編著作呈乙覽，不聞肯作蓀佯聾。獨愛長歌踐其韻，非侈藻采争雌雄。載賡酬倡古弗廢，詩話千載留芳蹤。聖經佛旨究異路，將以何道訓成童？於論於樂備法物，安可以此歸辟雝？安可以此歸辟雝？不如任彼出林大且逢。末數語反德潛詩意。

增曾家莊路北有關帝廟。五城寺院册

〔臣等謹按〕曾家莊關帝廟鐘一，有供入勅賜通惠寺同結良因開山第一代住持本智等字，明嘉靖年間造，殆後人移置茲廟者。

增小泥窪有九華庵、養老堂。皇莊有藥王廟，石道東北關帝廟二，石道西南關帝廟一。五城寺院册

〔臣等謹按〕九華庵鐵鑪一，明正德九年造。後爲養老堂，乃募緣養老疾者。皇莊距南海淀二里許，蓋沿明代俗稱也。藥王廟係舊址，本朝乾隆三十七年重修。石道東北舊有隆福庵，今門内奉關帝像。磬一，有海甸皇莊隆福庵住持寶華山比丘通倫誠獻等字。後殿鐘一，有錦衣千户高普名室趙氏妙得正德十三年造等字。其旁舊有茶棚，今亦奉關帝，土人稱雙關帝廟。石道西南廟内有已斷石額，刻關帝廟三字，旁字云辛巳六月吉日立，年號已漫滅。鐘一，有錦衣衛指揮張明信官張鸞等字，正德七年造。鑪一，萬曆三十四年造。磬一，有西直門外皇莊關帝廟邱世明造等字。

增南海淀有永通寺、清梵寺、天仙廟、真武廟、白衣觀音庵、三聖庵。五城寺院册

〔臣等謹按〕永通寺明碑二：一勅賜永通寺名額碑；一重修碑大學士徐階撰，俱明嘉靖年間立。清梵寺前殿恭懸聖祖御書清梵寺三字額。大悲壇恭懸世宗御書額曰慈天

廣祐。乾隆二年，皇上頒賜藏經全部。天仙廟明碑一，翰林院編修濟南沈淵撰，隆慶六年立。真武廟舊爲三官廟，本朝重加修葺。白衣觀音庵，鐘一，明萬曆甲寅年造，本朝重修碑一，康熙六十一年立。三聖庵，鑪一，有正德五年勅賜靈祐宮供奉等字，殆後人移置茲寺者。本朝重修碑一，雍正十一年立。

增南海淀之東有正藍旗護軍營房。旗册

〔臣等謹按〕正藍旗護軍營房制度詳見官署門。

增南海淀之東二里許有保福寺，東柳村有長壽寺、觀音庵。五城寺院册

〔臣等謹按〕保福寺鐵鐘一，明萬曆三十九年造。寺後塔一，石刻云欽依内經廠提督僧録司左善世兼大興隆寺仍兼大聖壽寺開山鼐公禪師靈塔。又諭祭僧文鼐碑一，正德十一年立。長壽寺，鐵磬一，有勅賜瑞光寺供奉等字，殆後人移置茲寺者。觀音庵，鐵鐘一，有觀音庵住持寧惠惠善嘉靖三十九年造等字。

增陳府村有内務府包衣三旗營房。旗册

〔臣等謹按〕内務府包衣三旗營房詳見官署門。

增陳府村有紫竹林、碧霞宮、太平庵。五城寺院册

〔臣等謹按〕紫竹林、碧霞宮皆羽士居之。碧霞宮，鐵磬一，有嗣教弟子郭慶元萬曆

二十八年造等字。太平庵相傳係舊刹，本朝重加修葺。

增 度紅橋而北爲圓明園。宮門前有湖曰前湖，乾隆二十八年濬湖，西岸恭立御製前湖詩碑。湖中置堤，自北而南，治石道，東岸亦有石道。五城冊

〔臣等謹按〕南海淀迤北是爲暢春園。考王嘉謨薊邱集、蔣一葵長安客話諸書所稱北海淀丹稜沜，實當其地。暢春園迤北舊有前華家屯、後華家屯，世宗憲皇帝潛邸時，聖祖賜園於後華家屯，賜額曰圓明園，後遂爲駐臨視事之所。皇上御極以來，紹庭繼志，因而弗改。規制之詳，謹具載苑囿門。茲卷惟敬識宮垣以外，凡湖河橋牐旗營官舍之屬周環布列者，並依現在方位制度，標舉大凡，以昭盛時之軌躅焉。

〔又按〕紅橋河水從暢春園西北門五空牐流出垣外，在圓明園宮門之南迤邐東注，稍折而北，流經長春園大東門外石橋，合御園諸水趨清河，會沙河以入白河。

增 圓明園紅橋河側有總管八旗及三旗護軍印房。旗冊

〔臣等謹按〕總管八旗及三旗護軍印房制度詳見官署門。

增 圓明園宮門左有慧福寺、善緣庵。宮門右有泰山聖母廟。五城寺院冊

〔臣等謹按〕慧福寺舊名清芳庵，雍正年間世宗憲皇帝賜額曰慧福寺。土人亦稱關帝廟，以寺內供關帝像也。善緣庵相傳係舊刹，本朝重加修葺。泰山聖母廟俗稱娘娘

廟，康熙年間建。

增華家屯有前大樹庵、後大樹庵、觀音庵。五城寺院册

〔臣等謹按〕前大樹庵，相傳古柳一株，今無存。後大樹庵，聖祖御書額曰勅建大樹庵。觀音庵在大樹庵東，係本朝建立。

增圓明園西北門外蕭家河橋西有延福禪林、地藏庵。五城寺院册

〔臣等謹按〕蕭家河舊有橋閘，今仍其制。其水由青龍橋來，東北流繞圓明園後，約三里許至車房村，合紅橋河水並御園内外諸河水，又三里許入清河以歸白河焉。延福禪林門内供關帝，殿内供泰山聖母，相傳係舊刹，本朝重加修葺。地藏庵，鐵鐘一，明弘治十七年造。

增蕭家河北有正黄旗護軍營房，樹村西有鑲黄旗護軍營房，東有正白旗護軍營房。旗册

〔臣等謹按〕正黄旗及鑲黄旗、正白旗護軍營房制度詳見官署門。

增樹村有五聖庵、觀音寺。五城寺院册

〔臣等謹按〕五聖庵正殿供泰山聖母。鐵磬一，有徐沔合家眷等誠造地藏菩薩殿内供奉萬曆二十八年住持僧如禮等字。今殿内並無地藏像，或係他處移置茲庵者。其西爲五聖殿，鐵磬一，有明直隸真定府冀州邢任棗强縣邢亮等字。觀音寺前殿院内鐵

鐘一，有天啓六年住持比邱僧道深造等字。

增長春園東北有鑲白旗護軍大營房，其東有鑲白旗護軍小營房。旗冊

〔臣等謹按〕鑲白旗護軍大營房及鑲白旗護軍小營房制度詳見官署門。

增長春園大東門外大石橋有關帝廟，西北里許地名二河牐，亦有關帝廟。大北門外前營有三聖庵。五城寺院冊

〔臣等謹按〕大石橋及二河閘關帝廟二并三聖庵，皆係本朝建立。

〔又按〕大石橋之北有新開水田，畦畛彌望，詳見苑囿門。

欽定日下舊聞考卷一百

郊坰 十西

增安河橋西北有正紅旗護軍營房。旗冊

〔臣等謹按〕正紅旗營房制度詳見官署門。

增安河橋有三官廟、三聖庵。五城寺院冊

〔臣等謹按〕三官廟，碑一，本朝乾隆二十九年住持僧承静立。其略云：左繞長河，右列金山，乾隆丁卯鳩工，於今甲申，凡十有七年而告成焉。三聖庵，乾隆元年造。

增安河橋南有豐益倉。五城冊

〔臣等謹按〕豐益倉制度詳見官署門。

增達官村有泰山聖母廟、觀音庵。五城寺院冊

〔臣等謹按〕達官村泰山聖母廟，鐵鑪二，皆明天啓四年造。觀音庵俗稱將軍廟，以

殿内觀音大士像左右有石像二，刻爲將軍侍立之形也。石像未詳所始。殿前碑一，無撰人姓名，本朝乾隆五年立。

增 達官村西南里許爲大有莊，莊前爲御道，道北有觀音庵、關帝廟。五城寺院册

〔臣等謹按〕大有莊觀音庵，鐵鑪一，明嘉靖四十年造。鐵磬一，萬曆十九年造。關帝廟，鐵鐘一，成化二年造。

原 甕山距南麓數百武爲耶律楚材墓，西湖正當其前。袁廷玉詩：玉泉東畔甕山陽，水抱孤村地脈長。蓋咏此也。今墓前石像猶存。長安客話

〔臣等謹按〕甕山自本朝乾隆十六年始命名萬壽山，在清漪園内，詳見苑囿門。耶律楚材墓，乾隆十五年奉命特加培護，覆以屋三楹，並命於墓前建立祠宇。伏讀御製詩并序，褒賢勸忠，用光幽壤，今恭載卷内。

原 甕山下數十武，元耶律楚材墓，墓前祠廢，石像尚存，表碣羊虎零落，一翁仲立未仆。天啓七年夏，夜有螢千百集翁仲首，土人望見，夜譁曰：石人眼光也。質明，共踣而碎之。帝京景物略

原 耶律丞相墓在甕山下，前有石像，鬚分三繚，其長過膝。匏翁家藏集

原 耶律楚材大有造於中國，功德塞天地。元世祖眷之亦異他將相。其壽域想必屬當時恩

賜者。近日一友人治別業於京城外西山，忽發一冢，開櫬，得大頭顱加常人幾倍，不知爲何人葬地。予聞之，諫止之曰：此無論何代，殆必異人，盍早納其匱閉之！未幾，掘得碣石，則楚材墓也。雖稍爲葺治，壙中他物散去多矣。耶律生前舉動已是慈氏後身，又安問遺骸之完缺？但功濟一世而七尺之不保，報應之説似不足信。友人本吴籍，髫年登北畿賢書，慧而有心計，頓成富家，後甫强仕即世，竟無後。野獲編

補 甕山下東南數十步，舊有耶律丞相祠，崇禎中尚存公及夫人二石像，端坐陌頭。少前，二翁仲，其一首毁。相傳居人夜見有光，疑其怪而鑿也。後一高阜，則公墓。迨今三十年，斷隴已平。問之土人，鮮有知公墓者。墓西半里圓静寺僧猶能言其處。青箱堂集

原 楊文秀，金季以善墨聞，其法不用松炬而用燈煤。子彬得其遺法，以授耶律楚材，楚材授子鑄，使造一萬丸，銘曰玉泉萬笏。墨史

增 乾隆十五年御製題耶律楚材墓有序 墓在甕山好山園之東；昔年營園時，以其逼近園門，故培土爲山其上以藏之。聞其爲楚材之墓久矣，使閲時而湮滅無傳，豈所以褒賢勸忠之道哉？因命所司仍其封域之制，并爲之建祠三間，使有奠饋申酎之地。並命汪由敦爲碑記而題之詩如左。曜質潛靈總幻觀，所嘉忠赤一心殫。無知幸免稱冥漠，有墓還同封比干。窀穸卽仍非改卜，堂基未没爲重完。摛文表德輝貞石，臣則千秋定不刊。

增 汪由敦元臣耶律楚材墓碑記 甕山之麓有元臣耶律楚材墓一區，歲久弗治，漸就蕪没。會其地近別苑，所司將有所營建，上特命覆以屋三楹，俾勿壞，而勅臣由敦記之。臣謹按元史，楚材事元太祖、太宗，歷三十餘年，時方草

味，一切定賦税，分郡縣，籍户口，别軍民，皆其所經理。嘗謂治弓尚須用弓匠，治天下安可不用天下匠？遇所不便於民，必力争不少屈，至有厭其爲百姓哭者。卒賴其規畫，法制粗立，民得寧息。故論有元一代名相，必以楚材爲稱首。顧閲世久遠，蹟漸湮没，當日豐碑高冢已翳爲荆蓁，幾莫有過而問焉者。王士禛裂帛湖詩已有誰弔湖邊耶律墳之慨；而趙吉士寄園所記并云遭掘於摸金之手。則此荒隴之僅存，其不致蕩然磨滅盡也，難矣。乃一旦沐聖天子表彰培護，不惟不以在苑側爲嫌，更爲之界以垣墉，蓋以簷宇，較之貞珉綽楔而愈垂不朽，斯豈楚材當日意計所能及哉？昔唐元和中因白居易一言而爲魏徵子孫贖賜第，史册書之以爲盛事。然此猶第加恩於本朝勳舊，而於前代無與也。我皇上乃施及於異代之臣，雖遠至四五百年，猶爲之表遺墟而存故蹟，褒忠崇德之聖心，誠有度越前古萬萬者，固不徒以澤及枯骨廣收卹之仁而已。史稱楚材精術數，其卜兆於此也，豈真預知身後必膺榮遇，抑亦其功烈所存，有不容終泯者？然使不遇我皇上眷懷賢哲，安望於世遠年湮之後勿墮而益傳？則是舉也，固爲楚材幸，而聖天子所以教忠勸功，大彰癉而示風勵，直使百世下咸知感奮，尤當大書特書以垂示無極者也。臣得承命紀斯盛舉，實不勝欣幸，拜手稽首而書諸石。

原王嘉謨耶律丞相墓作　丞相遺邱湖水陰，荒榛野草自蕭森。亭前瀑布摇空穴，雪後寒禽啅大林。慘憺尚思戎馬日，艱難深仗哲人心。雲龍鵜鸛真餘事，獨弔空山淚滿襟。薊邱集

增劉效祖甕山耶律祠　迢遞荒山下，披蓁拜古祠。衣冠猶異代，歲月已清時。溪遠泉聲細，林深日影遲。黄沙空朔漠，誰與問殘碑？畿輔通志

〔朱彝尊原按〕耶律文正王題和林新居壁詩有舊隱西山五畝宫之句，其子所製墨亦以玉泉爲名，今甕山遺墓或即其所居井椁，未可定也。

〔臣等謹按〕朱彝尊原按楚材子所製墨名玉泉。考元史，楚材子二：一曰鉉，二曰鑄。證之墨史，則製墨名玉泉者乃鑄也。附識於此。

原甕山北五里爲青龍橋，元時白浮堰之上游也。其西通金山口，其北斜界百望山。長安客話

〔臣等謹按〕青龍橋閘之制，今仍其舊。橋東半里許設城關，恭勒御書石額，東面曰山館環闉，西面曰湖橋列市，御書。青龍橋曉行詩恭載卷内。金山口、百望山皆詳

見於後。

〔又按〕香山、碧雲、玉泉諸水，東流至萬壽山之西，已分爲二。其正流則東匯於昆明湖，南入長河，由高梁橋東南分流入德勝門西水關，環繞大内，出玉河橋，達東水關，南合大通河，此昆明湖迤南之水道也。其旁流之北歸青龍橋者，則經圓明園後，合御園諸水東北注清河以入白河，此青龍橋迤北之水道也。於因勢利導之宜悉協矣。

原七里泊在碾莊，源自昌平州，東南流至宛平縣，合高梁河，青龍橋跨其上。明一統志

〔臣等謹按〕七里泊、碾莊係舊地名，今土人惟通稱曰青龍橋耳。至青龍橋在萬壽山後西北隅，水勢經東北流，不由東南。明統志云與高梁河合，乃不諳地形之説。詳見前條。

原青龍閘在都城西北三十里。水部備考

增乾隆七年御製青龍橋曉行詩 屏山積翠水澄潭，颯沓衣襟爽氣含。夾岸垂楊看綠褪，映波晚蓼正紅酣。風來谷口溪鳴瑟，雨過河源天蔚藍。十里稻畦秋早熟，分明畫裏小江南。獵獵金飈盪綵旂，迎涼輦上露華流。横橋雁齒迴朱舫，遠浦蘭苕起白鷗。禾黍香中千頃翠，梧桐風裏十分秋。憑輿喜動豐年咏，却憶三春午夜憂。

〔臣等謹按〕青龍橋御製詩，恭載首見之篇，餘不備録。

原何御青龍橋南遇汪旦詩 沿湖行欲竟，前望青龍橋。茅茨鬱烟火，稍已鄰紛囂。故人欻相值，眷言相招邀。山居當甕麓，轉岐路非遥。松膏堪繼夜，菰米足供朝。畦蔬摘露韭，林果來新樵。慷慨珍來意，宛孌停予鑣。野風吹秋水，征馬鳴蕭蕭。願留竟莫克，投贈愧瓊瑶。白湖集

原元天曆二年五月，以儲慶司所貯金三十錠、銀百錠，建大承天護聖寺。九月，市故宋太后全氏田爲大承天護聖寺永業。十月，立大承天護聖寺營繕提點所。元史文宗紀

〔臣等謹按〕大承天護聖寺創自元時，規製鉅麗，至正初燬而復修。明宣德間修建，改名功德寺，至嘉靖時遂廢。本朝乾隆三十五年奉勅重修。正殿前檐恭懸御書額曰大勝因殿，殿内額曰智珠心印。聯曰：般若慈源，遠通華海滙；菩提覺路，妙轉法輪圓。皆皇上御書。殿後有亭，中設鏤木七級浮圖，每級皆供佛像，其下層爲銅佛。殿前恭立御製重修功德寺碑亭，碑陰恭勒御製辛卯仲夏拈香題句，皆恭載卷内。

原布達實哩皇后以銀五萬兩助建大承天護聖寺。元史后妃傳 按：布達實哩義見前，舊作卜答失里。今譯改。

原至順元年四月，以所籍張珪諸子田四百頃賜大承天護聖寺爲永業。二年二月，命田賦總管府税鑛銀輸大承天護聖寺。三月，以籍入蘇蘇勒巴勒、丹徹爾特穆爾資産賜大承天護聖寺爲永業。四月，發衛卒三千助大承天護聖寺工役，九月，命留守司發軍士築駐蹕臺於大承天護聖寺東，是月幸大承天護聖寺。元史文宗紀 按：蘇蘇勒巴勒，蒙古語敬也，舊作速速班。丹徹爾特穆爾，蒙古語最潔淨鐵也，舊作丹徹理帖木兒。今俱譯改。

原元統元年十月，奉文宗皇帝及太皇太后御容於大承天護聖寺。至正十三年三月，詔修大承天護聖寺，賜鈔二萬錠。元史順帝紀

原至正初，大承天護聖寺火，有旨更作。李稷上言：水旱相仍，公私俱乏，不宜妄興大役。其議遂寢。元史本傳

原功德寺舊名護聖，前有古臺三，相傳元主游樂更衣處。或曰此看花釣魚臺也。寺極壯麗，中立二穹碑：其一宣宗章皇帝御製建寺文；其一元舊物，番字莫能讀也。毘盧閣崇可數尋，憑闌而眺，一寺之勝皆在目前。蓋寺倚山而創。寺西景皇帝陵及蔚悼王墓在焉。南濠集

〔臣等謹按〕功德寺前古臺久廢，元明碑皆無考。明景泰陵詳見後卷，蔚悼王墓無考。

原功德寺甚宏敞，後殿尤精麗，殿柱及藏經笥皆錐金。錐金者，布純金爲地，髹綵其上，以錐畫之，爲人物花鳥狀，若繪畫然。又有刻絲觀音一軸，懸於梁際，此宋元物，寺僧云禁中所賜也。懷麓堂集

補北京功德寺後宮像設工而麗，僧云正統時張太后嘗幸此，三宿乃返。英宗尚幼，從之游，宮殿別寢皆具。太監王振以爲后妃游幸佛寺，非盛典也，乃密造此佛，既成，請英宗進言於太后曰：母后大德，子無以報，已命裝佛一堂，請致功德寺後宮以酬厚恩。太后大喜，許之。復命中書舍人寫金字經置東西房。自是太后以佛及經在，不可就寢，遂不復出幸。瑯琊漫鈔

原功德寺，宣皇臨幸之地，西山東麓盡處也。拘虛集

原西湖將盡爲功德寺，外有三廢臺。問之，爲元時遺址。兩廊畫壁俱閎麗。文義集

原功德寺修於宣德二年，正殿及方丈凡七進，基皆九撰，擬掖庭制度，費數十萬緡。宣德十年，宣廟西郊省斂，駐蹕於寺，因留輦仗寺中，自後遂爲列聖駐蹕之所。嘉靖中，世廟謁景皇帝陵，有司以金山口路隘，鑱闊數十尺。識者謂此功德寺白虎口也，虎口張，將不利於寺。既而上駐輦寺中，膳罷周行廊廡，見金剛像獰惡，心忽悸而怒，因以宮殿僭踰坐僧罪，撤去之，寺遂廢。長安客話

原功德寺廢，今存者門耳。門外二三古木，各三四十圍，根半出土外。旁多水田，僧無寺，業農事，破屋數間，供一木毬，施以丹堊。寺初興時，板庵禪師能役是毬。毬大如斗，不脛而走。逢人躍擊地如首稽叩，入侯門戚里募金，

人目爲木毬使者。所募金錢以建巨刹。成化中，僧戒靜建一閣，重簷曲房，爲累朝駐蹕地。帝京景物略

原功德寺有木毬使者，其事近於怪。按宋張世南游宦紀聞，載雪峯寺僧義存於唐懿宗咸通十一年開山創寺，乾符二年賜號正覺禪師。寺有木毬，相傳受正覺役使。呼僕延客，毬皆自往來。嘉泰間寺災，毬忽滚入池中，得不壞。然則以木毬爲使，浮屠固有其術，蓋有先板庵而役之者矣。渌水亭雜識

〔臣等謹按〕功德寺木毬今存，恭讀御製重修功德寺碑文，指示板庵木毬之設，直襲唐時正覺禪師軼事而傅會之，洵足袪萬世之妄惑矣。

增御製重修功德寺碑記　道海淀經青龍橋，折而西，距玉泉山麓不盡於二里，有遺刹一區，重門三塗，不可識已。延睇香積，頹垣離立艿荄間。訊諸土人，曰：是功德寺也。考元史，文宗天曆二年建大承天護聖寺，而都穆南濠集稱功德寺舊名護聖寺。蔣一葵長安客話載寺修於明宣德初，及嘉靖中車駕駐此，見廊廡金剛像獰甚，心悸，因坐僧宮殿僭踰罪，撤去之。寺竟廢盭。怪哉！有明閹餤滋熾，若瑾、振輩横作罔禁，顧猶毁兹寺，使勝國名蹟就湮，於意何居？爰詔將作，兹寺久著圖誌，且當静明園蹕途，乃者歲庚寅爲朕六袠慶辰，越辛卯恭逢聖母皇太后八旬萬壽聖節，宜加鳌飭，用迓鴻禧。其出内帑繕而復之。暨所司以落成告，則材緻工完，自層闉周阿，登登戢戢，以逮旛楔鐘魚，靡弗嚴淨具足。夫其臂倚嶔岑，栴檀蔚森，迦陵囀梵，六時送音，非功德之林耶？面俯湖堧，神瀵瀜瀠，耨池分罫，條衣水田，非功德之泉耶？然而朕之記之，詎惟在是！

貝夾嘗言，以茲功德無量無邊，必進而讚之曰不可思議。夫不可思、不可議者，特從其波及一四天下，一切衆生隨分圓滿，未由舉似而爲言耳。其在能仁有建立之功，有精進之德，固無一息不心之以爲願而身之以爲行。無量壽佛經所以有善思議菩薩之目，又豈容委之不關思議，輒自弛其擔荷哉？正如古帝者致巍乎焕乎之盛美，持不矜不伐之淵沖，其功德至於民無能名，而方其食旰衣宵，常於一堂命禮樂工虞之佐，吁咈都俞，相與動色而交儆。凡皆起於思之精議之熟，而後不識不知，被之者亦並忘乎思議，其爲無量無邊也，以證帝釋真詮，亦若是則已矣。斯尤其可記者。至虞集寺碑謂始作土功時，得古金銅事佛儀器於地中，以爲先有密契。帝京景物略謂寺僧板庵能役木毬使者出外募金，直襲唐咸通中正覺禪師軼事，傅會其説。蓋皆誇功德而涉思議，其義轉墮，又奚足云！

增乾隆三十六年御製功德寺拈香作　蘭若玉泉左，經過所必由。頹涼昔久見，輪奐此重修。是日逢慶落，夏雲欣佈稠。梵聲出樹静，法雨潤田優。廢徹緣羅刹，蔣一葵長安客話云，嘉靖中車駕駐此，見廊廡金剛像獰甚，心悸，因坐僧宮殿僭踰罪，撤去，寺竟廢。迄今二百餘年，頹落日甚，幾不可考。因爲静明園蹕途所經，出内帑繕復之。荒唐説木毬。帝京景物略謂寺僧板庵能役木毬使者出外募金，其説荒唐，因於碑記内辨正之。門前功德水，兜率可同不？

原虞集大承天護聖寺碑　天曆二年，歲在己巳春月，皇帝若曰：予承宗廟之重，君臨天下，夙夜兢懼，思所以上繼祖宗，下安民庶者，不敢少置也。矧予昔在幼沖，太皇太后躬保持而導迪之，欲報之德，亦不敢少忘也。稽諸佛氏之書，孝莫重於報親，慈莫廣於及物。而吾佛之所以陰相我國家者，豈可量哉！汝太禧宗禋使裕嚕布哈、中書平章明埒棟阿、大都留守張錦嘉努，其爲朕度地以作梵刹，稱朕心焉。四月，上幸近郊，觀於玉泉之陽，謂侍臣曰：曾岡複巘，隱隆西北，太湖之浸，汪洋渟涵，峙而東高，甕山在焉。旁薄扶輿，固祇園之地也。使太史眎之，曰吉。秋八月晦，立隆祥總管府以領之，鑄銀爲印，秩正三品，以臣裕嚕布哈領府事，將作臣額穆爾蘇爲達嚕噶齊。國語達嚕噶齊，官屬之長也。臣錦嘉努爲總管。上曰：建寺而不先正其名，民將因其地而稱之，其署題曰大承天護聖寺。又曰：寺所以嚴奉祀事，而廛氓雜居則幾乎瀆矣。買旁近地得十頃有奇，皆厚值以予之，分賜從臣，俾爲休沐之邸，侍祠而至則處焉。且命其總管府臣相大田以買之，度其歲入以爲僧食。明年，上壽尊號，改元至順。十月，上命太師臣雅克特穆爾率百官詣寺所，告諸后土之神，始命大匠治木，因命中書左丞臣薩勒迪爲隆祥總管府達嚕噶齊，蓋以省臣重其事也。二年四月十六日，始作土功，治佛殿基，得古金銅之器於地中，多事佛之儀物，實有密契者云。寺之前殿寘釋迦、然燈、彌勒、文殊、金剛并二大士之像；後殿寘五智如來之像；西殿庋金書大藏經，皇后之所施也；東殿庋墨書大藏經，歲庚午上所施也。又像護法神王於西室，護世天王於東室。二閣在水中坻：東曰圓通，有觀音大士像；西曰壽仁，上所御也。曰神御殿，奉太皇太后睟容於中；日有獻，月有薦，時有享，器用金寶。曰壽禧殿，上齋宮也；諸宿衞之舍畢具。九月，上諭臣錦嘉努曰：朕之建寺，非邀福以私朕躬也。昔者國家有佛寺之建，金帛穀粟一出於國之經費，受役庀徒，則民與兵。官府供億並緣爲姦，非朕意也。今茲役也，工傭其值，物償其價，勿使有司因得以重困吾民。臣錦嘉努頓首受詔而退。鳩工以集事，材木甓瓦、丹漆設色，必精必良；其土宜交易得所稱事；出傭藝各奏能，施無遺巧；人樂效力，若子趨父。屬樞密、儲政兩院臣請以所領軍就役而給錢如民，則軍士亦被惠矣。從之。凡役軍四千三百人，留守臣言：寺有行宮，天子之所齋也，嚴重不敢褻，請以所領匠將作而給錢如兩院之兵。亦從之。十月十五日，上覽而悦之，陞隆祥總管府爲隆祥使司，秩從二品，命太禧宗禋使臣鴻和爾布哈、臣薩勒迪、臣額穆爾蘇、大司農臣錦嘉努爲之，使他官與次俱升。又作東別殿、楠木別殿、丈室、講堂、衆沙門之居，會就之所，碑亭、井亭、庖湢、庫廐、門垣、橋梁，咸稱觀美。凡規制皆圖以獻，而上親臨定焉。皇后出大慶禮賜白金，從户部易鈔四萬錠，及割田賦之在荆襄者以資之。三年，寺大成，於是召五臺山萬聖寺釋師惠印特賜榮禄大夫司徒主教於寺，有勑命臣祖常、臣集、臣法洪、臣惠印製文以刻諸碑。道園學古録 按：明埒，唐古特語好名也。棟，碑礫也。阿，五數也，舊作明理董阿。錦嘉努舊作金界奴。額穆爾蘇，滿洲語單層也，舊作阿麻琜。達嚕噶齊，蒙古語頭目也，舊作達魯花赤。薩勒迪，索倫語甲也，原作撒迪。鴻和爾，蒙古語黃色也。布哈義見前，舊作晃火兒不花。今俱對音譯改。

原宋褧至順二年五月從駕觀承天護聖寺詩 陪駕西郊外，遐觀倦未還。荷深七里泊，雲起五華山。境勝嗟來暮，官微愧不閒。憑聽歌夏諺，直擬重躋攀。燕石集

原傅若金游城西承天護聖寺作 梵宮何巍巍，白日耀流藻。前楹交網樹，陰岡被靈草。宿昔構華麗，河沙施七寶。丹霞通飛閣，清飇激馳道。車馬縱横至，虚谷漫浩浩。飛龍逝不返，令人傷懷抱。游子愛良辰，出門各有攜。陽

春發惠氣，好鳥鳴喈喈。芳花明曲渚，新楊拂大堤。羣物紛相悅，斯人多所懷。飄彼陌上塵，化爲水底泥。百年諒如此，不樂復奚爲。傅與礪詩集

〔原〕程敏政自玉泉至功德寺詩　東風幾日到郊坰，岸草汀蒲已自青。羈客乍來無暇日，野人相見亦忘形。湖當鷲嶺烟光重，路入龍潭水氣腥。聞說先皇曾駐蹕，紅雲猶繞玉泉亭。篁墩集

〔原〕王守仁夜宿功德寺詩　水邊楊柳覆茅楹，飲馬春流上一亭。坐久遂忘歸路夕，溪雲正壓暮山青。王文成集

〔原〕李夢陽功德寺集唐詩　憶昔霓旌下南苑，江亭晚色靜年芳。重門深鎖無人到，僧在翠微開竹房。空同集

〔原〕何景明功德寺詩　寶地烟霞上，珠林霄漢間。宣皇留殿宇，今日共追攀。御榻臨丹壑，行宮鎖碧山。帝城看不遠，時見五雲還。大復山人集

〔原〕薛蕙功德寺詩　憶昨宣皇帝，端居大有年。莊嚴修佛土，功德施人天。龍象山開闢，金銀地接連。傷心萬歲後，陵谷尚依然。西原集

〔原〕李濂功德寺詩　宣廟行宮裊碧蘿，霓旌幾駐玉泉阿。三楊扈從宸恩重，十載昇平樂事多。勑寺松雲封殿閣，釣臺霜水落鼋鼍。白頭野老空山夕，閒說曾看鳳輦過。嵩渚集

〔原〕莫如忠功德廢寺詩　功德何年寺，開山紀釋曇。諸天迷宿莽，雙樹網晴嵐。逕掩花空落，壇墟鳥不參。寥寥禪誦侶，穴土自爲龕。崇蘭館集

〔原〕歐大任功德寺詩　宣皇游豫日，此地六龍迴。忍草生馳道，慈雲護講臺。蘆汀仙鷺浴，黍雪御桃開。寂寂留春卉，僧猶望幸來。歐虞部集

〔原〕黃鳳翔功德寺詩　繚繞招提路，平湖映翠嵐。烟波生道左，秋色似江南。鐘磬天香近，蒹葭雨氣含。心隨漁艇去，望望欲停驂。黃宗伯集

〔補〕袁袠功德寺詩　宣皇臨御日，此地數游觀。花下停雙輦，松間拜百官。雲長依寶座，月自照瑤壇。寂寞橋陵路，惟餘古木看。袁永之集

〔原〕許有壬護聖寺泛舟浣溪沙詞　花露濃披桂棹香，柳風輕拂葛衣涼，放歌深入水雲鄉。荷葉杯中傾綠醑，瓜皮船上載紅妝，都堂何似住谿堂？圭堂小稿

〔原〕功德寺側皆古松，有庵曰松林，游人多於此憇焉。出松林庵稍西，轉至金山口，望見景皇帝陵及諸王公主墓。燕都游覽志

〔臣等謹按〕功德寺側之松林庵，今無考。明景泰陵詳見後條。

原青龍橋側數武有寺，依山傍巖，山腰有閣，前臨一鏡，堤柳溪流，雜以畦畛，叢翠之中隱見村落。珂雪齋集

〔臣等謹按〕袁中道珂雪齋集所稱青龍橋側數武有寺依山傍巖者，不著其名，今無可考矣。

補慈恩寺在青龍橋側，萬曆中敕建。順天府志

〔臣等謹按〕慈恩寺明碑一，大學士東越趙志皋撰，萬曆甲午年立。

補趙志皋敕賜護國慈恩寺碑略　慈恩寺在西直門外二十五里青龍橋，聖母出内帑遣慈寧宮近侍御馬監太監陳儒督造，經始於萬曆癸巳五月，落成於甲午九月。寺外爲山門，前爲天王殿，旁翼以鐘鼓樓，中爲大通智勝寶殿，左右列伽藍、祖師二小殿。大殿後爲藏經閣，經凡六百七十八函，有大士像。繚以周垣，僧寮、方丈、廊廡、庖湢畢具，一歲而工告成。六虛堂集

增慈恩寺東有塔院。五城寺院册

〔臣等謹按〕塔院内僧塔一，上石刻云敕建大護國慈壽寺開山第一代住持古風禪師靈塔。明碑一，大學士趙志皋撰，萬曆甲午年立。其略云：古風淳禪師，保定府新城縣宋氏之子，幼出家，拜禮慶寧禪師寶藏和尚，嘉靖三十四年住持普安禪寺，隆慶丙子造大護國慈壽寺寶塔，工竣，入院焚修。

補青龍橋南里許爲西方庵，東望據湖，梵宇雖不雄偉而極精嚴。稍南爲三元寺，甚隘而頗饒水木之勝。度三元寺即功德寺矣。山行雜記

〔臣等謹按〕西方庵今存。庵内鐵鐘一，明嘉靖四年造。鐵鑪一，弘治十八年造。三元寺，宋彦山行雜記云在西方庵之南，今考西方庵南有七聖庵，疑卽其故址。

增 紅石山之麓有健鋭營。旗冊

〔臣等謹按〕紅石山在青龍橋東迤北，健鋭營制度詳見官署門。

增 紅石山有妙應寺、關帝廟。五城寺院冊

〔臣等謹按〕妙應寺明成化間碑一，爲助緣檀越碑，無撰人姓名。本朝重修碑一，乾隆十五年立。關帝廟明碑二：一禮部尚書洛陽劉健撰，弘治八年立；一新開義井碑，吏部尚書荆溪徐溥撰，弘治十二年立。

〔又按〕妙應寺後山頂有新造碉房全座，并亭一。碉房之下爲山神廟。

原 何棟登妙應寺迴眺京邑作　不上西峯望，誰知帝宅雄。星河圍紫極，龍虎抱金宫。王氣千年在，朝宗萬國同。皇圖天共久，形勝陋關中。太華集

補 繞功德寺後，過金山口，見一高峯，峯頂有紺殿角。急趨之，行數里，荒寂絶無僧舍，路多礫石，而所見紺殿已不可卽矣。僅見一谷口頗幽邃，騎不能上，乃下馬步，上坡三里許，稍南度大壑，又三里許，朱門焕然，上書寶藏精藍。入門又二里許，披宿莽陳根而行，上石磴爲天王殿，再百步上石磴爲寶藏殿。殿右石棧凡五轉，每轉可二丈餘，棧盡爲臺，臺有觀音殿。二十里外，所見紺殿角卽此也。寺係正統四年爲西域僧道

深建，初名蒼雪庵，後勑賜今額。山行雜紀

〔臣等謹按〕寶藏寺今尚存，明碑一，在寺門外，僧道深撰，正統四年立。本朝重修碑二：一禮部主客司郎中沂水劉侃撰，康熙四十七年立；一乾隆三十一年立。

補山中諸泉，圓通寺門水第一，寶藏次之。山行雜紀

增僧道深金山寶藏禪寺記略　永樂十九年，播州宣慰使司宣慰使郡侯楊昇攜予進貢，來朝北京，蒙太宗文皇帝賞賚褒重，由是得從灌頂廣善大國師智光受灌頂戒，學西天梵書字義。洪熙間，仁宗昭皇帝奬諭，特賜高僧繼從司録左闡教法主大師講華嚴圓覺楞嚴等經、大小宗乘等律、唯識百法等論。宣德初，侍大國師屢應宣宗章皇帝宣召，每與經筵，復從講經獨芳叟入室，參千百則公案。獨游大覺寺，過西湖，至金山口迷路，稍西行二里所，忽見山巒掩映，岐澗幽深，中有清泉一泓，可數掬而尤澂湛甜美。私謂此處宜插一草團。躬自誅茅闢地，創成衡宇數楹。九年，掌御馬欽差鎮守陝西等處監督總兵官兼尚寶魯安公王貴參隨宸駕幸游西湖之明日，祭祀永清公主，就省其親昭勇將軍王公太淑人吴氏之塋，偶尋訪予。是年六月，共力開山。其山離京僅三十里，近鄰五華峯頂，遠根紫塞、太行諸山，北背居庸疊翠，前呑西湖，平挹都城，品物之盛，不可具狀。但取左近立爲八景，其第一景，泉自主山右出，引至正殿石砌方池，爲灌頂玉華池。上人高士，每得灌沐清神，名玉華灌頂。其第二景，從玉華池石槽曲尺順東引水穿廊，直至方丈之後，又砌一池，爲璧月池。池上起一善住秘密大寶樓閣，閣東十數步有大劫石，可坐一二十人，上有談經室，予與衆上人常説顯密法義於中，名曰劫石談經。其第三景，主山西阿約半里許，孤巖幽峻，縛一茅茨，予時禪隙其間，名曰孤巖入定。其第四景，正在山口兩條岐澗之上，有亭翼然，扁曰浣心亭，往來士客皆得休滌其中，名曰雙澗浣心。其第五景，南手有山數畝，向陽肥壯，草室一間，扁曰耕雲室，予嘗躬耕其上，名曰南嶺耕雲。其第六景，從璧月池決渠引水，沿山至東七十九步東山迭秀下結爲臺，水繞其臺，東聚爲池，栽千葉蓮，池右葺亭，下瞰西湖，扁曰湖山亭，刻諸翰林詩記於上。予每坐目幻漚起滅，澄默於中，名曰西湖觀水。其第七景，主山西峯有石凌霄，通州城塔八十里遠，陰晴可望，名曰凌霄望塔。其第八景，浣心亭上有山有臺，登覽四時景物之豐，與夫城闕樓臺之麗，文物衣冠之盛，名曰卽景觀城。賜名寶藏禪寺。正統四年歲在己未三月記。

原景皇帝陵在金山口，距西山不十里。陵前坎窞，樹多白楊及樗。凡諸王公主夭殤者，並葬金山口，其地與景皇相屬。又諸妃亦多葬此。長安客話

〔臣等謹按〕明景帝陵今封樹如故，陵前恭勒御製詩碑亭。

原景皇帝陵葬恭仁康定景皇帝、貞惠安和景皇后。明嘉靖祀典

原景泰七年三月，謚皇后杭氏曰肅孝皇后。明景帝實録

原天順元年二月乙未朔，廢景泰帝仍爲郕王，歸西内，皇太后制諭也。戊戌，命郕王所立皇太后吴氏仍號宣廟賢妃，皇后汪氏復爲郕王妃，懷獻太子見濟爲懷獻世子，肅孝皇后杭氏及貴妃唐氏，俱革其名號。癸丑，郕王薨，祭禮如親王，謚曰戾。唐氏等妃嬪俱賜紅帛自盡以殉葬。雙槐歲抄

原成化十一年十二月戊子，命復郕王帝號，勅廷臣曰：曩者朕叔郕王踐阼，戡難保邦，奠安宗社，亦既有年。及寢疾臨薨之際，姦臣貪功生事，妄興讒構，請去帝號。先帝尋知誣枉，深懷悔恨，以次抵姦於法。不幸上賓，未及舉正。朕嗣承大業，於兹一紀。每思先儒有言，祖父有欲爲之志而未爲，子孫善繼其志而成就之，此所謂孝。間以帝號之復質諸聖母皇太后，亦云此先帝本意，宜即舉行。朕祗服慈訓，敦念親親，誕告在廷，用成先志。其郕王可仍舊皇帝之號，所有尊謚，禮部會議以聞。仍令所司修飾陵寢。壬辰，文武羣臣英國公張懋等議曰：仰惟郕王，早膺王爵，奉藩京師。當先帝北狩之秋，狡寇南侵之日，郊畿震動，神器虚危。乃承傳受之命於慈闈，俯從擁戴之情於臣庶。嗣登大位，宏濟艱難。拔擢賢才，延攬羣策。收既潰之士卒，却深入之軍鋒。保固京城，奠安宗社。申嚴戰守之師，再遣奉迎之使。卒致額森悔過，先帝回鑾。尊養之禮有加，讒間之言罔入。始終八載，全護兩宫。仁恩覃被於寰區，威武奮揚於海宇。奈屬末年寢疾，遽罹臣下姦謀。巧肆讒間於臨危，請削帝號於既逝。尚賴先皇之覺悟，旋抵姦宄於誅夷。雖舉正之未遑，實貽謀之有待。皇帝明高日月，量廓乾坤。孝道丕隆，承先帝所欲爲之素志；綸音涣布，復景泰所已有之徽稱。上慰在天之靈，下協率土之議。臣等謹擴聞見之蹟，庸陳羣議之公，宜上尊謚曰恭仁康定景皇帝。己亥，命翰林撰謚册，遣武寧侯朱永、襄城侯李謹、定西侯蔣琬祭告天地、宗廟、社稷，英國公張懋詣陵寢上尊謚。册曰：維成化十一年，歲次乙未，十二月丙子朔，越二十四日，姪嗣皇帝謹再拜稽首上言：伏以功業之盛，宜享乎徽稱；孝愛之隆，莫先於繼志。叔父郕王，比當多難之秋，俯徇羣臣之請，臨朝踐阼，奮武揚兵。却寇勢於方張，致鑾輿之遄復。奠安宗社，輯寧邦家。敬養備於奉尊，惠化周於逮下。偶因寢疾，遂至彌留。皇考應天順人，復正大位，眷惟同氣，初無間言。奈姦臣貪功，妄生異議，請去帝號，退就王封。賴皇考日月之明，灼知誣枉，抵姦於法，擬復舊稱，不幸上賓，因而未果。姪嗣守大業，敦念親親，間以帝號之復，請於聖母，伏承慈旨，欣然允從。是用參合至公，祗薦鴻號，昭叔父之盛烈，副皇考之素心。謹遣英國公張懋奉册寶，上尊謚曰恭仁康定景皇帝。神靈如在，鑒是用歆。錫慶流芳，永永無極。謹告。庚子，太常寺奏：景皇帝陵寢舊祭用少牢，遣内官行禮，今既上尊謚，其祭儀并遣官請如長、獻諸陵。從之。明憲宗實録

原景帝追復謚號，始荊門州訓導高瑶。初爲黎淳所駁，辭甚厲。訖如瑶請，亦公論之不容泯也。國史唯疑

原世宗謁陵畢，過金山，特謁景帝陵。廟初碧瓦，命以黄瓦易之。帝京景物略

原上諭尚書夏言：景皇帝陵碑偏置門左，非；宜建亭於陵門之外，大門之内，庶稱尊崇。於是言請作亭蓋覆。報可。明嘉靖祀典

增乾隆三十四年御製題明景帝陵詩有序並跋語

在玉泉山北，登山可望見。遷都和議斥紛陳，一意于謙任智臣。挾重雖云袪恫喝，示輕終是薄君親。姪隨見廢子隨棄，弟失其恭兄失仁。宗社未亡真是幸，邱明誇語豈爲淳。按：景帝任于謙，排羣議而力戰守，不可謂無功於宗社。獨是英宗還國，僻處南宫，事同禁錮，而廢后易儲，有貪心焉。天道好還，子亦隨死，終於殺禮西山，實所自取耳。然英宗亦豈得辭寡恩尺布之譏哉？至於于謙社稷爲重之言，蓋出於吕飴甥喪君有君，及公孫申爲將改立晉必歸君之意，後世迂儒無不以是爲韙。夫君猶親也，親爲人執，爲子者不被髮纓冠而往救之以示不急，其可乎？則意欲之獄，亦有由來。或猶以爲非英宗意，是真不識事體者之言耳。然則當時宜從和議乎？曰：不共之讐，安得與和？繕甲治兵以從其後，如岳飛之力戰迎二帝，天下其誰非之！

原仁宗諸妃俱陪葬獻陵，惟三妃别葬金山。宣宗諸妃俱陪葬景陵，惟一妃别葬金山。睿皇后錢氏合葬裕陵，諸妃一葬綿山，餘葬金山。憲廟廢后吴氏墳葬金山。明嘉靖祀典

原皇子葬金山者：懷獻世子、悼恭太子、哀沖太子、越靖王、秀懷王、蘄獻王、滕懷王、衞恭王、許悼王、忻穆王、申懿王、雍靖王、岐惠王、涇簡王、蔚悼王、潁高王、薊懷王、戚懷王、均思王。同上

【原】憲廟十三妃始同爲一墓。嘉靖十三年，以古世婦、御妻皆九，宜九妃爲一墓，同一享殿，内作七室兩廂。於是金山預造五墓各九數，以次葬焉。明典彙

【原】金川門之變，建文帝闔宫自焚。實録謂中使出其屍於火中，越七日備禮葬之，遣官致祭，而不言葬地所在。或謂松楊王景請葬以天子之禮，成祖從之。若葬以天子，豈有不爲置陵守冢，掌之祠官乎？是則備禮云者，特史臣欺世之辭耳。至於北京金山口景皇帝陵北，相傳有天下大師之墓，好事者實之，以爲建文帝墳。然訪之土人，皆莫辨其處也。遜國之事，野史紛紜，以思恩所獲僧楊應祥譌爲楊應能；或又以太監吴誠譌爲吴亮；且隱應祥之斃獄，而云老佛取入西内；又言葬之西山不封不樹，遂指不知何人之墓以爲帝墳；轉相紀述，亡而爲有，毋乃爲有識者所笑乎！又考應祥之獲，在正統五年，土官岑英執送總兵柳溥，械至京師，錮之錦衣衛獄。是年太監吴誠坐征麓川失利弗救，法司論辟，雖得宥死，未必即給事宫中。所傳老佛語誠伏地餂賜鵞肉，誠拜而哭，其事亦不足信。崇禎中，鞏都尉永固請以建文帝入祀典。思陵曰：建文無陵，從何處祭？於是言者謂當祛西山不封不樹之訛，而考尋成祖禮葬之蹟，是亦癡人説夢矣。兩京求舊録

【補】建文帝壬午遜位，至正統復出，移入京師大内，載於紀傳云云。然西山不封不樹之説，毫無髣髴。使當時果有之，於時禁網漸弛，何所諱而人遂不一志其處？且靖難師至日，爬梳搜捕亡遺，當日誰敢指后屍誑以爲帝者？紀又載葬以天子禮。夫禮以天子，陵寢今在何地？既不爲置陵守冢，又何云以天子葬乎？此兩説者姑以意逆之，存疑焉可也。客座贅語

【補】懷獻太子見濟，景皇帝長子；悼恭太子佑極，憲宗第二子；哀沖太子載基，世宗第一子；莊敬太子載壡，世宗第二子；俱葬西山。七太子傳

【補】永陵享年既久，妃嬪獨多。妃三十人，惟榮安閻貴妃、端和王貴妃、馬貞妃、楊榮妃葬昌平之嶴兒峪。其餘葬西山紅石口者，包宜妃、陳静妃、何睦妃、王麗妃、王莊妃、褚安妃、張常妃、彭安妃、高正妃、耿平妃、吴定妃、李順妃、王懷妃、張安妃、于宜妃、宋宜妃、諸静妃、張和妃、杜莊妃、王康妃、趙懿妃、陳雍妃、文恭妃。葬峯峪口者，張德妃、王徽妃、沈安妃。嬪二十八人，葬紅石口者，王懷嬪、黄御嬪、趙婉嬪、馬常嬪、楊常嬪、有二劉常嬪、有二張常嬪、有二劉康嬪、傅常嬪、張昭嬪、武常嬪、郭寧嬪、田静嬪、高安嬪、孟安嬪、宋麗嬪、任和嬪、王常嬪。葬峯峪口者，王莊嬪、韋惠嬪、陳常嬪、王宜嬪、張淑嬪、姜肅嬪、王裕嬪。而自后以下以罪廢死者不與焉。芹城小志